Einfach Grammatik

Übungsgrammatik Deutsch
A1 bis B1

Von
Paul Rusch und Helen Schmitz

Langenscheidt

Berlin · München · Wien · Zürich · New York

Layoutkonzept: Jürgen Bartz
Illustrationen: Daniela Kohl
Redaktion: Cornelia Rademacher und Marion Schomer

© Langenscheidt KG, 2007 Berlin und München

Satz und Litho: Druckhaus „Thomas Müntzer", Bad Langensalza
Druck: Druckhaus Mitte, Berlin
ISBN-13: 978-3-468-49496-3
ISBN-10: 3-468-49496-3

1. 2. 3. 4. 5. * 11 10 09 08 07

Vorwort

Für Lernende

Einfach Grammatik enthält die Grammatik zu den Niveaustufen A1–B1.
Einfach Grammatik passt zu jedem Lehrwerk von A1–B1. Diese Grammatik enthält alles zur Grammatik, was für Prüfungen für die Niveaus A1, A2 und B1 notwendig ist, z.B. für die Prüfungen *Start Deutsch 1* und *2* und das *Zertifikat Deutsch*.

Sie finden zu jedem Grammatik-Thema

- eine Darstellung mit einfachen Aufgaben
- einfache Regeln, die Sie ergänzen
- zu jedem Kapitel eigene Übungen
- zu jeder Übung die Niveauangabe A1, A2 oder B1
- die Lösung von Aufgaben und Übungen im Lösungsschlüssel

So arbeiten Sie mit *Einfach Grammatik*

- Was wollen Sie lernen oder wiederholen? Wählen Sie Ihr Kapitel mithilfe des Inhaltsverzeichnisses oder des Registers aus.
- Lösen Sie die Aufgaben zuerst selbstständig. Arbeiten Sie mit Bleistift.
- Kontrollieren Sie Ihre Aufgaben und Ergänzungen der Regeln mit dem Lösungsschlüssel.
- Machen Sie die Übungen dazu.
- Wenn die Übungen für A1 zu einfach sind, machen Sie nur die Übungen zu A2 oder B1.
- Am Ende der komplexeren Kapitel sehen Sie in einer Zusammenschau, was Sie mit den entsprechenden grammatischen Elementen ausdrücken können, und Sie finden zusammen-fassende Übungen.

So lernen Sie mit *Einfach Grammatik*

- Notieren Sie das Datum: Wann haben Sie die Aufgaben gemacht? Wann die Übungen?
- Wiederholen Sie nach 2–3 Tagen Ihr Pensum.
- Wiederholen Sie nach ca. zwei Wochen noch einmal.

Wenn Sie einen Kurs mit dem Niveau B2 (oder höher) besuchen wollen, können Sie mit *Einfach Grammatik* Ihre Kenntnisse in der Grundgrammatik selbstständig wiederholen und festigen.

Für Lehrende

Einfach Grammatik ist eine Selbstlerngrammatik. Die Lernenden entdecken über kleine Aufgabenschritte die Regeln. Sie wählen die Übungen nach ihrem Niveau aus.

- Sie können die Lernenden beim Üben mit der Grammatik unterstüzten. Weisen Sie Ihre Lernenden darauf hin, welches Kapitel sie gezielt erarbeiten oder wiederholen sollen. Viele Lernende sind dankbar für präzise Hinweise, was sie zu einem bestimmten Zeitpunkt am besten machen sollen.

- *Einfach Grammatik* eignet sich
    - für das kursbegleitende, ergänzende Selbststudium Ihrer Lernenden
    - zum Einsatz im Kurs parallel zu jedem Lehrwerk
    - zur gezielten Vorbereitung auf die Prüfungen Start Deutsch 1 und 2 und das *Zertifikat Deutsch* oder auf eine andere Prüfung zu den Niveaus A1–B1
    - zur selbstständigen Erarbeitung oder Wiederholung grammatischer Kenntnisse in einem B2 Kurs (oder höher)

Inhaltsverzeichnis

Inhaltsverzeichnis

Inhaltsverzeichnis

Bausteine der Sprache

1.1 Wort – Satz – Text

h g eh K d
W b
b z J
b I
A J s ie ü S
D I V s!

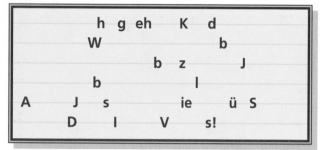

Buchstabe

Das deutsche Alphabet hat
26 Buchstaben.

---

geehrte Kunden
Urlaub
Juni bis
haben
wir wieder
Dank

Vom Ab 17 Wir Juli . 18 . Sehr machen
Vielen zum Verständnis ! Ihr sind 27 . für

Wort

Es gibt verschiedene Wortarten.
Substantive schreibt man groß.

Ab 18. Juli sind wir wieder für Sie da.
Sehr geehrte Kunden!
Vielen Dank für Ihr Verständnis!

Wir machen Urlaub.

Vom 27. Juni bis zum 17. Juli
haben wir geschlossen.

Satz

Sätze bestehen aus mehreren Wörtern.
Die Wörter haben im Satz verschiedene
Funktionen. Das erste Wort in einem
Satz schreibt man groß.

⟹ 12 Satztypen und Verbstellung, S. 164

Sehr geehrte Kunden!
Wir machen Urlaub.
Vom 27. Juni bis zum 17. Juli
haben wir geschlossen.
Ab 18. Juli sind wir wieder für Sie da.
Vielen Dank für Ihr Verständnis!

Text

Ein Text ist eine Kombination von
mehreren Sätzen.

⟹ 16 Textzusammenhang, S. 215

Bausteine der Sprache

Wort, Wortarten

Mehrere Wörter zusammen bilden Sätze.

Wir machen Urlaub.

Wir	**machen**	**Urlaub.**
Pronomen	Verb	Substantiv

Im Wörterbuch finden Sie, zu welcher <u>Wortart</u> ein Wort gehört. Im Satz können Verben, Adjektive und Substantive Formen haben, die Sie so im Wörterbuch nicht finden.

Sehr geehrte Kunden!

Sehr	**geehrte**	**Kunden!**

◆ **sehr** [zeːɐ̯] *Adv* **1** verwendet, um ein Adjektiv oder ein Adverb zu verstärken: *ein sehr schönes Bild; Ich bin jetzt sehr müde* **2** verwendet, um ein Verb zu verstärken: *Er freute sich sehr über mein Geschenk* **3** verwendet, um bestimmte Höflichkeitsformeln zu verstärken: *bitte sehr!; danke sehr!*

ge·ehrt *Adj*; verwendet als Teil einer höflichen Anrede, *bes* in Briefen: *Sehr geehrter Herr …; Sehr geehrte Frau …*

◆ **Kun·de** *der*; -*n*, -*n*; j-d, der in einem Geschäft einkauft oder Dienste in Anspruch nimmt ⟨ein guter Kunde⟩ ‖ K-: **Kunden-, -beratung** ‖ -K: **Stamm-** ‖ *hierzu* **Kundin** *die*; -, -*nen*

aus Langenscheidt Taschenwörterbuch Deutsch als Fremdsprache, 2005

Adv = Adverb

Adj = Adjektiv
im Wörterbuch ohne Endung

Substantiv
im Wörterbuch ohne Endung

Vom 27. Juni bis zum 17. Juli	**haben wir**	**geschlossen.**

◆ **schlie·ßen²**; *schloss, hat geschlossen*
…
(*etwas*) (*irgendwann*) **schließen** ein Geschäft, ein Gasthaus (vorübergehend) nicht mehr geöffnet haben: *Wir schließen in 10 Minuten*

aus Langenscheidt Taschenwörterbuch Deutsch als Fremdsprache, 2005

A 1   Ergänzen Sie die Formen von „schließen" aus dem Wörterbuch-Ausschnitt.

Infinitiv	Präsens (3. Person Sg)	Präteritum (3. Person Sg)	Perfekt (3. Person Sg)
schließen	schließt		geschießen

Bausteine der Sprache

Satz

Sätze bestehen aus mehreren Wörtern. Die Wörter haben im Satz verschiedene Funktionen. Das Verb ist der Kern des Satzes.

Wir   (machen)   Urlaub.

Wer?   **Was geschieht? Was ist?**   **Was?**

	Was geschieht? Was ist?		
Vom 27. Juni bis zum 17. Juli	haben	wir	geschlossen.
Wann?		**Wer?**	

Es gibt auch Sätze ohne Verb: Vielen Dank für Ihr Verständnis.

Text

Ein Text ist eine Kombination von mehreren Sätzen. Ein Text hat typische Merkmale.

A 2 Vergleichen Sie. Markieren Sie die Unterschiede.

Helmut Kirchmair ist Elektriker.
Herr Kirchmair arbeitet in einer großen Firma in Bochum.
Die Firma baut elektrische Anlagen.
Herr Kirchmair hat zwei Söhne.
Die Söhne heißen Simon und Clemens.
Die Mutter von Simon und Clemens heißt Anna.
Anna ist Krankenschwester.

Helmut Kirchmair ist Elektriker. Er arbeitet in einer großen Firma in Bochum. Die Firma baut elektrische Anlagen. Herr Kirchmair hat zwei Söhne, die Simon und Clemens heißen. Ihre Mutter heißt Anna und ist Krankenschwester.

Merkmale von Texten

Helmut Kirchmair ist Elektriker. **Er** arbeitet in **einer Firma** in Bochum. **Die Firma** baut elektrische Anlagen. Herr Kirchmair hat **zwei Söhne**, **die Simon und Clemens** heißen. **Ihre Mutter** heißt Anna **und** ist Krankenschwester.

Personalpronomen
Artikelwort
Relativpronomen
Possessivartikel
Satzverbindung

Bausteine der Sprache

Ü 1a Was für eine Wortart ist das? Suchen Sie in Ihrem Wörterbuch. A2

auf	*Präposition*	heute	....
Foto	....	weil	....
sehen	....	er	....

Ü 1b Markieren Sie Adjektive, Substantive und Verben im Text. Notieren Sie die Grundformen.

Heute ist ein schöner Tag. Klaudia Simoni bringt ihre Kinder zum Kindergarten. Weil die Sonne scheint, fährt sie mit dem Fahrrad. Peter und Paul sitzen in ihrem neuen Anhänger.

sein, schön, der Tag ....

....

....

....

Ü 2 Markieren Sie die Wort- und Satzgrenzen. Welche Wörter schreibt man groß? A1

K   S

klaudiasimoniarbeitetineinembüroihrchefistarchitektinderfirmaarbeitenfünf

personenfrausimonitelefoniertundschreibtmailsundbriefesiearbeitetjedentag

vonneunbiseinsnachderarbeitfährtsiezumkindergartensieholtdortihrekinderab.

Ü 3 Welcher Satz kommt zuerst? Nummerieren Sie. A2

a

...... Er hat ihn zu seinem Geburtstag von der Oma bekommen.

1 Peter hat einen neuen Helm.

...... Sie hat seine Lieblingsfarbe gewählt: rot!

b

...... Er hat eine kleine Schwester.

...... Er spielt nicht gern mit ihr.

...... Denn sie ist erst 5 Jahre alt.

1 Max ist 12 Jahre alt.

1.2 Aussage – Frage – Aufforderung

Eva Klinger.

Ich arbeite. Ich habe in drei Tagen eine Prüfung. Ach je! Ich muss noch so viel lernen.

Nein, tut mir leid, ich habe keine Zeit.

Wohin geht ihr denn?

Welche meinst du? Das „Alex"?

Ja, ich komme aber etwas später.

Ja, bis dann! Tschüs.

Hallo Eva! Was machst du? …

Wie lange musst du noch arbeiten? Karin und ich gehen noch weg. Kommst du mit?

Komm doch mit!

In die Kneipe am Karlsplatz. Kennst du die nicht?

Ja, genau. Wir sind in ca. einer Stunde dort. Hör doch bald mit dem Lernen auf!

Das macht doch nichts. Dann sehen wir uns später im „Alex".

Tschüs, Eva. Bis bald.

Ein einfacher Satz kann sein …

- eine Aussage: Ich arbeite.
- eine Frage: Was machst du?
                         Kommst du mit?
- eine Aufforderung: Komm doch mit!

A   Suchen Sie Beispiele im Telefon-Dialog. Achten Sie auf die Satzzeichen („.", „?", „!").

Aussagen: *Ich habe in drei Tagen eine Prüfung.*

Fragen: Wohin kommst diese Prüfung.

Aufforderung: Sägst du mir ! Ich wisse nicht.

Der Aussagesatz

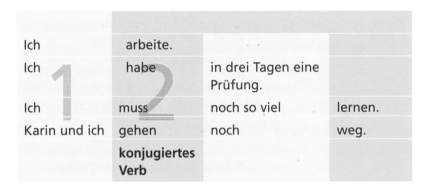

Ich	arbeite.		
Ich	habe	in drei Tagen eine Prüfung.	
Ich	muss	noch so viel	lernen.
Karin und ich	gehen	noch	weg.
	konjugiertes Verb		

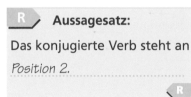

R **Aussagesatz:**

Das konjugierte Verb steht an *Position 2.*

Fragesätze: W-Frage

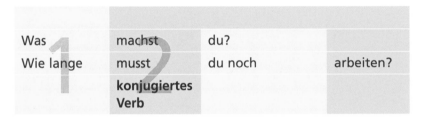

Was	machst	du?	
Wie lange	musst	du noch	arbeiten?
	konjugiertes Verb		

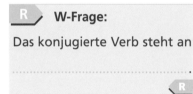

R **W-Frage:**

Das konjugierte Verb steht an

Fragesätze: Ja-/Nein-Frage

Kommst	du		mit?
Kennst	du	die nicht?	
konjugiertes Verb			

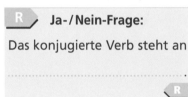

R **Ja-/Nein-Frage:**

Das konjugierte Verb steht an

Aufforderungssatz:

Komm	doch	mit!
Hör	doch bald mit dem Lernen	auf!
konjugiertes Verb		

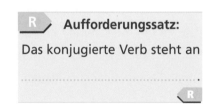

R **Aufforderungssatz:**

Das konjugierte Verb steht an

⇨ 12 Satztypen und Verbstellung, S. 164

Bausteine der Sprache

1

A1 **Ü 1a** Markieren Sie das Verb. Sortieren Sie die Sätze.

! 1. Warte bitte!

? 2. Wohin gehst du?

3. Ich gehe noch einkaufen.

4. Möchtest du mitkommen?

? 5. Hast du Zeit?

6. Nein, ich habe noch einen Termin.

? 7. Was machst du?

8. Ich muss zum Zahnarzt gehen.

? 9. Wo ist denn die Praxis von deinem Zahnarzt?

10. Die liegt gleich da vorne, fünf Minuten von hier.

! 11. Geh doch mit mir bis zur Praxis.

12. Ja, das mache ich.

Aussagesatz	W-Frage	Ja- / Nein-Frage	Aufforderungssatz
3, 6, 8, 9, 12	2, 7, 9	5	1, 11

Ü 1b Ergänzen Sie die Sätze 1–5 in der Tabelle.

1.	Warte	- - -	bitte!
2.	Wohin	gehst	du
3.	Ich	gehe	noch
4.	möchtest	du	mitkommen
5.	hast	du	Zeit?

A1 **Ü 2** Aussage, Frage oder Aufforderung? Schreiben Sie Sätze.

1. Eva Klinger / Studentin / ist [.]   Eva Klinger ist Studentin.

2. wann / sie / eine Prüfung / hat [?]   Wan hat sie eine Prüfung?

3. sie / die Kneipe am Karlsplatz / kennt [?]   Kennt sie die Kneipe am Karlsplatz?

4. auch / in die Kneipe / komm [!]   komm in die Kneipe auch!

5. die Freunde / in einer Stunde / dort / sind [.]   Die Freunde sind in eine Stunde dort.

6. wie lange / Eva / am Abend / arbeitet [?]   Wie lange arbeitet Eva am abend?

7. bald / auf / hör [!]   hör bald auf!

8. du / keine Zeit / hast [?]   Hast du kiene Zeit?

14

Verben

2.1 Kongruenz Verb–Subjekt

Das Subjekt und das Verb gehören zusammen. Man sieht das an der Verb-Endung, das Verb zeigt die Person.

Ich wohne in München. Und du? Wo wohn**st du**? Wohn**en Sie** auch in München?

Wir geh**en**. Bleib**t ihr** noch da? Bleib**en Sie** noch oder kom-m**en Sie** mit?

Der Ort heißt Lochen. Er liegt in Bayern und ist sehr klein. Das Rathaus ist alt. Es steht links neben der Kirche. Die Schule ist neu. Sie heißt Wiesenschule. In Lochen leben 800 Menschen; sie wohnen gerne hier.

A Ergänzen Sie die Tabelle.

ich	wohn-*e*		wir	geh-*en*
du	wohn-st		*Ihr*	bleib-t
Sie	wohn-*en*		Sie	bleib-*en*
er	lieg-t		*sie*	wohn-en
es	steh-_			
sie	heiß-t			

R Das Verb trägt eine Endung. Das Subjekt bestimmt die Endung des Verbs.

➡ 5.1 Personalpronomen, S. 94

2 _____ Verben _____

A1 > **Ü 1** Verb und Subjekt. Markieren Sie.

1. Wie (heißt) du?
2. Ich heiße Lisa Bahr. Ich wohne in Berlin.
3. Kommt ihr aus Berlin?
4. Nein, wir kommen aus Bonn.
5. Was machen deine Eltern?

6. Meine Mutter ist Biologin und mein Vater arbeitet als Krankenpfleger.
7. Hast du noch Geschwister?
8. Ja, ich habe einen Bruder, wir machen viel gemeinsam.

A1 > **Ü 2** Ergänzen Sie die Lücken.

Felix Bahr wohn*t* (1) in Berlin. Er (2) geht in die Schule. Seine Schwester heiß*t* (3) Lisa. Sie (4) macht viel Sport. Felix und Lisa wohn*en* (5) bei ihren Eltern. Die Eltern heiß*en* (6) Rosi und Thomas. Sie (7) leben und arbeiten in Berlin.

A1 > **Ü 3** Ergänzen Sie die Verb-Endungen.

○ Ich heiß*e* (1) Paola. Ich komm*e* (2) aus Verona. Und woher komm*st* (3) du?
● Ich komm*e* (4) aus München. Aber ich leb*e* (5) jetzt auch in Italien.
○ Ach ja? Was mach*st* (6) du da? Arbeit*est* (7) du bei einer Firma?
● Nein, ich studier*e* (8) in Rom.
○ Das find*e* (9) ich ja toll. Was studier*est* (10) du denn?

A1 > **Ü 4** Schreiben Sie die Verben in die Lücke. Achten Sie auf die richtige Form.

machen • gefallen • ~~sein~~ • heißen • heißen • haben • arbeiten • wohnen

○ Hallo, mein Name *ist* (1) Hauser. Und wie *heißen* (2) Sie?
● Ich *heiße* (3) Hell, Sigrid Hell. Ich ~~habe~~ *wohne* (4) erst drei Wochen hier.
○ Und was *machen* (5) Sie, Frau Hell?
● Ich *arbeite* (6) bei der Firma Teinert.
○ Wie *gefällt* (7) es Ihnen?
● Na ja, ich *habe* (8) sehr viel Arbeit.

2.2 Tempusformen der Verben

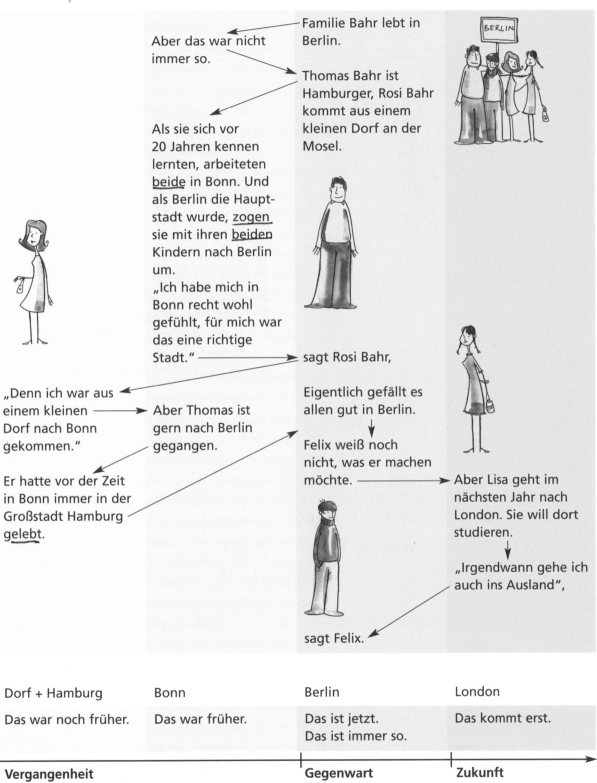

Aber das war nicht immer so.

Familie Bahr lebt in Berlin.

Thomas Bahr ist Hamburger, Rosi Bahr kommt aus einem kleinen Dorf an der Mosel.

Als sie sich vor 20 Jahren kennen lernten, arbeiteten <u>beide</u> in Bonn. Und als Berlin die Hauptstadt wurde, <u>zogen</u> sie mit ihren <u>beiden</u> Kindern nach Berlin um.
„Ich habe mich in Bonn recht wohl gefühlt, für mich war das eine richtige Stadt."

sagt Rosi Bahr,

„Denn ich war aus einem kleinen Dorf nach Bonn gekommen."

Aber Thomas ist gern nach Berlin gegangen.

Eigentlich gefällt es allen gut in Berlin.

Felix weiß noch nicht, was er machen möchte.

Er hatte vor der Zeit in Bonn immer in der Großstadt Hamburg <u>gelebt</u>.

Aber Lisa geht im nächsten Jahr nach London. Sie will dort studieren.

„Irgendwann gehe ich auch ins Ausland",

sagt Felix.

Dorf + Hamburg	Bonn	Berlin	London
Das war noch früher.	Das war früher.	Das ist jetzt. Das ist immer so.	Das kommt erst.
Vergangenheit		**Gegenwart**	**Zukunft**

Die Tempusformen der Verben drücken die Perspektive „Zeit" aus.

Verben

2.2.1 Präsens
„sein", „haben", „werden"

○ Was ist los mit dir?

● Nichts.

○ Wirst du krank?

● Nein, ich bin einfach müde. Ich möchte am liebsten allein sein.

○ Ok, ich gehe schon.

○ Ich habe ein Problem, ich möchte mit dir reden. Hast du ein bisschen Zeit?

● Erst am Abend, leider. Es wird heute spät, wir haben noch so viel Arbeit, und wir müssen fertig werden.

○ Schade. Du bist immer so im Stress.

A 1a   Markieren Sie die Formen der Verben „sein", „haben", „werden" im Text.

A 1b   Ergänzen Sie die Formen in der Tabelle.

		sein	haben	werden
Singular	ich	bin	habe	werde
	du	bist	hast	wirst
	er/es/sie	ist	hat	wird
Plural	wir	sind	haben	werden
	ihr	seid	habt	werdet
	sie	sind	haben	werden
	Sie	sind	haben	werden

Diese Verben verwendet man oft in <u>Ausdrücken</u>.
alt sein: Er ist 22 Jahre alt.   **Spaß haben**: Ich habe viel Spaß.   <u>hell</u> **werden**: Es wird hell
leicht sein: Deutsch ist leicht.   **Angst haben**: Sie hat keine Angst.   **krank werden**: Ich werde krank.

Verben

Ü 1a Was passt zusammen? Ordnen Sie die Fragen zu.

1. _C_	1. Name: _Nena_
2. _d._	2. Alter: _46 Jahre_
3. _a._	3. Beruf: _Sängerin_
4. _b_	4. Familienstand: _ledig_

A Was sind Sie von Beruf?
B Sind Sie verheiratet?
C Wie ist Ihr Name?
D Wie alt sind Sie?

Ü 1b Schreiben Sie die Antworten.

Mein Name ist Nena. Ich bin 46 jahre alt. Ich bin Sängerin von Beruf. Ich bin ledig. (verheiratet)

Ü 2 Wer ist das? Ergänzen Sie „sein" oder „haben" in der richtigen Form.

Das _bin_ (1) ich. Ich _bin_ (2) sieben Jahre alt. Ich _habe_ (3) eine Schwester. Sie _ist_ (4) Fußballerin. Wir _haben_ (5) auch zwei Brüder, Leo und Max. Sie _____ (6) noch klein, sie _ist_ (7) erst fünf Jahre alt. Und das _ist_ (8) Dora. Wir _sind_ (9) gute Freundinnen. Wir _haben_ (10) viele Hobbys.

Ü 3 Schreiben Sie Sätze.

1. Isabella / Schülerin / sein
2. sie / am 1. April / sieben Jahre alt / werden
3. ich / am _____ / Geburtstag / haben
4. dann / ich / _____ Jahre alt / werden
5. heute / das Wetter / schlecht / sein
6. morgen / es / besser / werden

Isabella ist Schülerin.
am 1. April wird sie sieben Jahre alt.
am 31. December habe ich geburstag.
Dann werde ich 22 Jahre alt.
Heute ist das Wetter schlecht.
& morgen wird es besser.

Verben

Regelmäßige und unregelmäßige Verben

Montagmorgen, halb sieben. Der Wecker klingelt. Lisa hasst Montagmorgen, wieder liegt eine lange Woche vor ihr. Sie bleibt noch ein paar Minuten im Bett. Dann holt sie die Kleider aus dem Schrank und geht ins Bad. Sie duscht und macht sich fertig. Sie rennt aus dem Haus, der Bus wartet nicht auf sie. Die Eltern sitzen noch in der Küche und reden. Sie gehen erst später aus dem Haus.

A 2a Markieren Sie die Verben im Text.

A 2b Ergänzen Sie die Tabelle.

	gehen	Endung
ich	geh-e	-e
du	geh-st	-st
er/es/sie	geh-*t*	-t
wir	geh-en	-en
ihr	geh-t	-t
sie	geh-*en*	-en
Sie	geh-en	-en

warten, reden	du	wart**est**, red**est**
	er/es/sie	wart**et**, red**et**
	ihr	wart**et**, red**et**
klingeln, lächeln	ich	kling**le**, läch**le**
	wir	kling**eln**, läch**eln**
	sie/Sie	kling**eln**, läch**eln**
heißen, reisen	du	heiß**t**, reis**t**

A 3a Markieren Sie die Verben im Text.

Als Lisa zur Haltestelle kommt, fährt der Bus gerade. Sie wartet nicht auf den nächsten, denn dann kommt sie zu spät. Deshalb läuft sie zur Schule.
In der großen Pause isst sie ein Brot und trinkt schnell einen Tee aus dem Automaten. Sie spricht noch kurz mit ihrem Biolehrer, dann läuft sie zu Yvonne und Clara. Die drei Freundinnen treffen sich nach der Schule und fahren gemeinsam in die Stadt. Am Abend nimmt Lisa den Bus nach Hause.

A 3b Ergänzen Sie die Tabelle.

	fahren	essen
ich	fahre	esse
du	(!) fährst	(!) isst
er/es/sie	*fährt*	*isst*
wir	fahren	essen
ihr	fahrt	esst
sie	*fahren*	essen
Sie	fahren	essen

Unregelmäßige Verben können in der 2. und 3. Person Singular („du", „er/es/sie") den Vokal ändern. Sie erkennen diese Verben im Wörterbuch.

fahren, laufen	du	fährst, läufst
	er/es/sie	fährt, läuft
a/au	⇨	**ä/äu**
essen, lesen	du	isst, liest
	er/es/sie	isst, liest
e	⇨	**i/ie**
(!) n**eh**men	du n**imm**st, er/es/sie n**imm**t	

Verben

Ü 4 Wer macht was? Unterstreichen Sie das Subjekt und ergänzen Sie die Endungen.   A1

<u>Familie Bahr</u> wohn*t* (1) in Berlin. <u>Herr Bahr</u> arbeit*et* (2) in einem Krankenhaus. <u>Er</u> komm*t* (3) aus Hamburg. <u>Herr</u> und <u>Frau Bahr</u> und <u>die beiden Kinder Lisa</u> und <u>Felix</u> leb*en* (4) schon zehn Jahre in Berlin. „<u>Wir</u> leb*en* (5) gern in Berlin", sag*t* (6) Lisa, „<u>ich</u> find*e* (7) es hier richtig gut. Aber später geh*e* (8) ich nach London."

Ü 5 Was macht Lisa am Sonntag? Schreiben Sie. A1

Heute ist Sonntag. Lisa (schlafen) *schläft* (1) bis zehn Uhr. Sie (machen) macht (2) ein gutes Frühstück. Lisa (essen) isst (3) nicht gern <u>allein</u>, ihr Freund Lukas (sein) ist (4) auch da. Lisa (erzählen) erzählt (5) von der Schule, und Lukas (sprechen) spricht (6) über seine Arbeit. Am Nachmittag (treffen) trefft (7) Lisa eine Freundin, Lukas (fahren) fährt (8) dann nach Hause.

Ü 6a Persönliche <u>Angaben</u>. Ergänzen Sie die Fragen. A1
Ü 6b Antworten Sie.

1. heißen: Wie *heißt* du? Ich heiße Meredyth
2. wohnen: Wo wohnst du? Ich wohne ~~in~~ in Dijon
3. kommen: Woher kommst du? Ich komme aus Kansas City
4. machen: Was machst du? Ich schreibe.

Ü 7 Die persönlichen Angaben von Lukas Singer. Ergänzen Sie.   A1

heißen • wohnen • ~~leben~~ • machen • arbeiten • studieren

Erste Hilfe für Ihren Computer
SOS-COM

Lukas Singer
Programmierer, Informatik-Student
Kochstr. 78, D-10473 Berlin
mobil 0172 / 28649190

lukas.singer@sos-com.de
www.sos-com.de

Lukas Singer *lebt* (1) in Berlin. Er wohnt ~~arbeitet~~ (2) in der Kochstraße. Lukas studiert (3) Informatik und arbeitet (4) in einer Computer-Firma. Die Firma macht (5) SOS-COM und heißt (6) Computer-Programme.

A1 **Ü 8** Eine internationale Band. <u>Würfeln</u> Sie jeweils drei Mal und schreiben Sie sechs Sätze.

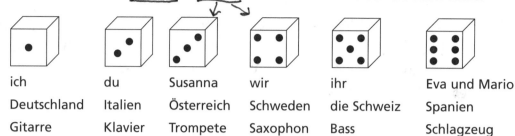

Wer?	ich	du	Susanna	wir	ihr	Eva und Mario
Woher?	Deutschland	Italien	Österreich	Schweden	die Schweiz	Spanien
Was?	Gitarre	Klavier	Trompete	Saxophon	Bass	Schlagzeug

3, 5, 1   *Susanna kommt aus der Schweiz. Sie spielt Gitarre.*

A2 **Ü 9** Schreiben Sie sechs Fragen.

Was? Wo? Woher? Welche Sprachen? Welche Musik?	leben sprechen hören lernen wohnen kommen machen	Martin Christina du Familie Newton Annemarie und Helmut Kirchberger ihr

Welche Musik   hören   Annemarie und Helmut Kirchberger?

A2 **Ü 10** Welche Zeit-Perspektive drücken diese Sätze aus? Kreuzen Sie an.

	Das ist jetzt.	Das ist immer so.	Das kommt später.
1. Montagmorgen, halb sieben. Der Wecker klingelt, und Lisa wird langsam wach.	X		
2. Lisa hasst Montagmorgen.			
3. Heute bleibt sie noch ein paar Minuten liegen.			
4. In drei Wochen sind Ferien.			
5. In den Ferien fährt sie nach England.			
6. Aber nächste Woche hat sie noch ein paar Prüfungen.			
7. Es ist schon spät, sie muss jetzt schnell aufstehen.			
8. Um 7.20 Uhr fährt der Bus zur Schule.			

2.2.2 Perfekt

Was hast du gestern Abend gemacht? Bist du noch ins Kino gegangen?

Nein, ich bin nach Hause gegangen. Da habe ich auf dich gewartet.

Was hat er da gesagt? Das stimmt doch nicht. Da hat nur einer gewartet: Ich!

Mit dem Perfekt kann man sagen, was vergangen ist.

A 1 Ergänzen Sie die Sätze in der Tabelle.

Aussagesatz	Ich	bin	nach Hause	gegangen .
	Da	habe	ich auf dich	....
W-Frage	Was	hast	du gestern Abend	.... ?
	Was	....	er da	gesagt?
		Hilfsverb		**Partizip II**

R1 Perfekt-Formen haben zwei Teile: ein Hilfsverb und das Partizip II.
Die Formen vom Hilfsverb „sein" oder „haben" stehen im Aussagesatz und in der W-Frage an
Position .... , am Satzende steht das ....

R1

Ja-/Nein-Frage	Bist	du	noch ins Kino	gegangen?
	Hilfsverb			**Partizip II**

R2 In der Ja-/Nein-Frage steht das Hilfsverb an Position .... , am Satzende steht das
....

R2

Partizip II: Regelmäßige Verben

A 2 Ergänzen Sie die Formen.
Die Sprechblasen auf Seite 23 helfen Ihnen.

Infinitiv	Perfekt-Form		
machen	du	hast	*gemacht*
sagen	er	hat	....
....	ich	habe	gewartet

warten er/es/sie wartet, hat gewartet
reden er/es/sie redet, hat geredet
Verben auf „-ieren": Partizip II ohne „ge-"
telefonieren:
Ich habe gestern telefoniert.
studieren:
Sie hat Technik studiert.

> **R3** Regelmäßige Verben bilden das Partizip II mit .... - + Verbstamm + -(e)t.

Partizip II: Unregelmäßige Verben

Lisa hat am Samstag ihre Freundin Sandra getroffen. Sandra wohnt seit ein paar Monaten in Leipzig, sie hat dort eine Arbeit gefunden. Die beiden haben sich lange nicht gesehen. Zuerst haben sie eine Pizza gegessen und über tausend Dinge gesprochen. Dann sind sie in eine Disco gegangen.

A 3 Markieren Sie das Partizip II im Text und ergänzen Sie.

Infinitiv	Präsens	Partizip II	Infinitiv	Präsens	Partizip II
treffen	sie trifft	*getroffen*	....	sie isst	gegessen
finden	sie findet	....	....	sie spricht	....
sehen	sie sieht	....	gehen		....

> **R4** Bei den unregelmäßigen Verben kann sich im Partizip II der Verbstamm ändern:
> **treff**en – ge**troff**en, **geh**en – ge**gang**en
> Unregelmäßige Verben bilden das Partizip II mit ......- + Perfekt-Stamm + ...

A 4 Markieren Sie das Partizip II.

„Oh, das habe ich nicht gewusst!"

„Das habe ich nicht gedacht!"

„Hast du mir meine Bücher wieder gebracht?"

„Hast du Jochen nicht gekannt?"

> **R5** Wenige unregelmäßige Verben haben eine Mischform im Partizip II:
> Der Verbstamm ändert sich, die Endung ist regelmäßig: **ge-** + Perfekt-Stamm + ...

Verben

Ü 1 Regelmäßige Verben. Wie heißt das Partizip Perfekt? Schreiben Sie.　　　　◁ A1

1. brauchen *gebraucht* .... 　　4. warten ....

2. fragen ....　　5. hören ....

3. suchen ....　　6. leben ....

Ü 2 Was hat Petra gestern gemacht? Ergänzen Sie das Partizip II. Wie heißt das Lösungswort?　　◁ A2

reden • machen • lernen • ~~kaufen~~ • surfen • baden • putzen

1. Am Nachmittag hat Petra Lebensmittel　　g e k a u f t .
　　　　　　　　　　　　　　　　　　　　　　　6

2. Dann hat sie das Abendessen　　.................... .
　　　　　　　　　　　　　　　　　　　5

3. Beim Essen hat sie mit der Mutter　　.................... .
　　　　　　　　　　　　　　　　　　　　　　7

4. Nach dem Essen hat sie das Bad　　.................... .
　　　　　　　　　　　　　　　　　1

5. Dann hat sie Biologie　　.................... .
　　　　　　　　　　　　　3

6. Später hat sie im Internet　　.................... .
　　　　　　　　　　　　　　4

7. Vor dem Schlafen hat sie noch　　.................... .
　　　　　　　　　　　　　　　　2

Lösungswort: ....
　　　　　　　1　　2　　3　　4　　5　　6　　7

Ü 3 Markieren Sie den Perfektstamm und notieren Sie den Infinitiv.　　◁ A2

1. ge**geb**en *geben* ....　　4. ge**leg**en ....

2. ge**holf**en ....　　5. ge**les**en ....

3. ge**halt**en ....　　6. ge**ruf**en ....

Ü 4a Bilden Sie das Partizip II.　　◁ B1

1. binden *gebunden* ....　　4. schwimmen ....

2. bleiben ....　　5. springen ....

3. fließen ....　　6. bringen ....

Ü 4b Suchen Sie zu den Partizipien aus a) Reimpaare.

denken • ~~finden~~ • nehmen • schließen • schreiben • singen

1. ge**bu**nden – ge**fu**nden　　　2. ge**blieben** –

25

Verben

Perfekt mit „haben" oder „sein"

Sandra **ist** am Wochenende nach Berlin **gekommen**. Dort **hat** sie ihre Freundin Lisa **getroffen**. Die beiden **sind** in eine Disco **gegangen**. Sie **haben** viel **geredet** und **getanzt**. Sie **sind** lange in der Disco **geblieben**. Es **ist** sehr spät **geworden**. Dann **hat** Lisa ein Taxi **genommen**. Das Taxi **ist** sehr schnell **gefahren**, aber zum Glück **ist** nichts **passiert**. Am Sonntag **hat** Lisa lang **geschlafen**.

A 5 · Markieren Sie die Perfektformen im Text und achten Sie auf das Hilfsverb. Schreiben Sie die Infinitive in die passende Zeile.

Perfekt mit „haben": _treffen_

Perfekt mit „sein": _kommen_

R6 ▸ Perfekt mit „haben": die meisten Verben

Perfekt mit „......................": Verben, die eine Bewegung zu einem Ziel ausdrücken: „Er ist nach Berlin gekommen."

Verben, die eine Veränderung ausdrücken: „Es ist spät geworden."

(!) „bleiben", „passieren", „sein": „Ich bin noch länger geblieben."

R6

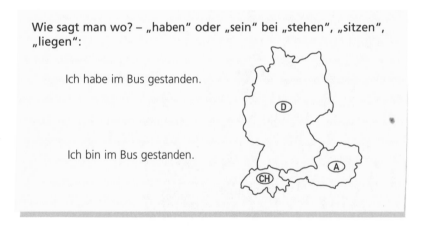

Wie sagt man wo? – „haben" oder „sein" bei „stehen", „sitzen", „liegen":

Ich habe im Bus gestanden.

Ich bin im Bus gestanden.

A 6 Schreiben Sie die Sätze 2–5 aus dem Text in die Tabelle.

Sandra	ist	am Wochenende nach Berlin	gekommen.
Dort	hat		
Hilfsverb			**Partizip II**

Verben

Ü 5 Perfekt mit „haben" oder „sein"? Ergänzen Sie das Hilfsverb. ◁ **A2**

Lisa _ist_ .... (1) zu Sandra nach Leipzig gekommen. Zuerst .... (2) sie die Adresse nicht gefunden. Lisa .... (3) zwei Tage bei Sandra geblieben. Am ersten Abend .... (4) sie ins Kino gegangen. Sie .... (5) einen tollen Film gesehen. Er .... (6) ihnen gut gefallen. Nach dem Film .... (7) sie eine Pizza gegessen und Wein getrunken. Dann .... (8) sie mit dem Bus nach Hause gefahren.

Ü6 Was hat Peter am Freitag gemacht? Schreiben Sie Sätze. ◁ **A2**

Freitag		
9.00	Eva zum Arzt bringen	15.00
10.00	zum Friseur gehen	16.00
11.00		17.00
12.00	essen mit Eva	18.00 Tennis spielen
13.00	arbeiten	19.00 19:30 Eva Theater
14.00		20.00

Um 9 Uhr   _hat_ ....   _Peter Eva zum Arzt_ ....   _gebracht._ ....

Peter   _ist_ ....   _um 10 Uhr_ ....

Um 12 Uhr   ....

Bis 17 Uhr   ....

Nach der Arbeit   ....

Um 19.30 Uhr   ....

Ü7 Ein schrecklicher Tag für Max. Schreiben Sie Sätze. ◁ **B1**

1. zuerst / zu spät zur Arbeit / kommen
2. dann / der Computer / nicht funktionieren
3. deshalb / den Computerservice / rufen
4. inzwischen / in eine Besprechung / gehen
5. am Abend / lange arbeiten
6. schließlich / einen Kaffee / holen
7. auf der Treppe / stürzen
8. dabei / am Knie / sich verletzen
9. ein Kollege / den Notarzt / rufen
10. der Notarzt / Max ins Krankenhaus / bringen

1. Zuerst ist Max zu spät zur Arbeit gekommen.

2.2.3 Präteritum
„sein", „haben", „werden"

Der erste Arbeitstag nach dem Urlaub. Herr Moser erzählt am Abend zu Hause von den Ferien der Kolleginnen und Kollegen: Frau Wanders hatte mit dem Fahrrad einen Unfall und hat sich ein Bein gebrochen. Petra war mit ihren Kindern erst zwei Tage am Meer, dann wurden die Kinder krank. Sie hatten hohes Fieber und waren eine Woche lang immer im Hotelzimmer. Frau Bauer hatte drei Wochen lang nur schlechtes Wetter. Herr Baum ist zu spät zum Rückflug gekommen, sein Flugzeug war schon weg.
Eigentlich hatten nur wir einen tollen Urlaub und waren glücklich. Aber ich war lieber still und habe nichts gesagt.

Mit Präteritum und Perfekt kann man sagen, was vergangen ist.

A 1a   Markieren Sie die Formen von „sein", „haben" und „werden" im Text.

A 1b   Ergänzen Sie die Formen in der Tabelle.

		sein	haben	werden
Singular	ich	....	hatte	wurde
	du	warst	hattest	wurdest
	er/es/sie	....	*hatte*	wurde
Plural	wir	....	....	werden
	ihr	wart	hattet	wurdet
	sie	....	....	....
	Sie	waren	hatten	wurden

In gesprochener Sprache verwendet man meistens Perfekt.

Aber für „sein", „haben", „werden" und die Modalverben nimmt man fast immer das Präteritum.

⟹ 2.4.1 Modalverben, S. 48

Verben

Ü 1 Früher war alles besser. War es das? Markieren Sie das Subjekt. Schreiben Sie das Verb im Präteritum. A1

1. Ich bin immer müde – früher _war_ ich nie müde.

2. Die Leute haben keine Zeit – früher .... sie mehr Zeit.

3. Das Wetter ist schlecht – früher .... es besser.

4. Wir haben viel Stress – früher .... wir keinen.

5. Ich habe wenig Geld – früher .... ich mehr.

6. Die Lebensmittel sind teuer – früher .... sie billiger.

7. Wir sind nicht zufrieden – früher .... wir zufrieden.

Ü 2 Fragen an Schüler. Ergänzen Sie „sein" und „haben" im Präteritum. A1

○ Wo _warst_ (1) du gestern?

● Ich .... (2) krank.

○ Aber du .... (3) in der Stadt.

● Ja, ich .... (4) einen Termin beim Doktor.

○ Du .... (5) keinen Termin beim Doktor. Man hat dich im Kino gesehen.

● Ja, klar, ich .... (6) in „Doktor Mabuse".

▲ Ihr habt am Freitag gefehlt. Wo .... (7) ihr?

❱ Wir sind zu Hause geblieben, wir .... (8) doch frei.

▲ Wie bitte? Ihr .... (9) doch nicht frei.

❱ Doch, es .... (10) **Frei**tag.

Ü 3 Was war letzte Woche? Schreiben Sie im Präteritum. A2

1. letzte Woche / ich / Urlaub / haben   *Letzte Woche hatte ich Urlaub.*

2. wir / in Norwegen / sein

3. zuerst / wir / schönes Wetter / haben

4. dann / das Wetter / schlecht / werden

5. es / sehr kalt / werden

6. am nächsten Morgen / alles / weiß / sein

7. wir / auch im Zelt / Schnee / haben

8. leider / ich / dann / krank / werden

Regelmäßige und unregelmäßige Verben

Wie Toby zu uns kam

Ich kam am Abend aus dem Büro und holte mein Auto. Ein großer Hund saß neben dem Auto. Er blieb sitzen und schaute mich mit großen Augen an. Es war heiß und er hatte Durst. Ich gab ihm frisches Wasser und er trank schnell und gierig. Er sah auch hungrig aus. Ich ging schnell in den Supermarkt nebenan und kaufte eine Dose Hundefutter. Der Hund fraß und ich wartete. Als ich die Autotür öffnete, sprang er sofort hinein.

Ich telefonierte mit dem Tierheim und beschrieb den Hund. Sie sagten, dass sie mich informieren, wenn jemand diesen Hund sucht. So kam Toby zu mir. Wie er seinen Namen bekam, das ist eine andere Geschichte.

Das Präteritum verwendet man meistens in geschriebener Sprache, vor allem für Geschichten oder Berichte in Medien.

A 2 Vergleichen Sie die Tabellen. Markieren Sie rechts die Unterschiede in den Endungen.

Regelmäßige Verben

		holen	Endung
Singular	ich	holt-e	-e
	du	holt-est	-est
	er/es/sie	holt-e	-e
Plural	wir	holt-en	-en
	ihr	holt-et	-et
	sie	holt-en	-en
	Sie	holt-en	-en

Unregelmäßige Verben

		kommen	Endung
Singular	ich	kam	- - -
	du	kam-st	-st
	er/es/sie	kam	- - -
Plural	wir	kam-en	-en
	ihr	kam-t	-t
	sie	kam-en	-en
	Sie	kam-en	-en

R 1 ▸ **Regelmäßige** Verben haben im Präteritum das Signal - .... - und eine Endung.
Verben auf -d, -t, -m, -n haben das Signal -**et**-:
ich wart**ete**; ich öffn**ete**
Die Formen „du holtest" bzw. „ihr holtet"
(2. Person Singular und Plural) sind sehr selten.
R 1

R 2 ▸ **Unregelmäßige** Verben haben einen Präteritum-Stamm. Bei „ich" und „er/es/sie" haben sie keine ....
Der Präteritum-Stamm ist oft anders als der Perfekt-Stamm:
ich **komm**e, ich **kam**, ich bin ge**komm**en
R 2

A3 Sehen Sie sich im Text die Verben im Präteritum an. Zu welchem Muster gehören die Verben: „holte" oder „kam"? Notieren Sie die Infinitive.

holen – (ich) holte	kommen – (ich) kam
schauen	sitzen

> **R3** Wenige unregelmäßige Verben haben eine Mischform: Sie haben einen eigenen
> Präteritum-Stamm und das regelmäßige Signal **-t-**:
> wissen – w**uss**-te; denken – d**ach**-te; rennen – r**ann**-te.
>
> R3

Ü 4 Regelmäßig – unregelmäßig? Das Partizip II gibt Ihnen einen Hinweis. Notieren Sie die
Verbform im Präteritum.

B1

1. Der Film beginnt um 9 Uhr. *begann* .... (begonnen)
2. Neben mir nimmt ein Mann Platz. .... (genommen)
3. Nach kurzer Zeit schläft er fest. .... (geschlafen)
4. Im Film klingelt ein Telefon. .... (geklingelt)
5. Er zieht sein Handy heraus. .... (gezogen)
6. Er spricht ziemlich laut. .... (gesprochen)
7. Alle Leute lachen. .... (gelacht)

Ü 5 Eine kurze Biografie von Steffi Graf. Ergänzen Sie die Verben im Präteritum.

B1

beginnen	dauern	feiern	geben	gewinnen	heiraten
schenken	spielen	trainieren	verlassen	~~werden~~	

Steffi Graf *wurde* .... (1) 1969 in Brühl bei Heidelberg geboren. Im Alter von vier Jahren

sch............... (2) ihr der Vater einen Tennisschläger. 1975, mit 6 Jahren, s............... (3) sie beim

„Jüngsten Turnier" in München und g............... (4). 1977 gab ihr Vater seinen Beruf auf und

t............... (5) seine Tochter Steffi. 1982, im Alter von 13 Jahren, b............... (6) ihre Karriere

als Profisportlerin. Ein Jahr später v............... (7) sie die Schule und nahm Privatunterricht. Die

ersten Erfolge g............... (8) es ab 1984, ihre Karriere d............... (9) bis 1999. Sie

f............... (10) 22 Siege in Grand Slam-Turnieren. Seit 1999 ist sie mit dem Tennisspieler Andre

Agassi befreundet, 2001 h............... (11) die beiden.

Ü 6 Anna berichtet von ihren Ferien in Italien. Schreiben Sie im Präteritum.

B1

1. mit Freunden / nach Italien / fahren *Ich fuhr mit Freunden nach Italien.*
2. dort / wir / in einer Pension / wohnen ....
3. jeden Tag / ich / am Strand / liegen ....
4. abends / wir / in ein Restaurant / gehen ....
5. ein Mal / wir / ein Museum / besuchen ....

2.2.4 Plusquamperfekt

> **Ein Abend mit Pannen. Lisa erzählt:**
>
> „Lukas hatte den ganzen Tag nicht angerufen, deshalb bin ich mit einer Freundin weggegangen. Als ich weggegangen war, kam Lukas. Eine Stunde lang hatte er noch auf mich gewartet, dann ist er nach Hause gegangen. Ich kam erst zurück, nachdem er das Haus verlassen hatte. Und jetzt ist er sauer!"

Das Plusquamperfekt zeigt, dass ein Ereignis vor einem anderen Ereignis in der Vergangenheit stattfand.

A 1a Markieren Sie in jedem Satz: Was ist zuerst passiert?

A 1b Schreiben Sie die Verbformen aus den markierten Sätze in die passende Tabelle.

	Satzklammer Hauptsatz		
Lukas	*hatte*	den ganzen Tag nicht	*angerufen.*
Eine Stunde lang	....	er noch auf mich	....
	Hilfsverb Präteritum		**Partizip II**

	Nebensatz-Klammer			
	Als	ich	*weggegangen war,*	kam Lukas.
Ich kam erst zurück, **Hauptsatz**	nachdem	er das Haus	....	
			Partizip II + Hilfsverb Präteritum	**Hauptsatz**

> **R3**
>
> Das Plusquamperfekt bildet man mit dem .... von „sein" und „haben" und dem ....
>
> Hilfsverb „haben" oder „sein": Es gelten die gleichen Regeln wie beim Perfekt. **R3**

> Im Nebensatz stehen Partizip II und das konjugierte Hilfsverb am Satzende:
> Lisa kam erst zurück, als Lukas das Haus **verlassen hatte**.

Verben

Ü 1 Welche Fortsetzung passt? Ergänzen Sie die Verben. B 1

schließen • fahren • kochen • lernen • ~~sehen~~ • werden

1. Zu Hause wartete ein Mann vor der Türe auf mich. Ich _hatte_ ihn noch nie _gesehen_ .
2. Als Peter zum Auto kam, war alles nass. Er _____ die Fenster nicht _____ .
3. Die Wanderer fanden den Weg nicht mehr. Es _____ schon zu dunkel _____ .
4. Wir waren total müde, weil wir 100 km mit dem Fahrrad _____ .
5. Der Schüler war bei der Prüfung nervös, denn er _____ zu wenig _____ .
6. Sabine freute sich sehr. Ihr Freund _____ ihr Lieblingsessen _____ .

Ü 2 3. August: Was war vorher passiert? Schreiben Sie im Plusquamperfekt. B 1

1. am Abend / die Koffer / packen   _Ich hatte am Abend die Koffer gepackt._
2. die Papiere / in die Tasche / stecken
3. früh am Morgen / zum Flughafen / fahren
4. am Schalter / das Ticket / zeigen
5. im Datum / sich irren

Ü 3 Perfekt oder Plusquamperfekt? Ergänzen Sie das Hilfsverb in der richtigen Zeit. B 1

1. Ich habe großen Hunger, weil ich heute noch nichts gegessen _habe_ .
2. Er rannte zum Zug, aber der Zug _____ schon abgefahren.
3. Sie haben das Haus nicht gefunden, weil sie den Zettel mit der Adresse vergessen _____ .
4. Nachdem sie lange krank gewesen _____ , hatte sie Probleme in der Schule.
5. Es war sehr heiß heute Nacht, ich _____ nicht gut geschlafen.
6. Als wir zur Party kamen, _____ die anderen Gäste schon nach Hause gegangen.

aus NICHTLUSTIG 2 © CARLSEN Verlag GmbH, Hamburg 2004

2.2.5 Futur I

A 1 „Die (Vase) werden Sie mir ersetzen."
Welche Aussagen passen auch? Kreuzen Sie an.

	1. Die Vase ist kaputt.
×	2. Die Vase wird gleich zerbrechen.
	3. Bald ist die Vase kaputt.
	4. Die Vase wird gleich am Boden liegen.
	5. Die Vase liegt am Boden.

Mit Futur I kann man über Zukünftiges sprechen: Was passiert bald oder was passiert vielleicht?

Oft verwendet man auch Präsens mit Zeitangabe: Morgen beginnt mein Urlaub.

A 2 Ergänzen Sie die Sätze 2, 3 und 4 in der Tabelle.

Die (Vase)	werden	Sie mir	ersetzen.
Die Vase	*wird*	gleich	....
Die Vase	....	gleich am Boden	....
	Hilfsverb „werden"		**Infinitiv**

R

Das Futur I bildet man mit „ .... " + ...   R

A 3a Bedeutung von Futur I. Was passt zusammen?

Schulschluss, der letzte Tag

1. _C_ In der ersten Ferienwoche wird es schönes Wetter geben.

2. ...... Irina wird ein Chemie-Praktikum machen.

3. ...... Sandra wird vielleicht zu spät zur Abschlussfeier kommen.

4. ...... Nora wird ihren Vater besuchen.

A Sie hat noch einen Arzttermin in der Stadt.

B Sie hat gesagt, dass er dieses Mal Zeit für sie hat.

C Ich habe die Wettervorhersage gehört.

D Sie möchte später Chemie studieren.

A 3b Was sagen die Sätze in A 3a aus? Notieren Sie die Nummern.

eine Vermutung ausdrücken	eine Prognose machen	über Pläne/Absichten sprechen
....	*1*...................................	....

```
                           ─────────────►  „werden" + Adjektiv     Felix wird erwachsen.
„werden" verwendet man nur einmal im Satz:
                           ─────────────►  „werden" + Substantiv   Lisa wird Studentin.
```

Ü 1   Silvester, Partygäste und ihre Vorsätze. Ergänzen Sie die Verben im Futur I.   ◁ B 1

1. rauchen   Ich *werde* nicht mehr *rauchen* .

2. leben   Roberto .... viel gesünder ....

3. arbeiten   Antonia und Yüksel .... weniger ....

4. streiten   Meine Partnerin und ich, wir .... nicht mehr so oft ....

5. machen   Isolde .... mehr Sport .... als bisher.

6. aufräumen   Die Kinder .... manchmal ihr Zimmer selbst ....

Ü 2a   Was passt zusammen? Ordnen Sie eine Antwort zu.   ◁ B 1

1. „Warum kommt Maria nicht?"	*C*	A	„Ganz einfach: Ich hole dich am Bahnhof ab."
2. „Was macht Ines nach der Schule?"	......	B	„Wir bleiben zu Hause und genießen so die Tage."
3. „Wie komme ich denn zu dir?"	......	C	„Sie findet wahrscheinlich den Weg nicht."
4. „Warum ist Andreas noch nicht da?"	......	D	„Sie beginnt eine Lehre als Köchin."
5. „Was haben Sie im Urlaub vor?"	......	E	„Er fährt bestimmt mit dem Auto und steht im Stau."

Ü 2b   Schreiben Sie die Antworten im Futur I.

> *1. C Sie wird den Weg nicht finden.*

Ü 3   Das waren einmal Prognosen. Schreiben Sie Sätze im Futur I.   ◁ B 1

1. 1876 sagte ein Manager von Western Union: das Telefon / keinen Erfolg / haben
2. 1895 sagte Lord Kelvin: es / keine Flugmaschinen / geben
3. Circa 1920 sagten die Warner Brothers: im Film / man / nie / Stimmen / hören
4. Um 1925 sagte ein Banker: das Radio / keinen Gewinn / bringen
5. Um 1960 sagten Wissenschaftler: die Menschen / das Wetter / verändern
6. 1962 lehnte ein Manager die Beatles ab: niemand / die Musik von diesen Beatles / mögen

> *1. (1876 sagte ein Manager von Western Union:) Das Telefon wird keinen Erfolg haben.*

2.3 Weitere wichtige Verbformen

2.3.1 Imperativ

A 1a   Was passt zusammen?

1. Mario, du bist so langsam!	*B*	A Wartet auf mich!
2. Ich möchte auch mitkommen.	......	B Mach schneller!
3. Ich brauche Sie dringend hier.	......	C Fahr nicht so schnell!
4. Ich habe Angst!	......	D Kommen Sie bitte zu mir!

A 1b   Ergänzen Sie die Formen des Imperativ in der Tabelle.

Mach	- - -	schneller!		
....	- - -	auf mich!		
....	Sie	bitte		mit!
konjugiertes Verb				

> **R1**   In Aufforderungs-sätzen steht das Verb auf Position R1

A 2   Vergleichen Sie den Imperativ und die Präsensformen (in Klammern).

	Regelmäßige Verben	Unregelmäßige Verben: e ➤ i	Unregelmäßige Verben: a ➤ ä	Verbstamm -t, -d -m, -n
du	Mach! (du machst)	Hilf! (du hilfst)	Fahr! (du fährst)	Warte! (du wartest)
ihr	Macht! (ihr macht)	Helft! (ihr helft)	Fahrt! (ihr fahrt)	Wartet! (ihr wartet)
Sie	Machen Sie! (Sie machen)	Helfen Sie! (Sie helfen)	Fahren Sie! (Sie fahren)	Warten Sie! (Sie warten)

> **R2**   Aufforderung „du": du machst → Mach! (ohne Pronomen)
>
> Aufforderung „ ....": ihr macht → Macht! (ohne Pronomen)
>
> Aufforderung „ ....": Sie machen → Machen Sie! (immer mit Pronomen „Sie")   R2

„sein": **Sei** so nett! Seid so nett! **Seien Sie** so nett!
„haben": **Hab** keine Angst! Habt keine Angst! Haben Sie keine Angst!
Verben auf „-eln": **sammeln:** Samm**le**! Sammelt! Sammeln Sie!

„du" oder „ihr" kann im Imperativ stehen bleiben, wenn man die Aufforderung emotional betont:
Mach **du** das ja nicht! Wartet **ihr** auf mich, bitte!

Verben

Ü 1 Ordnen Sie die Verben zu. Schreiben Sie Aufforderungen. A1

hören • lesen • markieren • notieren • schreiben • sprechen

1. *Hören Sie!* ....
2. ....
3. ....

4. ....
5. ....
6. ....

Ü 2 Was sollen die Kinder machen? Ergänzen Sie den Imperativ. A2

beeilen • warten • sein • schauen • aufpassen

1. Der Bus fährt gleich. *Beeilt euch* .... , bitte.
2. Es ist zu laut. .... leise.
3. Peter möchte auch mit. .... noch einen Moment.
4. Die Straße ist gefährlich. .... immer links und rechts!
5. .... , dass ihr nichts kaputt macht.

Ü3 „Sie", „ihr" oder „du"? Ergänzen Sie den passenden Imperativ. A2

1. Frau Meier, *nehmen Sie* .... (nehmen) bitte Platz! 2. Linus, ... (warten) bitte
auf mich! 3. Kinder, ... (machen) doch nicht so einen Lärm! 4. Simon,
.... (holen) bitte deine Tasche. 5. Herr Weber, bitte .... (vergessen)
unseren Termin nicht. 6. Tina, ... (sprechen) ein bisschen lauter, bitte! 7. Tina und
Matthias, ... (schlafen) gut! 8. Matthias, ... (laufen) nicht so schnell!

Ü 4 Eine Wegerklärung. Ergänzen Sie die Imperative. A2

Wenn du mit dem Auto kommst, dann
nimm .... (1; nehmen) die Heinestraße.
.... (2; bleiben) auf der Heinestraße
bis zur Kreuzung Vogelgasse. .... (3;
fahren) dort links, bis zur Brücke. ....
(4; gehen) über die Brücke, da darf man nicht
fahren. .... (5; lassen) das Auto am
besten bei der Brücke stehen.

Wenn ihr mit dem Bus fahrt, dann ....
(6; nehmen) die Linie C Richtung Audorf.
.... (7; aussteigen) beim Gasthof
Hirschen .... (8; gehen)
von dort die Waldgasse bis zu einem roten
Haus. .... (9; achten) auf ein Schild
links, „Zugang Rehgasse".

2.3.2 Konjunktiv II

Wenn ich wie ein Vogel fliegen könnte …

Wenn ich wie ein Vogel fliegen könnte, würde ich mir die ganze Welt ansehen.
Im Januar würde ich nach Australien fliegen. Dort würde ich den warmen Sommer genießen.
Im Februar würde ich einen Besuch in Neuseeland machen. Dort wäre ich Gast bei meinen
Verwandten, den Kiwis. Wir hätten sicher viel Spaß.
Im März käme ich nach Costa Rica. Dort würde ich meine kleinsten Verwandten sehen, die Kolibris.
Ich ginge mit ihnen in den Dschungel.
Im April …

A 1a Markieren Sie die konjugierten Verbformen im Text.

A 1b Ergänzen Sie die Verbformen in der passenden Tabelle.

Konjunktiv II: „würde" + Infinitiv		
Ich	*würde*	mir die ganze Welt	ansehen.
Ich	....	nach Australien	fliegen.
	Hilfsverb		**Infinitiv**

	Konjunktiv II	Präteritum
können	ich *könnte*	ich konnte
sein	ich	ich war
haben	wir	wir hatten
kommen	ich	ich kam
gehen	ich	ich ging

R1 Meistens bildet man den Konjunktiv II mit „ .... " + Infinitiv, bei den regelmäßigen Verben immer.

R1

R2 „sein", „haben", „werden", die Modalverben und die unregelmäßigen Verben haben eine eigene Konjunktiv II-Form. Man bildet sie mit der Form des ....
(+ Umlaut bei a, o, u ➤ ä, ö, ü) + Endung. Bei den unregelmäßigen Verben verwendet man im Konjunktiv II meistens „würde" + Infinitiv.

R2

Die Modalverben „wollen" und „sollen" haben im Konjunktiv II keinen Umlaut: ich wollte, ich sollte.

A 2a Präteritum und Konjunktiv II. Markieren Sie die Unterschiede in den Formen des Konjunktiv II.

A 2b Bilden Sie entsprechend die Formen von „werden" im Konjunktiv II.

	Präteritum		Konjunktiv II		Endung
ich	war	kam	wäre	käme	-e
du	warst	kamst	wärst	käm(e)st	-(e)st
er/es/sie	war	kam	wäre	käme	-e
wir	waren	kamen	wären	kämen	-en
ihr	wart	kamt	wärt	käm(e)t	-(e)t
sie	waren	kamen	wären	kämen	-en
Sie	waren	kamen	wären	kämen	-en

	werden
ich	*würde*
du	
er/es/sie	
wir	
ihr	
sie	
Sie	

Diese Konjunktiv II-Formen verwendet man **immer**:
wäre („sein"); hätte („haben"); würde („werden"); könnte, müsste, dürfte, sollte, wollte (Modalverben).

ich wäre	~~ich würde sein~~
ich könnte	~~ich würde können~~

Diese Konjunktiv II-Formen verwendet man **manchmal, vor allem in der 1. und 3. Person Singular** (sonst „würde" + Infinitiv):
wichtige unregelmäßige Verben:
„wüsste" („wissen"), „käme" („kommen"), „ginge" („gehen") u.a.

ich käme	oder ich würde kommen

Für alle anderen Verben verwendet man **„würde" + Infinitiv.**

~~ich machte~~	ich würde machen

Verwendung von Konjunktiv II

A 3 Welche Umschreibung passt? Kreuzen Sie an.

1. Hypothetisches, nicht Wirkliches ausdrücken

„wenn"-Satz mit irrealer Bedingung	Wenn ich wie ein Vogel fliegen könnte, würde ich …	a Ich kann wie ein Vogel fliegen.
		☒ Ich kann nicht wie ein Vogel fliegen.
Irrealer Wunsch	Wenn ich doch mehr Zeit hätte! / Hätte ich nur mehr Zeit!	c Ich habe jetzt mehr Zeit als früher.
		d Ich wünsche mir, mehr Zeit zu haben.
Irrealer Vergleich	Martino tut so, als ob er noch 20 wäre. / Martino tut so, als wäre er noch 20.	e Martino ist nicht mehr 20 Jahre alt.
		f Martino ist 20 Jahre alt.

2. Eine Bitte besonders höflich ausdrücken

	Könnte ich bitte mal telefonieren? / Ich würde gerne telefonieren.	g Ich möchte gern telefonieren.
		h Ich kann leider nicht telefonieren.

3. Einen Vorschlag machen, einen Rat geben

	● Max hat Geburtstag. Was soll ich ihm schenken?	i Schenk Max doch eine CD.
	○ Ich würde ihm eine CD schenken.	j Ich schenke Max eine CD.
	Du solltest nicht so viel arbeiten.	k Es ist nicht gut, dass du so viel arbeitest.
		l Du arbeitest nicht so viel.

⇨ 13.2.1.2 Konditionaler Nebensatz mit „wenn" im Indikativ, S. 186

Aussagen im Konjunktiv II verstärkt man oft mit Modalpartikeln:

Wenn ich **doch** mehr Zeit hätte! Hätte ich **nur** mehr Zeit. Könnte ich bitte **mal** telefonieren?

⇨ 10.1 Modalpartikeln, S. 154

B 1

Ü 1a Bilden Sie die Verbformen im Präteritum und Konjunktiv II.

Ü 1b Kann man die Form „würde + Infinitiv" verwenden oder nicht? Wenn nicht, machen Sie einen Strich.

	Präteritum	Konjunktiv II	würde + Infinitiv
1. du kannst	du konntest	du könntest	- - -
2. ich habe			
3. er will			
4. sie geht			
5. es ist			
6. wir kommen			
7. ihr wisst			
8. Sie müssen			

B 1

Ü 2 „Ich wäre glücklich, wenn …". Schreiben Sie „wenn"-Sätze.

1. du / mehr Zeit / haben
   Ich wäre glücklich, wenn *du mehr Zeit hättest.*

2. Sie / uns / besuchen
   Wir würden uns freuen, wenn

3. du / kommen / können
   Ich fände es schön, wenn

4. ihr / uns / helfen
   Wir wären sehr froh, wenn

5. du / das / für mich / machen
   Ich wäre dir sehr dankbar, wenn

B 1

Ü 3a „Wenn …". Suchen Sie eine passende Fortsetzung.

1. Wenn ich jetzt ein Woche Ferien hätte,   _E_

2. Wenn ich noch mal 10 Jahre alt wäre, ...

3. Wenn ich sehr gut singen könnte, ...

4. Wenn Max sehr viel Geld hätte, ...

5. Wenn Gabi in ihrem Land Präsidentin wäre, ...

6. Wenn die Katzen sprechen könnten, ...

A mit dem Hund spazieren gehen
B viele andere Staaten besuchen
C von ihren Abenteuern erzählen
D viele CDs produzieren
E bestimmt nicht lernen
F jeden Tag in die Schule gehen
G mehr über sie wissen
H ein Haus am Meer kaufen
I eine lange, große Reise machen
J nicht viel arbeiten müssen

Ü 3b Schreiben Sie Sätze mit Ihren Fortsetzungen.

Wenn ich jetzt eine Woche Ferien hätte, würde ich bestimmt nicht lernen.

B 1 ▷ **Ü 4** Irreale Wünsche. Was passt zusammen?

1. Sie sitzen am Strand in der Sonne.   *C* ......

2. Alle am Tisch sprechen Spanisch,
   aber Sie verstehen nur ein wenig.   ......

3. Ihr Urlaub ist zu Ende, Sie müssen
   leider abreisen.   ......

4. Es ist ein wunderschöner Montag,
   am Wochenende hat es geregnet.   ......

5. Ihre Freunde feiern eine Party, aber Sie
   sind krank und müssen im Bett bleiben.   ......

A Könnte ich doch hier bleiben!

B Wenn ich heute nur nicht arbeiten müsste!

C Hätte ich doch die Sonnenbrille bei mir!

D Wenn ich doch gesund wäre und auch
   ausgehen könnte!

E Wenn ich nur die Sprache besser könnte!

B 1 ▷ **Ü 5** Schreiben Sie Wünsche. Verwenden Sie auch die Partikeln „doch" oder „nur".

1. Die Kinder helfen Ihnen nicht.   *Wenn mir die Kinder doch helfen würden!*

2. Jan ist nicht da.   *Wenn* ....

3. Leider kann Ihre Mutter das nicht sehen. ....

4. Sie haben kein Geld bei sich.   ....

5. Sie können nicht bei diesem Fest sein. ....

B 1 ▷ **Ü 6** Wirklichkeit und Träume. Schreiben Sie, was die Personen lieber machen würden.

1. Alexandra ist Verkäuferin. (➤ Model sein)   *Aber sie wäre lieber Model.*

2. Walter verdient viel. (➤ mehr verdienen)   ....

3. Anna und Franz sind allein. (➤ Kinder haben)   ....

4. Max arbeitet zu Hause. (➤ in der Firma arbeiten) ....

5. Olga ist im Urlaub zu Hause. (➤ reisen)   ....

B 1 ▷ **Ü 7** „So tun, als ob ..." Machen Sie Vergleiche mit „als ob".

1. Maia hat viel Geld – kein Geld haben   *Maia tut (so), als ob sie kein Geld hätte.*

2. Georg ist 50 Jahre alt – 30 sein   ....

3. Rita weiß wenig – alles wissen   ....

4. Lia wohnt noch zu Hause – allein wohnen   ....

Ü 8 Drücken Sie die Bitten noch höflicher aus. Verwenden Sie „können" im Konjunktiv II. ◁ A2

1. Gib mir einen Stift, bitte.   *Könntest du mir bitte einen Stift geben?*
2. Schließen Sie bitte das Fenster.
3. Helft mir bitte, es ist so schwer.
4. Ich möchte mal kurz telefonieren.
5. Sagen Sie mir, wie spät es ist?
6. Einen Kaffee, bitte.

Ü 9 Was sagen Sie? Formulieren Sie höfliche Bitten. ◁ A2

1. Im Restaurant:
Sie möchten mehr Brot haben.

     Ich hätte gern mehr Brot.
     Könnte ich bitte mehr Brot haben?

2. In der U-Bahn:
Sie wissen nicht, wie spät es ist.

3. Ein Abendessen bei Freunden:
Sie möchten ein Glas Wasser.

4. In einer fremden Stadt:
Sie suchen den Weg zum Bahnhof.

Ü 10 Machen Sie Vorschläge. Ergänzen Sie die Verbformen. ◁ B1

solltest • ~~würde~~ • sollten • wäre • solltet • würde

1. Ich *würde* eine Stadtrundfahrt machen. 2. Sie _____ in die Foto-Ausstellung gehen, die ist sehr schön. 3. Du _____ dir ein Fahrrad ausleihen. 4. Es _____ gut, wenn du dir ein City-Ticket kaufen würdest. 5. Ihr _____ einmal im Restaurant „Grünkohl und Pinkel" probieren. 6. An Ihrer Stelle _____ ich eine Bootsfahrt machen.

Ü 11 Geben Sie Ratschläge. Verwenden Sie „sollen" im Konjunktiv II. ◁ B1

1. Mir geht es nicht gut. Ich habe Halsweh.
(du / viel Tee trinken)   *Du solltest viel Tee trinken.*
2. Ich bin bei der Arbeit oft so müde.
(Sie / öfter das Fenster aufmachen)
3. Wir sind am Wochenende in München.
(ihr / auf die „Wiesn" gehen)
4. In Hannover ist die Herbstmesse.
(Sie / unbedingt hingehen)
5. Wie ist das neue Café am Marktplatz?
(du / dort keinen Kuchen essen)

2.3.3 Passiv

A

● Elmar, was macht ein Tischler?

▲ Wir Tischler machen Fenster, Türen und Treppen.
Und wir bauen Möbel. Die fertigen Sachen bauen
wir bei den Kunden ein.

● Arbeitest du selbst in der Werkstatt?

▲ Ja. Ich mache fast immer die Treppen, weil ich das am
besten kann. Und ich helfe anderen Kollegen, wenn sie
eine dringende Arbeit haben und mich brauchen.

B

Das ist die Firma Alpina.
In der kleinen Halle werden Fenster gemacht.
Zuerst wird das Holz geschnitten. Dann wird es mit
Maschinen in die richtige Form gebracht. Dann werden die
Teile zusammengebaut. Die Fenster werden dann gestrichen.
Das Glas wird oft erst auf der Baustelle eingesetzt.

A 1a In welchem Text finden Sie die Antworten? Notieren Sie A oder B.

1. _A_ Was macht ein Tischler?

2. ...... Was produziert man in der kleinen
Halle?

3. ...... Wann setzt man das Glas ein?

4. ...... Wer hilft den Kollegen in der
Werkstatt?

5. ...... Wann streicht man die Fenster?

6. ...... Was macht Elmar meistens?

In Text ...... ist die Person wichtig: Was macht Elmar? → Wir verwenden das **Aktiv**.

In Text ...... sind die Vorgänge und Abläufe in der Firma wichtig: Was wird in der Firma gemacht?
→ Wir verwenden das **Passiv**.

A 1b Markieren Sie im Text B die Verbformen und ergänzen Sie die Sätze in der Tabelle.

In der kleinen Halle	_werden_	Fenster	_gemacht_ .
Zuerst	....	das Holz	....
Dann	....	es mit Maschinen in die richtige Form	....
	Hilfsverb „werden"		**Partizip II**

R1 Das Passiv wird mit dem Hilfsverb „ ...." und dem .... gebildet. **R1**

Zusammenhang zwischen Aktiv und Passiv

Verben mit Akkusativ-Ergänzung: Sie können meistens ein Passiv bilden.

Der Tischler	schneidet	das Holz.	→ Das Holz	wird	(von dem Tischler)	geschnitten.
Nominativ		**Akkusativ**	**Nominativ**			

R2

Der Akkusativ im Aktiv-Satz wird zum .... im Passiv-Satz.

Das Subjekt aus dem Aktiv-Satz wird meistens nicht genannt.

R2

Verben mit Dativ-Ergänzung

Elmar	hilft	den Kollegen.	→ Den Kollegen	wird	(von Elmar)	geholfen.
Nominativ		**Dativ**	**Dativ**			

→ Es wird den Kollegen geholfen.
(von Elmar)

Nominativ   **Dativ**

R3

Der Dativ bleibt erhalten, er steht meist auf Position 1.

Im Passiv ist „es" Subjekt. Wenn ein anderer Satzteil auf Position 1 steht, entfällt „es".

R3

⇨ 5.6. Pro-Form „es", S. 104

Im Passiv ist die handelnde Person nicht wichtig. Nur selten benennt man, von wem etwas gemacht wird.

Das Holz wird **vom Tischler** geschnitten.   „von" + Person (der „Macher")
Holz wird **durch Hitze** zerstört.   „durch" + Umstände oder Ursache
Das Holz wird **mit Maschinen** bearbeitet.   „mit" + Instrument

Tempusformen des Passiv

A 2 Welche Tempusform ist das? Ergänzen Sie.

Perfekt	•	~~Plusquamperfekt~~
Präsens	•	Präteritum

Die Feuerwehr	war	um 16.32 Uhr	alarmiert worden.	*Plusquamperfekt*
Gleich danach	ist	der Notarzt	gerufen worden.	
Das Feuer	wurde	schnell	gelöscht.	
Jetzt	wird	die Ursache	untersucht.	

R4

Partizip II von „werden" im Aktiv: *geworden*   Hilfsverb „werden" im Passiv: ~~ge~~worden

Elmar ist Tischler geworden.   Der Notarzt ist gerufen worden.

R4

Passiv in Sätzen mit Modalverben:

Eine Person **musste** ins Krankenhaus **gebracht werden**. (Partizip II + Infinitiv „werden")

Verben

Passiv-Ersatzformen: So können Sie es auch ohne Passiv sagen

„man"

Man darf hier nicht rauchen. → Hier darf nicht geraucht werden.
Man untersucht die Ursache des Unfalls. → Die Ursache des Unfalls wird untersucht.

⇨ Indefinitpronomen „man", S. 99

„lassen"

a) „(sich) etwas machen lassen"
Ich lasse mir die Haare schneiden. → Ich schneide mir die Haare nicht selbst, sie werden (von jemand anderem) geschnitten.
Der Chef lässt den Brief schreiben. → Er schreibt den Brief nicht selbst, er wird (von jemand anderem) geschrieben.

b) „etwas lässt sich machen"
Die Arbeit lässt sich in dieser Woche nicht mehr erledigen. → Sie kann in dieser Woche nicht mehr erledigt werden.

⇨ 2.5.2 Verben mit Infinitiv, S. 67

> „etwas lässt sich machen" hat modale Bedeutung: „es **kann** gemacht werden". Das gilt auch für die Adjektive auf „-bar".

„-bar"

Diese Arbeit ist in drei Tagen nicht machbar. → Sie kann in drei Tagen nicht gemacht werden.
Die Sterne waren in dieser Nacht sehr gut sichtbar. → Sie konnten sehr gut gesehen werden.

B 1 ▷ Ü 1a   Markieren Sie das Subjekt.

Ü 1b   Ergänzen Sie „werden" und das Partizip II.

1. produzieren   In unserer Firma *werden* Möbel *produziert* .
2. lagern   In diesem Raum .... das Holz ....
3. machen   In der Maschinenhalle .... die ersten Arbeiten ....
4. zusammensetzen   Die Teile .... dann von den Tischlern ....
5. bringen   Die fertigen Möbel .... zu den Kunden ....
6. einbauen   Der Schrank .... genau ....

B 1 ▷ Ü 2   „geworden" oder „worden". Ergänzen Sie.

1. Das Haus ist vor 30 Jahren gebaut *worden* . 2. Am 12. Oktober ist Sabine 33 Jahre alt
.... 3. Gestern ist es sehr früh dunkel .... 4. Ich habe das nicht gewusst, ich bin
nicht informiert .... 5. In diesem Haus ist meine Großmutter geboren ....
6. Salih ist bei einem Unfall schwer verletzt ....

Verben

Ü 3a Schreiben Sie Fragen im Passiv. Verwenden Sie das Präteritum. ◁ **B 1**

1. womit / früher / die
   Häuser / heizen   *Womit wurden früher die Häuser geheizt?*
2. von wem / Amerika /
   entdecken   ....
3. wo / zum ersten Mal / ein
   Film / öffentlich / zeigen   ....
4. wann / das elektrische
   Licht / erfinden   ....
5. wer / von Charles Darwin /
   nach England / bringen   ....
6. in welcher Stadt /
   die Titanic / bauen   ....

Ü 3b Ordnen Sie die Antworten zu. Wie heißt das Lösungswort?

E In Belfast. ● **I** In Paris, am 28.12.1895. ● **P** Von Christoph
Kolumbus. ● **S** Mit Holz oder Kohle. ● **T** 1879 von Thomas Alva
Edison. ● **Z** Die Schildkröte Harriet. (Sie starb 2006 mit
176 Jahren!)

1	2	3	4	5	6

Ü 4 Formulieren Sie diese Sätze mit „man". ◁ **B 1**

1. An Weihnachten wird ein Tannenbaum geschmückt.
2. Die Geschenke werden unter den Baum gelegt.
3. Dann werden die Lichter am Baum angezündet.
4. In vielen Familien werden auch Weihnachtslieder gesungen.
5. Dann können endlich die Geschenke ausgepackt werden.

> *1. An Weihnachten schmückt man einen Tannenbaum.*

Ü 5 Setzen Sie mit „(sich) lassen" fort. Schreiben Sie Sätze. ◁ **B 1**

1. Herr Kojak geht zum Friseur – er / sich /
   die Haare / schneiden lassen   *Er lässt sich die Haare schneiden.*
2. Frau Schmidt geht zum Arzt – sie / sich /
   untersuchen lassen   *Sie* ....
3. Frau Leyen bügelt die Wäsche nicht selbst –
   sie / die Wäsche / bügeln lassen   ....
4. Eva installiert den Computer selbst – sie /
   ihn / nicht / installieren lassen   ....
5. Das Fahrrad ist total kaputt – es / sich /
   nicht mehr / reparieren lassen   ....
6. Herr Zirn kann heute nicht kommen – das /
   sich / nicht / ändern lassen   ....
7. Man weiß nicht, wie lange es dauert – das /
   sich / nicht / sagen lassen   ....

2.4 Besondere Verben

2.4.1 Modalverben

Was wollen Sie am Wochenende machen?

Am Samstag muss ich einkaufen und aufräumen. Aber am Sonntag kann ich den Tag genießen. Am liebsten möchte ich nur lesen und auf dem Sofa sitzen.

Und was machst du?

Nicht viel. Ich will meinen Freund besuchen und mit ihm spielen. Aber Papa sagt, ich darf nicht zu ihm gehen. Ich soll zu Hause bleiben und lernen. Aber das macht doch keinen Spaß!

A 1a Markieren Sie die Infinitive.

A 1b Unterstreichen Sie in diesen Sätzen die konjugierten Verben.

A 1c Schreiben Sie die Sätze mit Infinitiv in die Tabelle.

W-Frage	Was	wollen	Sie am Wochenende	machen?
Aussage	Am Samstag	*muss*	ich	*einkaufen* und aufräumen.
	Aber am Sonntag	....	ich den Tag	....
	Am liebsten	....	ich nur	....
		Modalverb		**Infinitiv**

Ja-/Nein-Frage	Müssen	Sie am Wochenende	arbeiten?
	Modalverb		**Infinitiv**

> **R1** In Sätzen mit Modalverben steht am Satzende der **R1**

Manchmal verwendet man Modalverben auch ohne Infinitiv.

„Ich möchte meinen Freund besuchen. Aber ich **darf** nicht."
„Ich **möchte** einen Kaffee."
„Roszanna **kann** sehr gut Deutsch."
● Ich will nicht aufstehen!
○ Aber du **musst**, es ist schon spät.

Tempusformen der Modalverben: Präsens

A 2 Welche Formen der Modalverben unterscheiden sich von anderen Verben? Vergleichen Sie mit „machen". Markieren Sie.

	wollen	können	Endung
ich	will	kann	- - -
du	will-st	kann-st	-st
er/es/sie	will	kann	- - -
wir	woll-en	könn-en	-en
ihr	woll-t	könn-t	-t
sie	woll-en	könn-en	-en
Sie	woll-en	könn-en	-en

machen
mach-e
mach-st
mach-t
mach-en
mach-t
mach-en
mach-en

Ebenso funktionieren auch:
ich muss – wir müssen
ich darf – wir dürfen
ich soll – wir sollen

Die Verben „mögen" und „wissen" bilden die Formen wie die Modalverben:
ich mag – wir mögen
ich weiß – wir wissen

R2 Die Modalverben (außer „sollen") haben eine eigene Form im Singular. Die Formen „ich" und „er/es/sie" haben keine ....

R2

Das Modalverb „möcht-" hat eine besondere Form:
ich möchte, du möchtest, er/es/sie möchte, wir möchten, ihr möchtet, sie möchten, Sie möchten

Tempusformen der Modalverben: Präteritum

Ich konnte leider nicht in den Kurs kommen.
Was wolltest du als Kind werden?
Pietro durfte nicht Computer spielen.
Konnten Sie nicht länger warten?

Wir mussten leider früher gehen.
Anke und Frank wollten heute eigentlich auch kommen.
Ihr solltet doch die Arbeit schon gestern fertig machen!

A 3a Markieren Sie in den Sätzen die Modalverben.

A 3b Schreiben Sie die Formen in die Tabelle. Vergleichen Sie mit dem Präteritum der regelmäßigen und unregelmäßigen Verben (S. 30).

ich	*konnte*	wir	....
du	....	ihr	....
er/es/sie	....	sie	....
		Sie	....

Modalverben und Vergangenheit: Man verwendet fast immer das Präteritum. **„möcht-"** hat kein Präteritum: Ich möchte heute lang schlafen. – Ich wollte gestern lang schlafen.

R3 Die Modalverben bilden das Präteritum mit einem Präteritum-Stamm + ... + Endung.

R3

Verben

Bedeutung der Modalverben und Negation

„können", „dürfen"

A 4a Was passt zusammen?

1. _A_ Georg kann nicht schwimmen.
2. _____ Max ist drei und kann schon Rad fahren.
3. _____ Hysein darf am Computer spielen.
4. _____ Jean-Luc darf nicht Auto fahren.
5. _____ Ali kann heute mit seiner Mutter einkaufen gehen.
6. _____ José kann nicht zu seinem Freund gehen, er ist krank.

A Er hat nicht schwimmen gelernt.
B Die Eltern haben ihm erlaubt, am Computer zu spielen.
C Seine Mutter hat Zeit dafür.
D Es ist nicht möglich, dass er zu seinem Freund geht.
E Es ist verboten, weil er keinen Führerschein hat.
F Er ist fähig, Rad zu fahren.

A 4b Ordnen Sie die Modalverben zu: „(nicht) können", „(nicht) dürfen".

„Es ist (nicht) möglich." (Un-)Möglichkeit	„Ich bin (nicht) fähig." (Un-)Fähigkeit	„Es ist (nicht) erlaubt." Erlaubnis/Verbot
Ich kann zum Fest kommen. Eva kann leider nicht kommen.	Lili kann sehr gut singen. Rudolf kann nicht sehen, er ist blind.	Sie können morgen frei machen. Man darf hier 100 km/h fahren. Hier darfst du nicht parken!
(nicht) können	....	....

„möcht-", „wollen"

A 5a Was passt zusammen?

1. Anna ist im Restaurant.   _D_
2. Petra lernt Italienisch.   ......
3. Sabine plant eine Reise.   ......
4. Aylin gefällt es in der Schule.   ......

A Sie will Italienisch studieren.
B Sie will deshalb Geld verdienen.
C Sie möchte auch gern Lehrerin werden.
D Sie möchte Nudeln essen.

A 5b Ordnen Sie die Modalverben zu: „(nicht) möcht-", „(nicht) wollen".

„Ich habe einen Wunsch." Wunsch	„Ich habe etwas vor." „Ich entscheide mich." Plan/Absicht
Ich möchte einen Tee, bitte. Schnell, ich möchte nicht zu spät kommen!	Irina will schwimmen lernen. Ich will nicht mehr warten, ich gehe jetzt allein.
....	....

„müssen", „sollen"

A 6   Ordnen Sie die Modalverben zu: „(nicht) müssen", „(nicht) sollen".

„ICH weiß, dass es (nicht) notwendig ist.	**EINE ANDERE PERSON sagt, dass es (nicht) gut oder (nicht) notwendig ist.**
Ich muss lernen, ich habe eine Prüfung. Michael muss am Wochenende nicht arbeiten, aber er will fertig werden.	Sabine soll auch am Wochenende arbeiten, aber sie will nicht. Der Arzt sagt, ich soll nicht rauchen. ....

nicht müssen = nicht brauchen
Ich muss nicht arbeiten. = Ich brauche nicht zu arbeiten.

Verbot = nicht ~~müssen~~ dürfen
Sie müssen stehen bleiben. Sie dürfen nicht weiterfahren.

Ü 1   „können". Welche Form passt? Ergänzen Sie.   A1

1. Was heißt das? _Kannst_ du das lesen?
2. Danke für die Einladung. Leider _____ ich nicht kommen.
3. Was heißt das? _____ Sie das verstehen?
4. Helmut wohnt am Bodensee. Dort _____ er im Sommer schwimmen.
5. Mach schnell! Wir _____ nicht mehr warten.
6. Wir müssen auf Maria warten. Ihr _____ noch nicht gehen.
7. Irina und Oleg sind in Moskau geboren. Deshalb _____ sie so gut Russisch.
8. Nimm warme Kleider mit, es _____ kalt werden.

Ü 2   „möcht-". Welche Form passt? Ergänzen Sie.   A1

Pläne für die Ferien. Thomas Morscher erzählt:

1. Wir _möchten_ nach Italien fahren.
2. Papa und Mama _____ viel lesen.
3. Alexandra _____ jeden Tag schwimmen.
4. Ich _____ oft Fußball spielen.
5. Johanna und Christoph _____ Pizza essen.

2 ——————————— Verben ———————————

Ü 3a Unterstreichen Sie den Infinitiv und markieren Sie das Modalverb.

Ü 3b Schreiben Sie Sätze.

Laura Beer ist krank. Sie hat Halsschmerzen.

1. sie / zum Arzt / gehen / müssen
2. sie / fast nicht / sprechen / können
3. sie / beim Arzt / lange / warten / müssen

4. „Frau Beer, Sie / nicht / arbeiten / dürfen"
5. „Sie / drei Tage / im Bett / bleiben / müssen"
6. „Sie / wenig / sprechen / sollen"

> 1. Sie muss zum Arzt gehen.

Ü 4 Wie heißt das Modalverb im Präteritum? Schreiben Sie.

1. Ich muss lange in der Firma bleiben. *ich musste*
2. Wann willst du mich besuchen?
3. Herr Michels kann nicht Auto fahren.
4. Frau Berg darf keinen Alkohol trinken.
5. Wir möchten zwei Tage wegfahren.
6. Sollt ihr nicht auch zum Chef kommen?
7. Lars und Eva möchten nach Afrika fahren.
8. Können Sie bei diesem Lärm lernen?

Ü 5 Was war am letzten Wochenende? Herr Sadi erzählt. Ergänzen Sie die Modalverben im Präteritum.

Am Samstag *wollten* (1) wir lange schlafen. Aber wir _____ (2) nicht ausschlafen, weil die Nachbarn so laut waren. Ich _____ (3) in der Bäckerei frische Brötchen holen, aber das Geschäft war zu. Deshalb _____ (4) ich zum Supermarkt fahren. Aber die Straße war gesperrt, man _____ (5) nicht weiterfahren.

Ü 6 Bei einem Fest. Ergänzen Sie „können", „dürfen", „müssen".

1. Möchten Sie noch Wein? – Nein danke, ich *darf* nichts mehr trinken, ich muss noch Auto fahren.
2. Was trinken Sie? – _____ ich ein Mineralwasser haben, bitte?
3. Annalisa ist noch nicht da. – Sie hat angerufen, sie _____ nicht kommen.
4. Angela und Klaus haben frei, sie _____ lange beim Fest bleiben.
5. Und ihr? Habt ihr morgen auch frei oder _____ ihr arbeiten?
6. Es ist noch nicht so spät. _____ Sie wirklich schon gehen?
7. Die Kinder sind allein zu Hause. Wir _____ nicht zu spät heim kommen.

Ü 7 Was bedeuten die Schilder? Schreiben Sie.

①   ②   ③   ④   ⑤

nicht telefonieren   über die Straße   kein Eis essen   spielen   stehen bleiben
gehen

1. Man darf nicht telefonieren.

Ü 8 Ratschläge und Aufforderungen von anderen. Ergänzen Sie die Sätze mit „sollen".

1. pünktlich sein   Der Lehrer hat gesagt, wir _sollen pünktlich sein._

2. Kaffee machen   Der Chef hat gesagt, ich ....

3. nicht warten   Fred hat angerufen, ihr ....

4. viel Tee trinken   Wenn man Husten hat, ...

5. nicht Auto fahren   Wenn man müde ist, ...

Ü 9 Nicoletta in Berlin. Schreiben Sie Sätze mit Modalverben.

drei Mal umsteigen   •   nach 10 Uhr nicht kochen   •   später gerne hier studieren

am Schluss die Prüfung machen   •   ~~viel sehen und unternehmen~~

Liebe Monica,

ich bin schon zwei Wochen in Berlin. Die Stadt ist toll.

Man kann viel sehen und unternehmen. (1) Nur im Studentenheim gibt

es so viele Regeln. _Man_ .... (2). Die Leute

sind aber sehr nett, auch im Sprachkurs. Der Kurs ist sehr anstrengend,

aber ich lerne viel. Denn ich .... (3).

Für den Weg zum Kurs brauche ich eine Stunde. Ich ....

.... (4). Der Kurs gefällt mir sehr gut.

Ich .... (5).

Liebe Grüße, Nicoletta

2.4.2 Verben mit Präfix

● Ich mache jetzt Schluss. Schönes
Wochenende. Was hast du vor?
○ Nicht viel. Ich möchte einfach die Tage
genießen und mich ausruhen.
● Wir besuchen meine Schwester. Du weißt ja,
die wohnt am Bodensee. Mein Freund holt
mich gleich ab und dann fahren wir los.
○ Wann kommt ihr zurück?
● Sonntag Nacht. Also dann, tschüs!
○ Tschüs! Schönes Wochenende!

● Endlich, wo warst du so lange?
▲ In der Firma. Wir hatten so viel Arbeit …
● Können wir jetzt einsteigen? Moment mal,
hast du meine Tasche?
▲ Was ist mit der Tasche?
● Ich habe dir heute Morgen gesagt, du sollst
meine Tasche mitnehmen. Wo ist sie?
▲ Zu Hause. Wir müssen sie holen.
● Das fängt ja gut an. Ich verstehe das nicht.
Du vergisst immer alles. …

A 1a Suchen Sie die folgenden Verben im Text oben. Markieren Sie sie dort.

abholen	anfangen	ausruhen	genießen	besuchen	einsteigen
losfahren	mitnehmen	vergessen	verstehen	vorhaben	zurückkommen

A 1b Markieren Sie in den Infinitiven das Präfix.

A 1c Welche Silbe wird betont? Unterstreichen Sie. Das Wörterbuch hilft Ihnen.

Verben mit betontem Präfix: trennbare Verben

A 2 Ergänzen Sie die Verbformen aus dem Text.

Aussagesatz	Mein Freund	holt	mich gleich	*ab.*
	Dann	....	wir	los.
W-Frage	Was	hast	du	vor?
	Wann	....	ihr	.... ?
		konjugiertes Verb		**Präfix**

R 1

Im Aussagesatz und in der W-Frage steht das konjugierte Verb in Position .... ,
das betonte .... steht am Ende.

R 1

A 3 Vergleichen Sie mit der Tabelle A 2.

Ja-/Nein-Frage	Hast	du am Wochenende viel	vor?
Aufforderung	Hol	mich um 17 Uhr im Büro	ab.
	konjugiertes Verb		**Präfix**

R2 In der Ja-/Nein-Frage und in der Aufforderung steht das konjugierte Verb in Position
.... , das betonte .... steht am Ende.

R2

> Im Nebensatz trennt man das betonte Präfix nicht:
> Wenn ich **einkaufe**, kaufe ich gleich für die ganze Woche ein.
> Auch den Infinitiv kann man nicht trennen: Können wir jetzt **einsteigen**?

R3

Die folgenden Präfixe sind immer betont. Verben mit diesen Präfixen sind ....

ab-	abholen	**ein-**	einsteigen	**mit-**	mitnehmen	**weg-**	wegfahren
an-	anfangen	**her-**	herkommen	**(he)raus-**	rausgehen	**zu-**	zuhören
auf-	aufhören	**hin-**	hingehen	**(he)rein-**	reinkommen	**zurück-**	zurückkommen
aus-	ausschlafen	**los-**	losfahren	**vor-**	vorhaben		

R3

Verben mit unbetontem Präfix: nicht trennbare Verben

A 4 Markieren Sie bei den Verben das Präfix. Achten Sie auf die Betonung der Verben.

Wir besuchen meine Schwester.
Was vergisst Herr Kosic?

Verstehen Sie mich?
Vergiss das nicht, bitte!

R4

Die folgenden Präfixe sind nie betont. Verben mit diesen Präfixen sind ....

be-	besuchen	**er-**	erzählen	**miss-**	missfallen	**zer-**	zerreißen
ent-	entscheiden	**ge-**	gefallen	**ver-**	verstehen		

R4

Betontes oder unbetontes Präfix

wiedersehen   Wann sehen wir uns wieder?   wiederholen   Ich wiederhole die Grammatik.

> Es gibt Präfixe, die in trennbaren oder nicht trennbaren Verben vorkommen.
> **durch-**   **unter-**   **wider-**
> **über-**   **um-**   **wieder-**

A2 **Ü 1a** Verben mit betontem oder unbetontem Präfix? Kennzeichnen Sie den Wortakzent:
_ (langer Vokal) oder . (kurzer Vokal). Benutzen Sie Ihr Wörterbuch.

Ü 1b Trennbar oder nicht? Sortieren Sie.

ạnkommen	ạnmachen	aus̲machen	bedeuten	bezahlen	einkaufen
einladen	entschuldigen	erklären	gefallen	unterschreiben	vergessen
verkaufen	verstehen	versuchen	wiederholen	zerreißen	zuhören

◆ạn·kom·men (ist) 1 (irgendwo) **ankom-**
men einen Ort / Adressaten (bes am Ende einer Reise / eines Transports) errei-
chen: *Seid ihr gut in Italien angekommen?*;
Ist mein Paket schon bei dir angekommen?

trennbare Verben	nicht trennbare Verben
ankommen	*bedeuten*

aus Langenscheidt Taschenwörterbuch Deutsch als Fremdsprache, 2005

A2 **Ü 2a** Trennbar oder nicht? Markieren Sie den Wortakzent. Benutzen Sie Ihr Wörterbuch.

Ü 2b Ergänzen Sie die Sätze.

aufstehen • aussehen • anziehen • entscheiden • verdienen • bestellen

1. Tina hat eine neue Arbeit gefunden. Sie _verdient_ jetzt mehr Geld _ _ _ .

2. Bist du krank? Du .... heute nicht gut ....

3. Es ist sehr kalt. Max, warum willst du nicht die warme Jacke .... ?

4. Peter weiß nicht, was er will. Hoffentlich .... er sich bald ....

5. Wenn ich früh .... , mag ich kein Frühstück.

6. Wenn ich ins Café gehe, ... ich meistens Tee mit Milch ....

A2 **Ü 3** Schreiben Sie Aufforderungen.

1. herkommen (du)   Bitte _komm her!_   4. anklopfen (Sie)   Bitte ....

2. sich beeilen (ihr) Bitte _beeilt euch!_   5. aufräumen (du)   Bitte ....

3. mitkommen (Sie)   Bitte ....   6. sich bewegen (ihr) Bitte ....

B1 **Ü 4** Trennbare Verben. Welches Verb passt? Ergänzen Sie im Präteritum.

abfahren • ankommen • aussteigen • einsteigen • umsteigen • weggehen

1. Frau Maier _ging_ wie jeden Morgen um halb acht _weg_ . 2. Der Bus .... um

7.40 Uhr .... 3. Sie .... in den Bus .... und fuhr bis zum Terminal Ost.

4. Dort .... sie wie immer in einen anderen Bus .... 5. Der Bus .... wie

jeden Tag pünktlich um 8.20 bei der letzten Haltestelle .... 6. Frau Maier ....

dort .... Aber heute war sie am falschen Ort.

Partizip II: Verben mit Präfix (trennbar – nicht trennbar)

A 5 Markieren Sie die Perfekt-Formen im Text.

Lisa bekommt einen Anruf von Lukas. Er erzählt von Toby.

„Ich bin mit Toby spazieren gegangen, aber ich habe die Leine vergessen.

Plötzlich ist Toby weggelaufen. Ich habe sofort begonnen, ihn überall zu suchen. Eine Stunde lang habe ich alles versucht. Ich habe wirklich geglaubt, ich habe Toby verloren. Darum habe ich die Polizei angerufen und der Polizist hat meine Daten aufgeschrieben. Dann bin ich traurig zurückgegangen.

Als ich zu Hause angekommen bin, hat Toby vor der Tür auf mich gewartet."

Verben mit betontem Präfix: trennbare Verben

A 6 Ergänzen Sie das Partizip II aus dem Text.

			Partizip II
weg/laufen	Toby	ist	*weggelaufen* .
an/rufen	Lukas	hat	die Polizei ....
auf/schreiben	Der Polizist	hat	die Daten ....
	Hilfsverb		**Partizip II**

A 7 Ergänzen Sie die fehlenden Verbformen (Infinitiv oder Partizip II).

Verb (ohne Präfix)

schreiben – geschrieben

gehen – ....

.... – gekommen

trennbares Verb

→ aufschreiben – aufgeschrieben

→ .... – zurückgegangen

→ ankommen – ....

> **R 5**
> Trennbare Verben: Beim Partizip II steht **-ge-** zwischen .... und Verb. ◂ R 5

Verben

Verben mit unbetontem Präfix: nicht trennbare Verben

A 8 Ergänzen Sie das Partizip II.

vergessen	Lukas	hat		die Leine	_vergessen_ .
versuchen	Eine Stunde lang	hat		er alles	....
		Hilfsverb			**Partizip II**

A 9 Ordnen Sie Infinitiv und Partizip zu und vergleichen Sie mit dem Partizip II der trennbaren Verben.

1. _D_ beginnen
2. ...... vergessen
3. ...... versuchen
4. ...... verlieren

A versucht
B verloren
C vergessen
D begonnen

> **R6** Nicht trennbare Verben haben im Partizip II kein ge-.
> **R6**

A2 **Ü 5a** Markieren Sie im Text das Partizip II der Verben.

Ü 5b Schreiben Sie die Infinitive in die passende Spalte.

Der Sprachkurs hat am Montag wieder angefangen. Alle haben Geschichten von ihrem Urlaub erzählt. Andrine hat ihre Verwandten in Norwegen besucht. Da hat es ihr sehr gut gefallen. Antoine ist gerade erst aus Marseille zurückgekommen. Er hat viel eingekauft und nach Berlin mitgenommen. In Berlin hat er seine Kollegen eingeladen und sie haben Käse und Wein genossen. Silvia ist nicht weggefahren, sie ist in ein neues Zimmer umgezogen. Milo hat sich für eine Flugreise nach Kreta entschieden. Leider hat er verschlafen und das Flugzeug ist ohne ihn abgeflogen.

trennbare Verben	nicht trennbare Verben
anfangen, ...	....
....	....

A2 **Ü 6** Ergänzen Sie das passende Partizip II.

1. abfahren — Der Zug ist um 17.12 Uhr _abgefahren_ ....
2. ankommen — Um 20.30 Uhr bin ich ....
3. aussteigen — Ich bin schnell ...., weil der Zug sofort weiterfährt.
4. einkaufen — Am Bahnhof habe ich noch ....
5. umziehen — Zu Hause habe ich mich ....
6. weggehen — Dann bin ich noch ....

Ü 7 Ergänzen Sie das Partizip II.

1. Max hat ein Buch _bestellt_ (bestellen). 2. Heute hat er ein Paket
.... (bekommen). 3. Max hat ein Formular .... (unterschreiben). 4. Er hat das Paket gleich .... (auspacken). Aber es war das falsche Buch.
5. Deshalb hat Max in der Buchhandlung .... (anrufen). 6. Die Dame war sehr
nett, sie hat sich .... (entschuldigen). 7. Schon am nächsten Tag hat Max das
richtige Buch .... (erhalten).

Ü 8 Antworten Sie im Perfekt.

1. Was hat er gesagt?
   ich / es / auch nicht / verstehen
   Ich habe es auch nicht verstanden.
2. Hast du mein Buch mitgebracht?
   leider nein / ich / es / vergessen
   Leider nein, ich ....
3. Warum kommst du so spät?
   ich / heute / zu spät / aufstehen
   ....
4. Was hab ihr gestern gemacht?
   wir / noch kurz / ausgehen
   ....
5. Ist die Arbeit bald fertig?
   wir / doch erst / beginnen
   ....
6. Wie war der Film?
   er / mir / sehr gut / gefallen
   ....

Ü 9 Sortieren Sie die Verben zur richtigen Wortfamilie. Notieren Sie auch das Partizip II.

| ~~aufgehen~~ • aufstehen • bekommen • entstehen • mitkommen |
| nachkommen • ~~vergehen~~ • verstehen • ausgehen |

1. gehen	2. stehen	3. kommen
aufgehen – aufgegangen		
vergehen –		

2.4.3 Reflexive Verben

① Aurelia kämmt die Puppe.

③ Peter kämmt den Teddy.

② Aurelia kämmt sich.

④ Peter kämmt sich.

A 1a Welcher Infinitiv passt zu welchem Satz?

kämmen: ....   sich kämmen: ....

A 1b Ergänzen Sie die Tabelle der Reflexivpronomen. Die Sätze unter den Zeichnungen helfen Ihnen.

Nominativ	ich	du	er/es/sie	wir	ihr	sie	Sie
Akkusativ	mich	dich	....	uns	euch	sich	sich
Dativ	mir	dir	sich	uns	euch	sich	sich

R 1 Das Reflexivpronomen bezieht sich immer auf das Subjekt. In der 3. Person heißt es immer „...................". Alle anderen Formen sind gleich wie das Personalpronomen.

R1

⇨ 5.1 Personalpronomen, S. 94
5.4 Reflexivpronomen, S. 101

1. Aurelia putzt sich die Zähne.

2. Ich fühle mich nicht wohl.

3. Die Kinder haben sich erkältet.

4. Martin kann sich die Vokabeln nicht merken.

5. Ivan hat sich hingelegt.

6. Wir haben uns im Urlaub gut erholt.

7. Das Kind wäscht sich die Hände.

8. Hoffentlich hast du dir nicht das Bein gebrochen!

A 2 Verb und Ergänzungen. Zu welchem Muster passen die Sätze? Notieren Sie.

Ich ⟍ **kämme** ⟍ die Puppe / mich.
Subjekt   Akkusativ
2. ....

Ich ⟍ **putze** ⟍ mir   die Zähne.
Subjekt   Dativ   Akkusativ
1. ....

R2 ▸ Wenn das Verb eine Ergänzung im Akkusativ hat, steht das Reflexivpronomen im

....

R2

Das Reflexivpronomen steht meistens direkt nach dem Verb:
Lilo duscht **sich** am Morgen. Am Morgen duscht **sich** Lilo.
Wenn das Subjekt ein Pronomen ist, steht es vor dem Reflexivpronomen:
Am Morgen duscht sie **sich**.

Reziproke Verben

Das Reflexivpronomen kann auch eine gegenseitige (reziproke) Relation ausdrücken.

Hans kennt Eli.

Eli kennt Hans.

Sie kennen sich.
oder: Sie kennen einander.

Nach einer Präposition muss „einander" stehen.
Hans und Eli sind glücklich **mit**einander.

2 Verben

A2 Ü 1 Ergänzen Sie das Reflexivpronomen.

1. Tina hat eine Einladung bekommen. Sie freut _sich_ sehr.
2. Es war sehr nett bei euch. Ich möchte .... herzlich bedanken.
3. Habt ihr .... im Urlaub gut erholt?
4. Die Kinder sind nass geworden und haben .... erkältet.
5. Was ist passiert? Haben Sie .... verletzt?
6. Komm herein! Ich freue .... sehr, dass du mich besuchst.

B1 Ü 2 Ergänzen Sie das passende reflexive Verb in der richtigen Form.

> sich erholen • ~~sich freuen (auf)~~ • sich interessieren (für) • sich ausruhen • sich unterhalten (über)

1. Die Schule ist aus. Die Schüler _freuen sich_ auf die Ferien.
2. Frau Maurer liest mehrere Zeitungen. Sie .... für Politik.
3. Wir machen hier auf Rügen Urlaub. Wir .... gut.
4. Wenn ich meine Kollegin Anja treffe, ... ich .... mit ihr meistens über Musik
5. Wie bitte, Sie haben heute 14 Stunden gearbeitet? Sie müssen .... morgen ....

B1 Ü 3 Aufforderungen. Schreiben Sie.

1. sich beeilen (ihr)   Der Bus fährt gleich. _Beeilt euch!_
2. sich setzen (Sie)   Schön, dass Sie da sind. ....
3. sich ausruhen (du)   Du siehst müde aus. ....
4. sich entscheiden (du)   Was willst du jetzt? ....
5. sich entspannen (Sie)   Es tut nicht weh. ....
6. sich verabschieden (ihr) Kinder, wir müssen gehen. ....

Ü 4 Reflexivpronomen im Akkusativ oder Dativ. Ergänzen Sie.   B 1

1. Der Abend war sehr schön, wir haben _uns_ gut unterhalten.

2. Es wird kalt, ich ziehe .... den dicken Mantel an.

3. Schau auf den Fahrplan, die Abfahrtszeiten ändern .... immer wieder.

4. Es tut mir leid, ich habe .... geirrt.

5. Die Gäste waren nicht zufrieden. Sie haben .... über das Hotel beschwert.

6. Diese Hose habe ich .... gestern gekauft.

7. Das war ein gutes Restaurant. Das werde ich .... merken.

8. Kann ich .... im Geschäft umsehen?

Ü 5 Reziproke Verben. Ergänzen Sie das passende Pronomen.   A 2

1. Das sind meine Freunde Arno und Evi. Wir verstehen _uns_ gut.

2. Alex und Hans haben zusammen eine Firma. Sie helfen ...., wenn es nötig ist.

3. Rita und Kurt leben schon 25 Jahre zusammen. Sie lieben .... noch wie am Anfang.

4. Frau Neubert und Frau Stana kennen .... schon 20 Jahre.

5. Aber sie siezen .... noch immer.

Ü 6 Was soll man beim Sprachenlernen beachten? Schreiben Sie Tipps.   B 1

1. sich mit Kolleginnen und Kollegen auf Deutsch unterhalten
2. sich an den Computer setzen und mit Lernprogrammen arbeiten
3. sich vorstellen, was Sie in einer bestimmten Situation sagen wollen
4. sich schwierige Wörter mit einem Beispiel merken
5. sich deutschsprachige Filme ansehen
6. ...

1. _Unterhalten Sie sich mit Kolleginnen und Kollegen auf Deutsch._

Ü 7 Präposition + „einander". Ergänzen Sie die Sätze.   B 1

1. sprechen mit   Bettina und Angelika _sprechen_ oft _miteinander_ .

2. sich verlieben in   Rupert und Lili haben sich auf der Party ....

3. da sein für   Mein Freund und ich .... immer .

4. glücklich sein mit Lionel und Sarah .... sehr glücklich ....

5. denken an   Meine Freundin und ich .... jeden Tag ....

6. telefonieren mit   Herr und Frau Sommer .... oft ....

Verben

2.5 Verben und Ergänzungen

2.5.1 Verben + Ergänzungen

Das Verb bestimmt, welche Teile ein Satz haben muss. Diese Teile heißen Ergänzungen (oder Objekte). Fast jeder Satz hat ein Subjekt, das mit der Verb-Endung zusammenpasst. Das Subjekt ist immer ein Nominativ.

Verben ohne Ergänzung

Die Sonne scheint. Blumen blühen. Die Kinder
baden und lachen.
Ein Gewitter kommt. Es blitzt und donnert.

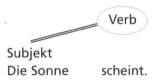

Subjekt
Die Sonne   scheint.

⟹ 2.1 Kongruenz Verb – Subjekt, S. 15

> **R1**   Es gibt Verben, die nur das Subjekt und keine andere Ergänzung haben, z.B. die „Wetter-
> Verben": Es regnet. Es schneit.
>   **R1**

Verben + Ergänzung im Nominativ

Das ist unser Haus.
Und das sind Mahmut und Inessa.
Mahmut ist der Bruder von Inessa.
Inessa ist meine beste Freundin.
Mahmut will ein berühmter Sportler werden.

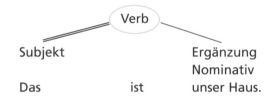

Subjekt   Ergänzung
                   Nominativ
Das   ist   unser Haus.

> **R2**   Die Verben „sein" und „werden" sowie „bleiben" und „heißen" haben einen Nominativ
> als Ergänzung.
>   **R2**

Verben + Ergänzung im Akkusativ

Sehr viele Verben im Deutschen haben eine Ergänzung im Akkusativ (Akkusativ-Objekt).

Ich sehe ein weißes Haus. Es hat eine rote Tür
und grüne Fenster.
Am Abend lese ich gern die Zeitung oder einen
Roman.

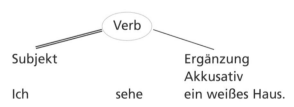

Subjekt   Ergänzung
                   Akkusativ
Ich   sehe   ein weißes Haus.

> Manche Verben mit einer Ergänzung im Akkusativ kann man auch ohne Ergänzung verwenden:
> Indira liest ein Buch. – Indira liest.

Verben

Verben + Ergänzung im Dativ

Wenige Verben haben nur eine Ergänzung im Dativ (Dativ-Objekt) bei sich. Der Dativ ist sehr oft eine Person und wird meistens mit einem Pronomen ausgedrückt.

Das Buch gehört mir.
Deine Freundin hat dir geholfen.
Der Pullover passt ihm gut.
Ich bin heute einem Schulfreund begegnet.

	Verb	
Subjekt		Ergänzung Dativ
Das Buch	gehört	mir.

Verben + Ergänzungen im Akkusativ und Dativ

Manche Verben haben Ergänzungen im Akkusativ und Dativ: Die Ergänzung im Akkusativ nennt die Sache oder den Gegenstand der Handlung, die Ergänzung im Dativ die Person oder das Ziel der Handlung.

Ich wünsche Ihnen alles Gute!
Der Mann zeigt mir den Weg.
Alena schickt Helen ein SMS.
Jakob hat seiner Frau einen Hund geschenkt.

	Verb		
Subjekt		Ergänzung Dativ	Ergänzung Akkusativ
Ich	wünsche	Ihnen	alles Gute.

Reihenfolge der Ergänzungen:

Ich habe **meiner Freundin das Buch** geschenkt.	Beide Ergänzungen sind Substantive: ➢ Dativ vor Akkusativ
Ich habe **ihr das Buch** geschenkt. Ich habe **es meiner Freundin** geschenkt.	Eine Ergänzung ist ein Pronomen, die andere Ergänzung ist ein Substantiv: ➢ Pronomen vor Substantiv
Ich habe **es ihr** geschenkt.	Beide Ergänzungen sind Pronomen: ➢ Akkusativ vor Dativ

Verben + Ergänzung mit Präposition

Marion wohnt in der Schweiz.
Mike kommt aus den USA.
Sandra erzählt von ihrer Reise.
Das Hemd passt nicht zur Hose.

	Verb	
Subjekt		Präposition + Dativ
Marion	wohnt	in der Schweiz.

Marion fährt in die Schweiz.
Wir haben über den Witz gelacht.
Michael denkt oft an Antonia.
Kinder achten zu wenig auf den Verkehr.

	Verb	
Subjekt		Präposition + Akkusativ
Marion	fährt	in die Schweiz.

Viele Verben haben neben einer Ergänzung mit Präposition auch noch eine andere Ergänzung:
Ich stelle **die Blumen auf den Tisch**. Ich danke **dir für das Geschenk**.

Verben

A1 Ü 1a Markieren Sie die Verben in den Sätzen.

Ü 1b Ordnen Sie die Verben zu. Notieren Sie die Infinitive.

Es ist Sonntag. Und es regnet. Viele Leute schlafen noch, aber nicht Herr Zetin. Der Wecker klingelt und Herr Zetin steht auf. Er hat heute Dienst. Herr Zetin arbeitet als Taxifahrer. Um 6 Uhr holt er das Auto. Heute gibt es nur wenige Kunden.

ohne Ergänzung	Ergänzung im Nominativ	Ergänzung im Akkusativ
regnen,	*sein*	

A2 Ü 2 Welche Ergänzungen kommen vor? Unterstreichen Sie und kreuzen Sie an.

	Nom	Akk	Dat	Präp + Dat	Präp + Akk
1. Das Auto gehört <u>meiner Freundin</u>.			✕		
2. Herbert Grönemeyer ist ein bekannter Sänger.					
3. Hans und Eli sehen gerne alte Filme.					
4. Karen schickt ihren Freunden eine E-Mail.					
5. Ich habe mich über das Geschenk gefreut.					
6. Bianca kümmert sich um ihren kleinen Bruder.					
7. Familie Vogel wohnt im Zentrum.					
8. Ich gratuliere dir zu deinem Geburtstag.					

B1 Ü 3 Verben mit Dativ und/oder Akkusativ. Schreiben Sie Sätze. Achten Sie auf die Satzstellung.

1. Karen / eine Party / machen   *Karen macht eine Party.*
2. sie / ihre Freunde / einladen   *Sie*
3. die Gäste / ihr / Blumen / bringen
4. Karen / in einem alten Haus / wohnen
5. sie / es / ihnen / zeigen

B1 Ü 4 Was passt zusammen?

1. Herbert Grönemeyer wohnt   *C*   A an ihre früheren Kolleginnen.
2. Metin Altintop kommt   B über unsere Hobbys.
3. Marion denkt   C in Bochum.
4. Sabine interessiert sich   D für Bayern München.
5. Wir unterhalten uns   E aus Berlin.

2.5.2 Verben mit Infinitiv
Verb + Infinitiv

Nehmen Sie doch Platz.	Nein danke, ich bleibe lieber stehen!
Was macht ihr nach der Schule?	Wir gehen Fußball spielen. Kommst du mit?
Warum brauchst du das Auto?	Ich fahre noch schnell einkaufen.
Ist das ein nettes Foto!	Ja, das ist süß, da lernt Ines Ski fahren.
Ist das Essen schon fertig?	Nein! Hilfst du mir kochen?
Wo ist Ihr Auto? Ist es kaputt?	In der Werkstatt, ich lasse es reparieren.
Beeilt euch, es kommt ein Gewitter.	Man hört es schon donnern.
Jetzt warten wir schon 20 Minuten!	Aber ich sehe den Bus kommen.

A 1a Markieren Sie die Infinitive in den Sätzen. Unterstreichen Sie in der rechten Spalte die konjugierten Verbformen.

A 1b Verben mit Infinitiv ohne „zu". Ergänzen Sie den Merkzettel.

gehen, fa...................., bl....................

le....................

sehen, hö...................., la....................

he....................

„lernen" kann auch ohne 2. Verb stehen:
Ich lerne Deutsch (sprechen).

„sehen", „hören", „lassen" mit Infinitiv-Ergänzung bilden kein Partizip II:
Ich habe das Auto reparieren ~~ge~~lassen.

„helfen" kann auch mit Infinitiv + „zu" stehen:
Helfen Sie mir, die Arbeit fertig zu machen.

A 2 Welche Bedeutung hat „lassen" in diesen Sätzen? Notieren Sie.

1. Ich lasse die Kinder oft Computer spielen.	lassen = etwas erlauben
2. Ich lasse den Computer reparieren.	_1_ ....
3. Das lässt sich leicht sagen.	lassen = etwas nicht selbst tun
4. Ich lasse mir die Zeitung bringen.	....
5. Ich kann nicht gut schwimmen. Aber das lässt sich ändern.	sich lassen = man kann
6. Der Bauer lässt den Hund frei laufen.	....

„lassen" kann auch ohne Infinitiv stehen: Lass das! Lasst mich doch in Ruhe!

⇨ Passiv-Ersatzformen, S. 46

Verben

Verb + „zu" + Infinitiv

Hör endlich auf zu lachen!

Vergiss nicht, dein Zimmer aufzuräumen!

Versuch doch mal besser aufzupassen.

Denk daran, die Hände zu waschen!

Ich habe keine Zeit, dir zu helfen!

Das ist nicht schwer zu verstehen!

Es ist wichtig, genau zu arbeiten!

Ich habe keine Lust, so weiterzumachen.

A 3   Markieren Sie in den Sätzen die Infinitive und „zu".

> **R1**   Bei trennbaren Verben steht „zu" zwischen Präfix und ....
> Vergiss nicht, dein Zimmer auf**zu**räumen! Ich versuche zu**zu**hören.   **R1**

A 4   Nach welchen Ausdrücken steht „zu" + Infinitiv? Ordnen Sie zu.

Verben	Adjektive + „sein"	Substantiv + „haben"
aufhören, ...	*es ist wichtig,*	*(keine) Zeit haben,* ....
....	....	....

A 5   Vergleichen Sie die Satzpaare.

Nebensatz mit „dass"

Ich habe vergessen, dass ich Nathalie anrufe.

Ich habe vergessen, dass Nathalie anruft.

Es ist mir wichtig, dass ich dich treffe.

Es ist mir wichtig, dass du kommst.

„zu" + Infinitiv

→   Ich habe vergessen, Nathalie anzurufen.

→   - - -

→   Es ist mir wichtig, dich zu treffen.

→   - - -

> **R2**   Wenn die handelnde Person in Hauptsatz und Nebensatz gleich ist, verwendet man
> meistens „zu" + ... statt einem „dass"-Satz.
>   **R2**

⇨   13.2.1.1 Nebensatz mit „dass", S. 183
13.2.1.5 Nebensatz mit „damit", „um … zu" (final), S. 192

Verben

Ü 1 Welches Verb passt? Ergänzen Sie. B1

| bleiben • gehen • ~~helfen~~ • lassen • lernen |

1. Die Küche ist bald sauber, ich *helfe* dir aufräumen und putzen.
2. Die Straße ist gesperrt, wir müssen das Auto stehen ....
3. Dana macht gern Sport, sie .... besonders gern schwimmen.
4. Der Zug hat Verspätung, wir können noch ruhig sitzen ....
5. André liebt Pferde. Darum möchte er reiten ....

Ü 2 Formulieren Sie Sätze mit „(sich) lassen". B1

1. Vera geht zum Friseur. – Haare schneiden   *Sie lässt sich die Haare schneiden.*
2. Julius ist beim Arzt. – sich untersuchen   ....
3. Tobias ist in der Werkstatt. – Auto reparieren   ....
4. Herr Lang braucht Hilfe. – Wohnung putzen   ....

Ü 3 Schreiben Sie Sätze mit „zu" + Infinitiv. B1

1. Ali hat heute keine Lust, seiner Freundin *zu helfen* . (helfen)
2. Victoria ist gern pünktlich. Sie versucht, nie zu spät .... (kommen)
3. Helena hat sich entschlossen, eine Stunde früher .... (aufstehen)
4. Sibylle hat vergessen, ihren Sohn .... (anrufen)
5. Anna findet es wichtig, an schönen Tagen die Sonne .... (genießen)

Ü 4 Infinitiv oder Infinitiv + „zu"? Ergänzen Sie „zu", wenn es nötig ist. B1

1. Eva hört ihre Freundin ...... kommen.
2. Ulli lernt Auto .... fahren.
3. Alex versucht, oft Deutsch .... sprechen.
4. Es ist gesund, viel Wasser .... trinken.
5. Udo geht im Sommer oft .... schwimmen.
6. Der alte Mann hört auf, Auto .... fahren.

Ü 5 Welche „dass"-Sätze können sie auch als Infinitive mit „zu" ausdrücken? Kreuzen Sie an. B1

	Infinitiv mit „zu" möglich	nicht möglich
1. Christian hat entschieden, dass seine Familie nicht nach Moskau zieht.		✕
2. Ilona hofft, dass ihre Chefin bald Feierabend macht.		
3. Ich habe versprochen, dass ich heute pünktlich bin.		
4. Frau Ringer hat beschlossen, dass sie mit der Arbeit aufhört.		
5. Judith hat vergessen, dass ihr Onkel sie besucht.		

2.6 Was man mit Verbformen machen kann

Mit Verben kann man verschiedene Perspektiven ausdrücken. Das Tempus der Verben drückt vor allem die Perspektive „Zeit" aus.

Gegenwärtiges und Zukünftiges ausdrücken

Das ist jetzt so.	Herr Drechsler ist 27 Jahre alt.
Das ist immer so.	Er ist 1,92 Meter groß und hat braune Augen.
Das kommt erst später.	Nächstes Jahr heiratet er seine Freundin Tara.

⇨ 2.2.1 Präsens, S. 18

Vergangenes ausdrücken

Das ist vergangen. Das war früher.
Man berichtet etwas oder erzählt mündlich.

Tara Miller ist in den USA aufgewachsen.
Vor einem Jahr hat sie eine Europareise gemacht.

⇨ 2.2.2 Perfekt, S. 23

Das ist vergangen. Das war früher.
Man erzählt Geschichten, meistens schriftlich.

Es war einmal ein kleines Mädchen, das immer eine rote Kappe trug. Darum hieß es Rotkäppchen.

⇨ 2.2.3 Präteritum, S. 28

Das ist vor etwas anderem geschehen, das auch schon vergangen ist.

Nachdem es die ganze Nacht geschneit hatte, war die Straße am morgen gesperrt.

⇨ 2.2.4 Plusquamperfekt, S. 32

Prognosen oder Vermutungen ausdrücken

Das geschieht später.
Das passiert vielleicht.

In 50 Jahren wird es um drei Grad wärmer sein.
Max wird (wohl) wieder zu spät kommen.

⇨ 2.2.5 Futur I, S. 34

Andere wichtige Verbformen haben folgende Funktionen:

Aufforderungen ausdrücken

jemand auffordern

Komm schnell. Pass auf! Helft mir doch!
Helfen Sie mir! Nehmen Sie doch Platz.
Du musst in dieses Konzert gehen. Es ist super.
Sie sollten nicht so viel rauchen, Herr Mair.

⇨ 2.3.1 Imperativ, S. 36
2.4.1 Modalverben, S. 48

Wünsche ausdrücken

etwas wünschen
Wünsche sehr höflich ausdrücken

Ich möchte einen Tee, bitte.
Ich hätte gern einen Tee mit Zitrone, bitte.
Könnte ich bitte einen Tee haben?

⇨ 2.3.2 Konjunktiv II, S. 38
2.4.1 Modalverben, S. 48

Nicht Wirkliches (Irreales) ausdrücken

Wenn Fische sprechen könnten …
Wenn ich das gewusst hätte.

⇨ 2.3.2 Konjunktiv II, S. 38

Verben

Ü 1 Was für ein Tag! Was ist alles passiert? Schreiben Sie.

1. abfahren   Der Bus zum Bahnhof _ist_ .... 20 Minuten zu spät _abgefahren_ ....
2. sein   Deshalb .... der Zug schon weg.
3. kaufen   Frau Putz .... Bücher ...., damit sie etwas zu Lesen hat.
4. vergessen   Im Geschäft .... sie ihre Geldbörse ....
5. anrufen wollen   Als sie im Zug saß, ... sie im Geschäft ....
6. funktionieren   Aber das Mobiltelefon .... nicht ....
7. sehen wollen   Dann .... der Schaffner die Fahrkarte ....
8. erzählen   Frau Putz .... ihre Geschichte dem Schaffner ....
9. aussteigen müssen   Er hat ihr nicht geglaubt. Sie .... am nächsten Bahnhof ....

Ü 2 Präsens, Präteritum oder Perfekt? Welche Tempusform passt? Ergänzen Sie.

1. gehen   ● Hallo, Wie _geht_ .... es dir - - - .... ?
2. sein   ○ Nicht gut. Die Nacht .... schlimm ....
3. schlafen   Ich .... schlecht ....
4. werden   ● .... du krank .... ?
5. wissen   ○ Ich .... es nicht ....
6. fühlen   Aber ich .... mich gestern in der Arbeit nicht gut ....
7. machen   ● Und was .... du jetzt .... ?

Ü 3 Welche Tempusform passt? Ergänzen Sie.

1. sein   Dresden _ist_ .... die Hauptstadt des Bundeslandes Sachsen - - - .
2. geben   Es .... viele Sehenswürdigkeiten in der Stadt ....
3. wichtig sein   Für die Leute in Dresden .... besonders die Frauenkirche ....
4. zerstört werden Nachdem das Stadtzentrum 1945 .... ,
5. stehen   .... die Ruine der Kirche bis 1994 als Denkmal.
6. errichtet werden Von 1994 bis 2005 .... die Frauenkirche wieder ....
7. hoffen   Die Dresdner .... , dass ihre Stadt nie mehr zerstört wird.

2 — Verben

B1 **Ü 4** Was geschah an Weihnachten? Und was war davor geschehen? Lesen Sie zuerst den ganzen Text. Schreiben Sie die Sätze mit den passenden Verbformen.

fahren, holen	Der Vater zum Markt und einen Christbaum.
machen, aufstellen	Die Mutter die Wohnung sauber, der Vater den Baum.
schmücken, warten	Meine große Schwester und ich ihn. Und dann wir in der Küche,
läuten	bis die Glocke. **Jetzt war es soweit.**
sehen	Wir im dunklen Wohnzimmer den hell leuchtenden Baum.
singen, öffnen	Wir ein paar Lieder, zuletzt „Stihille Nacht", und dann wir endlich die
zeigen, bringen	Päckchen. Wir uns, was das Christkind.
sein	Und nächstes Jahr es wieder genau so.
fahren, holen	Der Vater zum Markt und einen Christbaum.

Der Vater war zum Markt gefahren und …

A2 **Ü 5** Was soll man tun? Schreiben Sie Aufforderungen.

1. „Kinder, es ist so laut! *Seid* .... bitte leise." (sein)
2. „Herr Güven, ... Sie das für Ihren Kollegen ...., bitte! (können – übersetzen)
3. „Frau Berger, die Treppe ist nass. .... Sie bitte ganz vorsichtig!" (gehen)
4. „Per, schnell! Es eilt! Du ....!" (müssen – weitermachen)
5. „Andrea, es ist schon spät. Du .... jetzt ....!" (müssen – aufstehen)
6. „Frau Fink, ... Sie bitte das Fenster ....!" (können – schließen)
7. „Ali und Katharina, ... mal bitte ....!" (aufpassen)

B1 **Ü 6** Prognosen und Vermutungen. Schreiben Sie Antworten.

1. Was tust du im Sommer? – viel schwimmen — *Ich werde viel schwimmen.*
2. Wo ist Petra? – noch arbeiten
3. Wie wird das Wetter? – schön werden sollen
4. Wer wird Fußballweltmeister? – … gewinnen
5. Warum ist Max nicht da? – krank sein

Ü 7 Was passt? Drücken Sie Ihre Wünsche so aus, wie es zur Situation passt. ◁ **B 1**

1. Sie möchten mal kurz telefonieren.

    a Sie sind gerade bei einem Freund.   *Kann ich mal kurz telefonieren, bitte.*

    b Sie sind in einem Geschäft und
       haben viel eingekauft.   ....

2. Sie möchten einen Capuccino haben.

    a Sie sind in einem Bistro.   ....

    b Eine Freund bietet Ihnen Kaffee an.   ....

3. Sie arbeiten in einem Büro.

    a Sie bitten eine Kollegin um Hilfe.   ....

    b Sie bitten Ihre Chefin um Hilfe.   ....

4. Sie möchten noch etwas Brot haben, es
   steht am anderen Ende des Tisches.

    a Sie sitzen mit Kollegen am Tisch.   ....

    b Sie sind Gast bei Leuten, die Sie
       kaum kennen.   ....

Ü 8 Ergänzen Sie die Verbformen. ◁ **B 1**

Wie jeden Donnerstag Abend *lief* .... (1) (laufen) die Fernsehsendung „10 vor 10". Zwei Gäste

.... (2) (erzählen) aus ihrem Leben. Dann .... (3) (fragen) der Moderator:

„Was .... Sie anders .... (4) (machen), wenn Sie noch einmal 20 Jahre

alt .... (5) (sein)"? Der erste Gast, eine Politikerin, ... (6) (sagen):

„Ich .... nichts anders .... (7) (machen), denn ich .... (8) (sein) in

meinem Leben und in meiner Arbeit sehr erfolgreich." Auch der zweite Gast ....

.... (9) (gefragt werden), was er in seinem Leben anders

.... (10) (machen). Er .... (11) (antworten): „ .... (12)

(sehen) Sie, ich .... (13) (sein) ein guter Sportler, ich .... (14) (haben) viele

Erfolge, und nach meiner Karriere als Sportler .... ich eine gute Arbeit ....

(15) (finden). Warum .... (16) (sollen) ich etwas anders .... (17)

(machen), wenn ich noch einmal 20 .... (18) (sein)?"

Substantive

3.1 Genus der Substantive

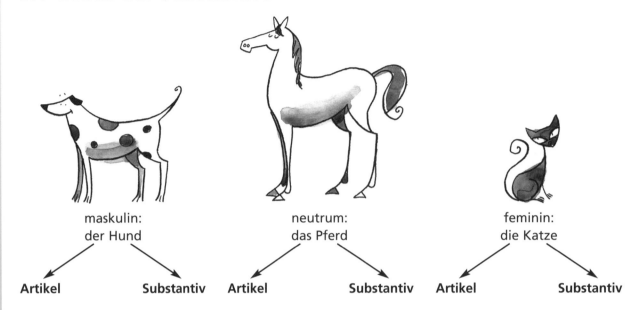

maskulin:	neutrum:	feminin:
der Hund	das Pferd	die Katze

Artikel   **Substantiv**   **Artikel**   **Substantiv**   **Artikel**   **Substantiv**

R1   Substantive haben ein Genus: maskulin, neutrum oder feminin.

Man erkennt das Genus am Artikel: „ .... " = maskulin, „ .... " = neutrum, „ .... " = feminin.

⇨ 4 Artikelwörter, S. 83
15.2 Zusammengesetzte Substantive, S. 213

Lernen Sie Substantive immer zusammen mit dem Artikel. Sie finden die Angaben zum Artikel in Ihrem Wörterbuch.

◆**Hund** *der*; *-(e)s*, *-e* **1** ein Tier, das gern bellt, dem Menschen sein Haus bewacht und sehr an ihm hängt

aus Langenscheidt Taschenwörterbuch Deutsch als Fremdsprache, 2005

Einige wenige Substantiv-Endungen haben immer das gleiche Genus:

maskulin	-ling	der Lehr**ling**
	-ismus	der Tour**ismus**
neutrum	-chen	das Mäd**chen**
	-lein	das Tisch**lein**
feminin	-heit	die Vergangen**heit**
	-keit	die Möglich**keit**
	-ung	die Veranstalt**ung**
	-schaft	die Land**schaft**
	-ei	die Metzger**ei**
	-ion	die Situat**ion**
	-in (Personen)	die Lehrer**in**

Substantive

Ü 1a   Hier sind neun Substantive zum Thema „Wohnen" versteckt. Kreisen Sie diese ein.   **A1**

T	ü	r	T	S	t	u	h	l
k	m	m	e	q	W	e	l	k
U	h	r	l	H	o	U	t	v
f	C	d	e	a	h	n	o	c
r	j	s	f	u	n	N	t	T
M	f	c	o	s	u	e	c	i
h	t	R	n	c	n	i	h	s
B	e	t	t	M	g	i	M	c
w	t	S	t	r	a	ß	e	h

Ü 1b   Notieren Sie die Wörter zu den passenden Artikeln. Benutzen Sie, wenn nötig, ein   **A1**
Wörterbuch.

der   das   die
                                                                  die Tür
....

....

                                ....

                                                                  ....

Ü 2   Notieren Sie den Artikel zu den Substantiven. Welches Substantiv hat ein anderes Genus?   **A2**
Kreisen Sie es ein. Ihr Wörterbuch hilft Ihnen, wenn nötig.

1. *der* Monat – *der* Mann – *das* Meer – *der* Mantel
2. ...... Schule – ...... Schlüssel – ...... Sprache – ...... Stunde
3. ...... Kino – ...... Käse – ...... Kind – ...... Kilogramm
4. ...... Name – ...... Nase – ...... Nummer – ...... Natur
5. ...... Salat – ...... Schrank – ...... Schlüssel – ...... Sonne

Ü 3   Markieren Sie die Endung und ergänzen Sie „der", „das" oder „die".   **A2**

1. *die* Freiheit
2. ...... Mäuschen
3. ...... Bäckerei
4. ...... Station

5. ...... Reinigung
6. ...... Kleinigkeit
7. ...... Büchlein
8. ...... Kollegin

9. ...... Liebling
10. ...... Zeitung
11. ...... Herrschaft
12. ...... Journalismus

3.2 Pluralformen der Substantive

ein Hund   viele Hunde

Man erkennt den Plural der Substantive an Plural-Endungen und den Pluralformen der
Artikelwörter.
⟹ 4 Artikelwörter, S. 83

Lernen Sie Substantive immer zusammen mit dem Artikel und
der Pluralform. Sie finden die Angaben zum Plural in Ihrem
Wörterbuch.

◆ **Hund** *der*; *-(e)s*, *-e* **1** ein Tier, das gern
bellt, dem Menschen sein Haus bewacht
und sehr an ihm hängt

aus Langenscheidt Taschenwörterbuch
Deutsch als Fremdsprache, 2005

Plural-Endungen

Es gibt keine festen Regeln für die Plural-Bildung, aber es gibt ein paar Substantiv-Endungen, die
den Plural meistens gleich bilden.

die meisten Feminina auf -e		**die meisten Feminina Maskulina der N-Deklination**	
-n	die Tasse, die Tasse**n** die Tomate, die Tomate**n**	**-(e)n**	die Uhr, die Uhr**en** (!) die Studentin, die Studentin**nen** der Kollege, die Kolleg**en**
viele einsilbige Substantive (m, n, f), alle Substantive auf -ig, -ling, -nis		**viele einsilbige Substantive (m, n) alle Substantive auf -tum**	
(-¨)(s)e	die Hand, die H**ä**nd**e** das Ereignis, die Ereigni**sse**	**(-¨)er**	das Bild, die Bild**er** das Glas, die Gl**ä**s**er**
die meisten Substantive auf -er, -el, -en, alle Substantive auf -chen oder -lein		**viele Internationalismen, Substantive, die mit einem Vokal enden**	
(¨-)	das Fenster, die Fenster der Vater, die V**ä**ter	**-s**	das Hotel, die Hotel**s** das Foto, die Foto**s**

Plural-Endungen -e, -er und Pluralform ohne Endung: a, o, u werden meist zu ä, ö, ü:
der Hof → die H**ö**fe, das Haus → die H**ä**user, der Apfel → die **Ä**pfel.

Es gibt Wörter, die nur im Singular oder nur im Plural stehen können:
Singularwörter
die Milch, das Fleisch, das Obst, das Gemüse,
die Bevölkerung, der Verkehr, das Glück ...

Pluralwörter
die Eltern, die Geschwister, die Ferien, die Möbel,
die Lebensmittel, die Kosten ...

Substantive

Ü 1 Wie heißt der Singular?

A1

1. der *Mann* – die Männer
2. die .... – die Adressen
3. das .... – die Hotels
4. das .... – die Häuser
5. die .... – die Frauen
6. der .... – die Tische
7. der .... – die Studenten
8. die .... – die Lehrerinnen

Ü 2 So stehen die Wörter im Wörterbuch. Notieren Sie den Plural.

A1

1. Abfall, der; -¨e *die Abfälle*
2. Teller, der; - ....
3. Fuß, der; -¨e ....
4. Kino, das; -s ....
5. Koffer, der; - ....
6. Auge, das; -n ....
7. Ohr, das; -en ....
8. Kind, das; -er ....

Ü 3 Stehen die Wörter im Singular oder im Plural? Kreuzen Sie an.

A1

	Singular	Plural
1. der Apfel	×	
2. die Mütter		
3. die Messer		
4. der Ball		
5. die Gabel		

	Singular	Plural
6. die Autos		
7. die Mädchen		
8. das Buch		
9. die Löffel		
10. die Ärztin		

Ü 4 Was sehen Sie auf dem Bild?

A2

Ich sehe fünf Tomaten, sieben …

3.3 Kasus: Deklination von Artikel und Substantiv

Der Kasus (Nominativ, Akkusativ, Dativ oder Genitiv) macht die Bezüge im Satz deutlich. Er kann von drei Wortarten bestimmt werden: von Verben, von Präpositionen und von anderen Substantiven.

1. Verb-Ergänzungen

Subjekt (Nominativ) Wer? oder Was?	**Verb**	**Akkusativ-Ergänzung** Wen? oder Was?
Lisa	sucht	einen Freund / ein Geschäft / eine Freundin.

Verb		
Subjekt (Nominativ) Wer? oder Was?	**Dativ-Ergänzung** Wem?	**Akkusativ-Ergänzung** Wen? oder Was?
Lisa	schenkt	dem Freund / dem Kind / der Freundin	einen Kalender / ein Buch / eine Tasche.

⇨ 2.5.1 Verben + Ergänzungen, S. 64

2. Präposition mit Kasus

Lisa hat ein Geschenk **für** ihren Freund.   Präposition mit Akkusativ
Lisa fährt **mit** dem Fahrrad.   Präposition mit Dativ
Lisa radelt **trotz** des Regens.   Präposition mit Genitiv

⇨ 8 Präpositionen, S. 130

3. Genitiv bei Nomen

Mit dem Genitiv bei Nomen kann man ausdrücken, wem etwas gehört, oder worauf sich ein Wort bezieht. Besonders in der gesprochenen Sprache verwendet man statt des Genitivs oft die Präposition „von" + Dativ.

Lisas **Fahrrad** ist schwarz.   =   Das Fahrrad von Lisa ist schwarz.
Sie hat **den Namen** des Geschäfts vergessen.   =   Sie hat den Namen von dem Geschäft vergessen.

Substantive

Die Kasusformen erkennt man vor allem an den Formen der Artikelwörter.

⇨ 4 Artikelwörter, S. 83

	maskulin	neutrum	feminin	Plural
Nominativ	Hier ist **der** Kalender.	Hier ist **das** Buch.	Hier ist **die** Tasche.	Hier sind **die** Bücher.
Akkusativ	Sie sucht **den** Kalender.	Sie sucht **das** Buch.	Sie sucht **die** Tasche.	Sie sucht **die** Bücher.
Dativ	Sie hilft **dem** Mann.	Sie hilft **dem** Kind.	Sie hilft **der** Frau.	Sie hilft **den** Leuten.
Genitiv	Sie kommt trotz **des** Regens.	Sie kommt trotz **des** Gewitters.	Sie kommt trotz **der** Krankheit.	Sie kommt trotz **der** Probleme.

R 1   Im Genitiv Singular haben Substantive maskulin und neutrum die Endung ....

(oder **-es** wie „des Hun<u>d</u>es", „des Ta<u>g</u>es", „des Hau<u>s</u>es").

Im Dativ Plural haben die Substantive die Endung .... (Ausnahme: Substantive mit der

Plural-Endung **-s**: „den Auto**s**").

In allen anderen Kasus haben Substantive keine Kasus-Endung.   **R 1**

das Herz, dem Herz**en**, des Herz**ens**

⇨ N-Deklination, S. 81
7.2 Adjektive vor einem Substantiv, S. 114

Genitiv bei Eigennamen: Endung „*s*":   Lisa**s** Fahrrad

Ü 1 Welches Wort passt?

Post (f) • Buchladen (m) • Ampel (f) • Ge~~schenk~~ (n) • Mann (m) • Buchladen (m)

1. Lisa braucht ein _Geschenk_ .

2. Sie sucht einen _____ .

3. Sie fragt einen _____ .

4. Sehen Sie die _____ ?

5. Da gehen Sie rechts, dort ist die _____ .

6. Daneben ist ein _____ .

 Ü 2 Lisa ist im Buchladen. Unterstreichen Sie den <u>Akkusativ</u> und markieren Sie den ⬚Dativ⬚.

1. Lisa ist ⬚im Buchladen⬚. 2. Sie sucht ein Buch von Martin Suter, aber sie hat den Titel vergessen. 3. Sie fragt eine Verkäuferin. 4. Sie erzählt der Verkäuferin die Geschichte von einem Mann, der alles vergisst. 5. Die Verkäuferin weiß sofort, welches Buch Lisa sucht. 6. „Das Buch heißt ‚Small World'. Es steht hier, bei den Taschenbüchern."

A2 **Ü 3** Im Kleidergeschäft sehen Lisa und Anja komische Leute. Schreiben Sie Sätze.

1. Siehst / du / die / Frau / mit / der Hund?

2. Sie / zeigt / der Hund / die Kleider!

3. Der Mann / mit / der Hut / kauft / 30 Paar Socken!

4. Die Frau / an / die Kasse / singt / ein Lied!

5. Der Mann und die Frau / bei / die Mäntel / streiten sich!

> 1. Siehst du die Frau mit dem Hund?

B1 **Ü 4** Formulieren Sie die Sätze formeller. Verwenden Sie den Genitiv.

1. Können Sie mir bitte noch die Adresse vom Hotel geben?

2. Haben Sie die Schlüssel vom Büro?

3. Ich brauche noch die Telefonnummer von der Versicherung.

4. Das Motorrad von Holger ist kaputt.

5. Kannst du mir noch mal den Namen von deiner Autowerkstatt sagen?

> 1. Können Sie mir bitte noch die Adresse des Hotels geben?

N-Deklination

Lukas hat einen netten Kollegen. Heute Abend trifft er sich mit ihm und seinem Nachbarn. Sie gehen zusammen essen. Sein Kollege ist letzte Woche Vater geworden. Er und seine Frau haben einen gesunden Jungen bekommen. Der Name des Jungen ist Paul.

A Ergänzen Sie die Formen der N-Deklination.

	maskulin	Plural
Nominativ	der Kollege	die Kollegen
Akkusativ	den Kollege....	die Kollegen
Dativ	dem Kollege....	den Kollegen
Genitiv	des Kollege....	der Kollegen

Zur N-Deklination gehören maskuline Substantive
– mit der Endung „-e":
  der Name, der Junge, der Kollege, …
– manche Personen- oder Tierbezeichnungen:
  der Mensch, der Bauer, der Bär, …
– Internationalismen auf
  „-and", „-ant", „-ent", „-ist", „-at", „-oge":
  der Diplomand, der Praktikant, der Konsument, der Journalist, der Diplomat, der Pädagoge, …

der Name, des Namens; der Gedanke, des Gedankens

Ü 5 Ergänzen Sie die Wörter der N-Deklination in der richtigen Form.

B1

1. Familie Bahr hat einen neuen *Nachbarn* (Nachbar). 2. Er erzählt viel von seiner Arbeit und von seinen .... (Kollege). 3. Er ist .... (Journalist). 4. Viele Leute kennen seinen .... (Name). 5. Er hat schon viele Interviews mit bekannten Personen gemacht, sogar mit dem .... (Bundespräsident).

Ü 6 Mit oder ohne Endung? Ergänzen Sie, wenn nötig.

B1

1. Lukas und Lisa haben eine Idee .... Sie wollen mit Toby in den Tierpark...... gehen. An der Leine dürfen Hund...... in den Tierpark.
2. Lisa ist sehr gespannt: Was macht Toby, wenn er einen Affe...... oder eine Giraffe...... sieht? Hat er Angst vor einem Elefant...... ?
3. Lukas ist neugierig, ob es viele andere Hund...... gibt. Hoffentlich bellt Toby nicht oder stört die andere Besucher...... .

3.4 Was man mit Substantiven machen kann

Substantive benennen einen Gegenstand oder	der Tisch, das Haus, die Lampe
etwas Abstraktes.	der Hunger, das Gefühl, die Liebe
Das Genus, der Numerus und der Kasus machen Bezüge deutlich.	Ich sehe **den Tisch**. → sehen + Akkusativ
Beim Subjekt erkennt man den Numerus auch an der Verbendung.	**Der Mann** singt ein Lied. **Die Männer** singen ein Lied.

A2 **Ü 1** Ergänzen Sie das passende Substantiv.

1. Siehst du die ....? (Hund – Maus – Pferd)
2. Hast du die ....? (Buch – Fahrrad – Schlüssel)
3. Gib mir bitte den .... (Stifte – Kugelschreiber – Heft)
4. Kommst du mit der ....? (Flugzeug – U-Bahn – Auto)
5. Leg das Buch bitte in die .... (Tasche – Tisch – Regal)

A2 **Ü 2** Achten Sie auf den Kasus. Was passt nicht?

1. Die Katze spielt mit 1 dem Kugelschreiber / 2 den Kindern / 3 der Tasche / 4 die Maus.
2. Hast du 1 der Brille / 2 der Schlüssel / 3 das Buch / 4 die Karten?
3. Hier ist 1 der Schule / 2 das Geschäft / 3 den Bäcker / 4 die Post.
4. Bist du fertig mit 1 der Brief / 2 der Arbeit / 3 dem Buch / 4 den Prospekten?

B1 **Ü 3** Notieren Sie zu den markierten Wörtern Genus, Numerus und Kasus. Wie steht das markierte Wort im Wörterbuch?

1. Hast du ein Foto von den <u>Affen</u> gemacht?   *maskulin, Plural, Dativ – Affe* ....
2. Wo sind denn eure <u>Väter</u>? ....
3. Ist das der Stift Ihres <u>Mannes</u>? ....
4. Wie ist der Name Ihres <u>Nachbarn</u>? ....
5. Hast du den <u>Kindern</u> geholfen? ....

Artikelwörter

Artikelwörter stehen vor einem Substantiv und richten sich in Genus (maskulin, feminin oder neutrum), Numerus (Singular oder Plural) und Kasus (Nominativ, Akkusativ, Dativ oder Genitiv) nach ihm.

⇨ 3 Substantive, S. 74

4.1 Bestimmter und unbestimmter Artikel

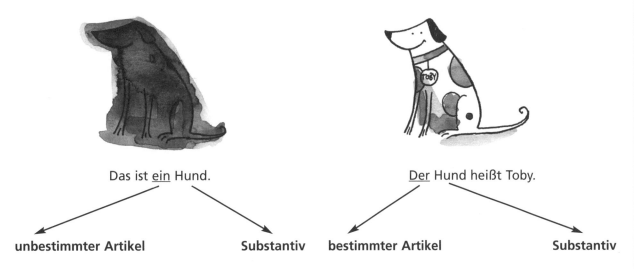

Das ist <u>ein</u> Hund.

unbestimmter Artikel   Substantiv

<u>Der</u> Hund heißt Toby.

bestimmter Artikel   Substantiv

A 1 Finden Sie die Artikelwörter. Kreisen Sie den (unbestimmten Artikel) ein und unterstreichen Sie den <u>bestimmten Artikel</u>.

Wo ist hier (eine) Bushaltestelle?

Ich möchte ein Buch kaufen.

Verkaufen Sie auch Skischuhe?

Haben Sie eine E-Mail-Adresse?

Jedes Land hat eine Hauptstadt.

Fährt der Bus in <u>die</u> Stadt?

Hier ist das neue Buch.

Wo hast du die Skischuhe hingestellt?

Hier ist die E-Mail-Adresse von Paul.

Die Hauptstadt von Deutschland ist Berlin.

> **R**
>
> Man verwendet den .... Artikel bei Substantiven, die unbekannt oder im Text neu sind.
>
> Man verwendet den .... Artikel bei Substantiven, die allgemein bekannt sind oder schon vorher im Text genannt wurden. **R**

A 2 Ergänzen Sie die Tabellen mithilfe der Sätze in A1 (S. 83).

bestimmter Artikel

	maskulin	neutrum	feminin	Plural
Nominativ	der Bus	.... Buch	.... Hauptstadt	die Skischuhe
Akkusativ	den Bus	das Buch	die Hauptstadt	.... Skischuhe
Dativ	dem Bus	dem Buch	der Hauptstadt	den Skischuhen
Genitiv	des Busses	des Buches	der Hauptstadt	der Skischuhe

unbestimmter Artikel

	maskulin	neutrum	feminin	Plural
Nominativ	ein Bus	ein Buch	eine Hauptstadt	☐ Skischuhe
Akkusativ	einen Bus	.... Buch	.... Hauptstadt	☐ Skischuhe
Dativ	einem Bus	einem Buch	einer Hauptstadt	☐ Skischuhen
Genitiv	eines Busses	eines Buches	einer Hauptstadt	☐ Skischuhe

Der unbestimmte Artikel hat keine Pluralform, im Plural steht der Nullartikel ☐.
Der Nullartikel steht außerdem:

– vor Namen und Anreden   Das ist ☐ Toby. Guten Tag ☐ Herr Bahr.
– vor Städten, den meisten Ländern   Toby wohnt in ☐ Berlin. Berlin liegt in ☐ Deutschland.
– und Kontinenten   Deutschland liegt in ☐ Europa.
– vor Nationalitäten und Berufen   Lukas ist ☐ Deutscher. Er ist ☐ Programmierer.
– vor unbestimmten Mengen   Kauf bitte noch ☐ Brot.
– nach Mengenangaben   Kauf bitte zwei Liter ☐ Milch.

⇨ 3.1 Genus der Substantive, S. 74
3.2 Pluralformen der Substantive, S. 76
3.3 Kasus, S. 78

Artikelwörter

Ü 1   Bestimmter, unbestimmter Artikel oder Nullartikel? Ergänzen Sie.

| ☐ • ein • das • die • ☐ • ~~ein~~ • das • eine |

- ● Entschuldigung, ich suche _ein_ (1) Restaurant. Können Sie mir helfen?
- ○ Ja, natürlich. In der Hauptstraße ist .... (2) gutes Restaurant.
- ● Ah, danke. Wie heißt .... (3) Restaurant?
- ○ Es heißt „Zum Schloss".
- ● Entschuldigung! Wo kann ich hier .... (4) Fahrkarten kaufen?
- ○ Sehen Sie .... Schild (5) „Infozentrum"? Dort bekommen Sie alles.
- ● Vielen Dank. Ich habe noch .... Frage (6): Gibt es hier .... (7) Toiletten?
- ○ .... (8) Toiletten sind im Keller.

Ü 2   Lisa ist im Urlaub. Ergänzen Sie die E-Mail: bestimmter, unbestimmter Artikel oder Nullartikel? Achten Sie auch auf den Kasus (Nominativ, Akkusativ oder Dativ).

Hallo ......☐ (1) Lukas,

ich bin hier in .... (2) Österreich in St. Johann. Wir haben .... (3) sehr schönes, kleines

Appartement gemietet. Die Zimmer haben .... (4) schöne Aussicht. Jeden Morgen sehe ich

.... (5) Kirche von St. Johann, ... (6) Berg mit dem Skilift und .... (7) Sonne. Wir gehen

jeden Tag Ski fahren. Und das macht .... (8) Hunger! Gestern habe ich am Abend .... (9)

Suppe, ... (10) großes Schnitzel, ... (11) Salat und .... (12) Nachspeise gegessen.

Bis bald

Lisa

Ü 3   Rätselfragen: Was ist das? Ergänzen Sie die Artikel.

1. Es ist _ein_ Tier mit vier Beinen. Es lebt auf dem Bauernhof und gibt .... Milch.
2. Es ist .... Pflanze. Man kann .... Teil davon essen. .... Teil, den man essen kann,
   wächst unter .... Erde.
3. Es ist .... Gebäude. Am Abend kommen viele Menschen zu .... Gebäude. Sie gehen an
   .... Kasse und kaufen .... Eintrittskarten, dann sehen sie sich

die Kuh; die Kartoffel, das Kino

4.2 Negationsartikel

Das ist **kein** Hund!
Das ist ein Vogel.

Das ist **kein** Huhn!
Das ist ein Pferd.

Das ist **keine** Katze!
Das ist eine Maus.

Das sind **keine** Mäuse!
Das sind Katzen.

R Mit dem Negationsartikel „ .... " werden Substantive verneint.

⟹ 11.1 Negation mit „nicht" oder mit „kein", S. 158

A Im Singular sind die Endungen des Negationsartikels wie die Formen des unbestimmten Artikels. Ergänzen Sie die Tabelle.

Negationsartikel

	maskulin	neutrum	feminin	Plural
Nominativ	ein Hund	ein Pferd	eine Katze	☐ Tiere
	.... Hund	.... Pferd	.... Katze	keine Tiere
Akkusativ	einen Hund	ein Pferd	eine Katze	☐ Tiere
	.... Hund	.... Pferd	.... Katze	keine Tiere
Dativ	einem Hund	einem Pferd	einer Katze	☐ Tieren
	.... Hund	.... Pferd	.... Katze	keinen Tieren
Genitiv	eines Hundes	eines Pferdes	einer Katze	☐ Tiere
	.... Hund	.... Pferdes	.... Katze	keiner Tiere

⟹ 4.1 Bestimmter und unbestimmter Artikel, S. 83

Artikelwörter

Ü 1 Korrigieren Sie die Aussagen.

Auto • ~~Gabel~~ • Brief • Uhr • Blumen • Kugelschreiber

1. Das ist ein Löffel. *Nein, das ist kein Löffel, das ist eine Gabel.*

2. Das ist eine Schere. ....

3. Das ist ein Buch. ....

4. Das ist eine Kette. ....

5. Das ist ein Bus. ....

6. Das sind Bonbons. ....

Ü 2 Typische Wendungen mit dem Negationsartikel. Ergänzen Sie.

1. Kommst du mit ins Kino? – Nein, ich habe *keine* Lust.
2. Kommst du am Wochenende mit zum Wandern? – Nein, tut mir leid, ich habe .... Zeit.
3. Wir gehen ins Restaurant. Kommst du mit? – Nein, ich kann leider nicht, ich habe .... Geld.
4. Wann kommst du heute nach Hause? – Ich habe .... Ahnung.
5. Haben Sie noch Fragen? – Nein, ich habe .... Fragen mehr.
6. Möchten Sie etwas essen? – Nein, danke. Ich habe .... Hunger.

Ü 3 Ergänzen Sie die Sätze mit dem Negationsartikel und lösen Sie das Rätsel.

1. Es ist ein Tier mit vier Beinen, aber es ist *kein* Hund,
   .... Katze und auch .... Pferd.
2. Man braucht es zum Essen, aber es ist .... Löffel.
3. Man kann damit Musik hören, aber es ist .... CD-Player.
4. Man kann es trinken, aber es ist .... Tee.

M ___ ___
    2
   E ___
1   3
     O ___
  4
      E
5

Lösungswort: ....
    1   2   3   4   5

4.3 Possessivartikel

Hallo Felix,

ich heiße Aki und komme aus Finnland. Ich möchte gerne
eine E-Mail-Freundschaft mit Dir beginnen. Deine Adresse
habe ich von meiner Lehrerin bekommen.
Ich wohne zusammen mit meiner Familie in Helsinki.
Ich schicke Dir ein Bild von uns. Links bin ich und neben mir
ist meine Schwester. Auf dem Sofa sitzen meine Eltern. Hinter
meinem Vater versteckt siehst Du auch unsere Katze.
Ihr Name ist Mika.

Ich hoffe, Du schreibst mir bald. Ich freue mich sehr über eine
Antwort von Dir.

Herzliche Grüße
Aki

A 1 Sortieren Sie.

unbestimmter Artikel	bestimmter Artikel	Possessivartikel
eine E-Mail-Freundschaft	*dem Sofa,*	*deine Adresse,*

A 2 Wem gehört was? Ergänzen Sie das Personalpronomen.

ich · ihr · du · er · wir

ich	meine Katze			unsere Katze
	deine Adresse	ihr	eure Adresse
	seine Schwester	sie	ihre Katze
es	seine Schwester		
sie	ihre Mutter	Sie	Ihre Adresse

Possessivartikel drücken eine Zugehörigkeit aus. Mit Possessivartikeln kann man sagen, wem
etwas gehört.

⇨ 5.2 Possessivpronomen, S. 96

Artikelwörter

4

A 3 Die Endungen der Possessivartikel sind wie die Formen des unbestimmten Artikels und des Negationsartikels. Ergänzen Sie die Übersicht.

Possessivartikel

	maskulin	neutrum	feminin	Plural
Nominativ	ein Vater	ein Sofa	eine Katze	keine Eltern
	mein Vater	mein Sofa	mein ...... Katze	mein ...... Eltern
Akkusativ	einen Vater	ein Sofa	eine Katze	keine Eltern
	mein ...... Vater	mein Sofa	mein ...... Katze	meine Eltern
Dativ	einem Vater	einem Sofa	einer Katze	keinen Eltern
	mein ...... Vater	mein ...... Sofa	mein ...... Katze	meinen Eltern
Genitiv	eines Vaters	eines Sofas	einer Katze	keiner Eltern
	mein ...... Vaters	mein ...... Sofas	mein ...... Katze	meiner Eltern

Genauso: dein, sein, ihr, unser, ihr, Ihr
Aber: Wo ist **euer** Hund / **euer** Auto / **eu**re Katze?
            Sucht ihr **eu**ren Hund? / **euer** Auto / **eu**re Katze?
            Kommt ihr mit **eu**rem Hund / **eu**rem Auto / **eu**rer Katze?

⟹ 4.1 Bestimmter und unbestimmter Artikel, S. 83
   4.2 Negationsartikel, S. 86

Er sieht ...

eine Katze. → seine Katze.
einen Hund. → seinen Hund.

Sie sieht ...

eine Katze. → ihre Katze.
einen Hund. → ihren Hund

Ü 1 Was passt zusammen?

A1

1. ich _meine Katze_
2. du ....
3. er ....
4. es ....
5. sie ....
6. wir ....
7. ihr ....
8. sie ....
9. Sie ....

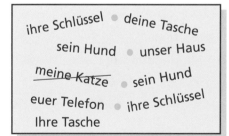

ihre Schlüssel • deine Tasche
sein Hund • unser Haus
~~meine Katze~~ • sein Hund
euer Telefon • ihre Schlüssel
Ihre Tasche

4 ———————————— Artikelwörter ————————————

A1 **Ü 2a** Was passt zu wem?

1. _E_ Arzt   A Geld
2. ...... Lehrerin   B Hund Toby
3. ...... Bäcker   C Kuh
4. ...... Lukas   D Brot
5. ...... Bauer   E Praxis
6. ...... Millionärin   F Schülerinnen

Ü 2b „sein" oder „ihr", „seine" oder „ihre"?
Schreiben Sie Sätze.

> 1 Der Arzt: Das ist seine Praxis.

A2 **Ü 3** Surang muss zur Arbeit. Sie hat es sehr eilig, aber heute vergisst sie alles. Ergänzen Sie die Possessivartikel.

Jetzt muss ich aber los, _mein_ (1) Chef ist immer pünktlich. Moment mal, wo ist .... (2) Tasche? Ah, hier. Hab ich jetzt alles? Mal sehen: .... (3) Geld, ... (4) Fahrkarte, ... (5) Schlüssel (Plural), alles da. Ach nein, jetzt hab ich .... (6) Wasserflasche vergessen und .... (7) Buch. Aber jetzt hab ich's, also los!

A2 **Ü 4** Ergänzen Sie die Possessivartikel.

1. Ich finde _meine_ Tasche nicht. Weißt du, wo sie ist?
2. Los, Toby, hol dir .... Ball!
3. Kinder, wir fahren jetzt. Zieht bitte .... Schuhe an.
4. Entschuldigen Sie, darf ich .... Tasche wegstellen?
5. Wir kommen gleich, wir müssen nur noch .... Sachen packen.

A2 **Ü 5** Familie Bahr fährt in Urlaub. Jeder packt seinen Koffer. Schreiben Sie Sätze.

1. Felix: CD-Player, CDs, Sonnenbrille
   Felix nimmt _seinen CD-Player, ..._ .... mit.
2. Lisa: Handtasche, Handy, Wecker
   Lisa fährt nicht ohne ....
3. Mutter Rosi: Handtuch, Joggingschuhe, Sonnencreme
   Rosi packt .... ein.
4. Vater Thomas: Sportzeitschrift, Kissen, Fotoapparat
   Thomas fährt nur mit .... weg.

Artikelwörter

4.4 Weitere Artikelwörter

A Ergänzen Sie die Artikelwörter in den Übersichten.

Rosi Bahr hat bald Geburtstag. Ihr Mann sucht mit Lisa im Kaufhaus nach einem Geschenk.

● Du könntest der Mama doch einen Pullover schenken.

○ Hm, aber was für einen Pullover?
Einen sportlichen oder einen eleganten?

● Lieber einen sportlichen. Schau mal, der ist doch schön.

○ Welchen Pullover meinst du?

nach etwas fragen

.... , ...

Interrogativartikel

Formen wie unbestimmter Artikel „ein":
was für ein, was für eine
eine Tasche – Was ist das für **eine** Tasche?
Plural von „was für ein": „was für welche".

Formen wie bestimmter Artikel „der, das die":
welcher, welches, welche
den Pullover – **Welchen** Pullover kaufst du?

R1

Mit „.................... ?"
fragt man nach neuen oder unbekannten
Dingen oder Personen oder nach der Art von
Dingen oder Personen. **R1**

R2

Mit „.................... ?"
fragt man nach bekannten Dingen oder
Personen oder man wählt etwas aus einer
bestimmten Menge aus. **R2**

● Ich meine diesen roten Pulli mit dem schwarzen Muster.

○ Ich weiß nicht. Ich habe der Mama erst zu Weihnachten einen Pullover geschenkt.

Formen wie bestimmter Artikel „der, das, die": dieser, dieses, diese
den Pullover – Nimmst du diesen Pullover?

etwas genau bestimmen

....

Demonstrativartikel

etwas unbestimmt benennen

.... , ... ,
.... , ...

Indefinitartikel

● Ich kann ihr doch nicht jedes Mal irgendeinen Pullover schenken. Komm, lass uns weitersuchen. Hier gibt es doch bestimmt noch einige schöne Sachen.

○ Na gut – manche Leute machen auch aus allem ein Problem.

Formen wie unbestimmter Artikel „ein":
irgendein, irgendeine

einen Pullover – Ich kaufe **irgendeinen** Pullover.
Plural von „irgendein": „irgendwelche".

Formen wie bestimmter Artikel „der, das die":
mancher, manches, manche;
jeder, jedes, jede; einige
dem Kind – Eis schmeckt **jedem** Kind.
Plural von „jeder": „alle".
„**Einige**" steht immer im Plural.

⇨ 4.1 Bestimmter und unbestimmter Artikel, S. 83
5.3 Indefinitpronomen, S. 98

A2 ▷ **Ü 1** Was passt zusammen? Vergleichen Sie mit dem Text.

1. *B*.... Ich will mir diese Jacke kaufen.

2. ...... Ich will mir eine Jacke kaufen.

3. ...... Ich möchte Lisa ein Buch schenken.

4. ...... Ich möchte Lisa dieses Buch schenken.

A Was für ein Buch willst du ihr schenken, einen Roman oder einen Reiseführer?

B Welche Jacke willst du dir kaufen, die rote oder die blaue?

C Was für eine Jacke willst du dir kaufen?

D Welches Buch willst du ihr schenken?

B1 ▷ **Ü 2** Welches Artikelwort passt?

einige • jeden • manchen • welche • irgendein • ~~diesem~~ • diese

Ich begrüße Sie zum Seminar „Geschichten erzählen". In _diesem_ (1) Seminar lernen wir verschiedene Möglichkeiten kennen, wie man eine Geschichte spannend erzählen kann. Wir werden sehen, ... (2) verschiedenen Möglichkeiten es gibt und .... (3) Möglichkeiten auch selbst ausprobieren.

Wir sind neun Teilnehmer und ich habe hier neun Kopien. Es ist also für .... (4) Teilnehmer eine Kopie da.

Haben Sie Lust, dass wir nach dem Seminar alle zusammen essen gehen? In .... (5) Seminargruppen wollen die Leute lieber gleich nach Hause gehen.

Also, ... (6) Teilnehmer wollen essen gehen, genauer gesagt sind es sechs. Ich schlage vor, dass wir dann in das Restaurant gegenüber gehen.

Oh, hier ist noch eine Jacke. .... (7) Seminarteilnehmer hat seine Jacke vergessen!

B1 ▷ **Ü 3** Ergänzen Sie die Endungen der Artikelwörter.

Lisa und Maribel schenken sich jed_es_ (1) Jahr etwas
zu Weihnachten. Dies...... (2) Jahr möchte Maribel Lisa
gern irgendein...... (3) Tango-CD schenken, aber sie weiß nicht,
welch...... (4) CDs Lisa schon hat. Sie ruft Felix an und fragt ihn.
Felix sagt ihr, welch...... (5) CDs in Lisas Regal stehen, aber
manch...... (6) CDs sind auch im Auto. Er kann ihr also nicht
all...... (7) CDs nennen, die Lisa hat. Aber Maribel hat bisher noch
jed...... (8) Mal das richtige Geschenk für Lisa gefunden.

4.5 Was man mit Artikelwörtern machen kann

Neues / Unbekanntes benennen

Das ist **ein** Geschäft.
Ich bringe **irgendeinen** Wein mit.

⇨ 4.1 Bestimmter und unbestimmter Artikel, S. 83
4.4 Weitere Artikelwörter: Indefinitartikel, S. 91

Neues / Unbekanntes erfragen

Was für ein Geschäft ist das?

⇨ 4.4 Weitere Artikelwörter: Interrogativartikel, S. 91

Bekanntes benennen

Die/Diese Tüte ist zu klein.

⇨ 4.1 Bestimmter und unbestimmter Artikel, S. 83
4.4 Weitere Artikelwörter: Demonstrativartikel, S. 91

Bekanntes erfragen

Welches Geschäft meinst du?
Kennst du **dieses** Geschäft?

⇨ 4.4 Weitere Artikelwörter, S. 91

Dinge verneinen

Das ist **keine** Katze.

⇨ 4.2 Negationsartikel, S. 86

Zugehörigkeiten ausdrücken

Das ist **meine** Katze.

⇨ 4.3 Possessivartikel, S. 88

Mengenangaben machen

Alle Katzen schlafen sehr viel.
Viele Katzen jagen nachts.

⇨ 4.4 Weitere Artikelwörter: Indefinitartikel, S. 91

Ü 1   Ergänzen Sie die passenden Artikelwörter in der richtigen Form.   ◁ **B1**

ein- • dies- • jed- • irgendwelch- • all- • jed- • ~~manch-~~ • welch- • kein-

Schenken – aber richtig

Manchen .... (1) Leuten ist es egal, was sie geschenkt bekommen, andere haben ganz spezielle

Wünsche und freuen sich nicht über .... (2) Geschenk. Lesen Sie hier Geschenktipps:

– Sie können fast .... (3) Sachen verschenken, die Ihnen selber sehr gut gefallen.

– Verschenken Sie nie .... (4) Dinge, die keinen Nutzen haben und viel Platz wegnehmen

  (außer jemand hat sich genau das gewünscht).

– Überlegen Sie sich, ... (5) Dinge der Mensch, dem Sie etwas schenken wollen, gerne macht oder

  gerne hat – egal, ob .... (6) Dinge oder Aktivitäten Ihnen gefallen.

– Verschenken Sie .... (7) gebrauchten oder kaputten Sachen.

– Machen Sie .... (8) Buch mit Geschenkideen, dann müssen Sie nicht .... (9) Mal neu überlegen.

Pronomen

5.1 Personalpronomen

A 1a Für welche Namen stehen die Personalpronomen im Bild? Kreuzen Sie an.

	Lukas	Toby	Lisa	Felix	Thomas
ich	☐	☐	☐	☐	☐
er	☐	☐	☐	☐	☐
sie	☐	☐	☐	☐	☐
wir	☐	☐	☐	☐	☐

Personalpronomen stehen für Personen oder Dinge, die im Text bereits genannt wurden oder die durch die Situation bekannt sind.

A 2a Markieren Sie die Personalpronomen.

Wir besuchen euch morgen.

Ich sehe dich.

Gib mir die Schlüssel.

Wir möchten Sie gerne zum Essen einladen.

Kannst du mich hören?

Ilona, wie geht es dir?

Petra kann das nicht, hilf ihr bitte!

Das ist Sabine, kennst du sie?

Hast du ihn, den Ball?

Schmeckt Ihnen das Essen?

A 2b Ergänzen Sie die Tabelle.

Nominativ	ich	du	er	es	sie	wir	ihr	sie	Sie
Akkusativ	*mich*	....	....	ihn	....	uns	....	sie	....
Dativ	....	....	ihm	ihm	....	uns	euch	ihnen	....

Position im Satz

Pronomen + Nomen	Kannst du **ihm** das Brot geben?	→ Pronomen vor Nomen
	Kannst du es **dem Lukas** geben?	
Pronomen + Pronomen	Kannst du es **ihm** geben?	→ **Akkusativ** vor **Dativ**

⇨ 2.1 Kongruenz Verb – Subjekt, S. 15
2.5.1 Verben + Ergänzungen, S. 64
14 Pronomen in der Redewiedergabe, S. 206

Pronomen

Ü 1 Welches Personalpronomen passt? Ergänzen Sie. ◁ A1

1. Das ist Petra. *Sie* kommt aus der Schweiz.
2. Das ist Paul. .... kommt aus Österreich.
3. Kennst du Ainagul und Andrej? .... leben in Kirgistan.
4. Marilena und Katharina, wo seid .... ?
5. Guten Tag Frau Wertenschlag. Gehen .... auch zum Bäcker?

Ü 2 Ergänzen Sie die Personalpronomen im Nominativ oder Akkusativ. ◁ A1

○ Entschuldigen *Sie* (1), sind .... (2) Frau Stadelmann?

● Nein, ... (3) bin Frau Jansen. Frau Stadelmann sitzt dort

   hinten, sehen .... (4) sie?

○ Ja, ... (5) sehe .... (6). Vielen Dank.

○ Guten Tag Frau Stadelmann, ... (7) heiße Thomas Fottner.

   .... (8) haben gestern wegen dem Auto

   angerufen.

● Guten Tag, Herr Fottner. .... (9) habe schon alles fertig

   gemacht. Bitte unterschreiben .... (10) hier.

NEUE UND GEBRAUCHTE AUTOS

Ü 3 Wer bekommt was? ◁ A2

1. Was schenkst du deiner Mutter? – Ich schenke *ihr* eine Tasche.
2. Und was schenkst du deinem Vater? – Für .... habe ich ein Buch gekauft.
3. Und was bekommt deine Schwester? – Ich habe zwei DVD-Filme für ....
4. Hast du ein Geschenk für Inge und Hans? – Ja, ich schenke .... eine Flasche Wein.
5. Und mir, was schenkst du mir? – .... schenke ich natürlich auch etwas!

Ü 4 Ergänzen Sie die passenden Personalpronomen in der richtigen Form. ◁ A2

1. Wie geht es (Thomas und Sybille) *euch* ? .... haben uns ja lange nicht mehr gesehen!
2. Ich gehe jetzt einkaufen, kann ich (Lisa und Felix) .... etwas mitbringen?
3. Wann hast du (Hans) .... das letzte Mal gesehen?
4. Warst du zusammen mit (Lukas und Martin) .... im Kino?
5. Kannst du (Maribel) .... bitte sagen, dass sie (ich) .... anrufen soll?
6. Kannst du (Herr und Frau Bahr) .... um acht Uhr abholen?

5.2 Possessivpronomen

A 1a Vergleichen Sie die Endungen der Possessivpronomen mit den Endungen des Possessiv-artikels. Markieren Sie rechts die Unterschiede.

	Possessivartikel	Possessivpronomen.
de**r** Fisch	Das ist mein Fisch!	Das ist mein**er**!
da**s** Bild	Das ist mein Bild!	Das ist meins!
	Hast du mein Bild?	Hast du meins?
di**e** Kamera	Das ist meine Kamera!	Das ist mein**e**!
di**e** Fische	Das sind meine Fische!	Das sind meine!

⇨ 4.3 Possessivartikel, S. 88

> Meistens sagt man „meins", „deins", „seins" ..., aber man kann auch „mein**es**", „dein**es**", „sein**es**" ... sagen.

A 1b Ergänzen Sie die Tabelle.

	maskulin	neutrum	feminin	Plural
Nominativ	*meiner*	....	....	....
Akkusativ	mein**en**	....	mein**e**	mein**e**
Dativ	mein**em**	mein**em**	mein**er**	mein**en**

Genauso: dein-, sein-, ihr-, unser-, euer-, ihr-, Ihr-
Aber: „euer" + Endung → „eur-": Ist das eu**e**rer? Ich hab meine Schuhe, wo sind eu**e**re?

> Drei Singular-Formen des Possessivpronomens haben andere Endungen als der Possessivartikel:
>
> Nominativ maskulin   Ist das dein Pullover? – Ist das deiner?
>   neutrum   Ist das dein T-Shirt? – Ist das deins?
> Akkusativ   neutrum   Hast du dein Kleid? – Hast du deins?

Pronomen

Ü 1 Der kleine Thomas und die kleine Tina streiten sich um viele Sachen. Was sagen sie? A2

der Ball *Meiner!*	die Hose	der Hut ....
die Puppe	die Brille	die Karten ....
das Auto	die Socken	das Buch ....

Ü 2 Welches Possessivpronomen passt? A2

> ~~meine~~ • Ihrs • unsers • ihre • deiner • ihrer • seins • seine • eure • deins

1. die Katze (ich)	Das ist *meine* .		6. der Schlüssel (sie)	Das ist ....
2. die Tasche (sie)	Das ist		7. das Geld (Sie)	Das ist ....
3. das Auto (du)	Das ist		8. das Spiel (es)	Das ist ....
4. das Haus (wir)	Das ist		9. der Hund (du)	Das ist ....
5. die Stifte (ihr)	Das sind		10. die Jacke (er)	Das ist ....

Ü 3 Ergänzen Sie. B1

1. Ich finde meinen Schlüssel nicht. Hier ist *deiner* , aber wo ist *m* ?
2. Mein Handy ist kaputt, ich kann nicht telefonieren. – Hier, nimm *m* .
3. Unser Auto ist in der Werkstatt, können wir mit *l* fahren?
4. Entschuldigung, das ist nicht Ihr Koffer, das ist *m* !
5. Entschuldigen Sie, ist das Ihr Glas, oder ist das *m* ?

Ü 4 Ergänzen Sie das Possessivpronomen. Achten Sie auf die Endungen. B1

1. Gestern hab ich dir mein Fotoalbum gezeigt. Kann ich heute *deins* (dein Fotoalbum)
ansehen? 2. Ich gehe so oft mit deinem Hund spazieren. Kannst du bitte heute mal mit
.... (mein Hund) spazieren gehen? 3. Ich habe meinen Teller schon in die Küche gebracht.
Bringt ihr .... (eure Teller) bitte auch rüber? 4. Ich habe mein Fahrrad schon geputzt, was
ist mit .... (dein Fahrrad)? 5. Danke, dass du meine Jacke gehalten hast. Soll ich kurz
.... (deine Jacke) halten?

5.3 Indefinitpronomen

„einer", „keiner", „was für einer?", „irgendeiner", „jeder", „mancher", „einige" und „viele"

> *Ich habe keinen Stift dabei. Hast du einen?*

> *Nein, ich habe auch keinen!*

A 1 Markieren Sie die Pronomen in den Sprechblasen.

A 2 Vergleichen Sie und markieren Sie rechts die Unterschiede.

	unbestimmter Artikel „ein" Negationsartikel „kein"	Indefinitpronomen „einer" Indefinitpronomen „keiner"
Nominativ		
maskulin	Hier ist ein/kein Geldautomat.	Hier ist einer/keiner.
neutrum	Hier ist ein/kein Hotel.	Hier ist eins/keins.
feminin	Hier ist eine/keine Uhr.	Hier ist eine/keine.
Plural	Hier sind keine Hunde.	Hier sind keine.
Akkusativ		
maskulin	Ich habe einen/keinen Computer.	Ich habe einen/keinen.
neutrum	Ich habe ein/kein Fahrrad.	Ich habe eins/keins.
feminin	Ich habe eine/keine Zeitung.	Ich habe eine/keine.
Plural	Ich habe keine Stifte.	Ich habe keine.

Im Dativ sind die Formen wie die Artikelwörter.

> **Genauso:** „was für einer" Was für einen nimmst du? „irgendeiner" Da muss doch irgendeiner sein.

> **R**
>
> Drei Singular-Formen der Indefinitpronomen „einer", „keiner", „irgendeiner" und „was für einer" haben andere Endungen als der Indefinitartikel.
>
> Nominativ maskulin   Ist das *einer*............ ?   Akkusativ neutrum   Hast du .... ?
>
>   neutrum   Ist das .... ?
>
> **R**

> Auch die Indefinitartikel „jeder", „mancher", „einige" und „viele" und den Interrogativartikel „welcher" kann man als Pronomen verwenden. Die Formen bleiben die gleichen wie bei den Indefinitartikeln: Hier ist für **jedes** (Kind) ein Buch. Waren viele Leute da? – Ja, es waren ziemlich **viele** (Leute).

⟹ 4.1 Unbestimmter Artikel, S. 83
4.2 Negationsartikel, S. 86
4.4 Weitere Artikelwörter, S. 91

Pronomen

„man"

A 3 Welche Sätze bedeuten das Gleiche?

1. _D_ Hier spricht man Deutsch!
2. ...... Man verwendet das Perfekt, um Vergangenes auszudrücken.
3. ...... Hier kann man Erdbeeren pflücken.
4. ...... Was macht man damit?

A Hier kann jeder Erdbeeren pflücken.
B Was machen die Leute damit?
C Das Perfekt wird verwendet, um Vergangenes auszudrücken.
D Hier wird Deutsch gesprochen.

> Das Indefinitpronomen „man" ist immer Subjekt.

⇨ 2.3.3 Passiv, S. 44

„alles", „alle", „etwas", „jemand", „nichts" und „niemand"

Hast du alles?

Hallo, ist da jemand?

Endstation, bitte alle aussteigen.

Ich glaube hier ist niemand.

Ich sehe nichts!

Kannst du etwas sehen?

A 4 Worauf beziehen sich die markierten Pronomen?

Personen	Gegenstände / Dinge
	alles,

> Diese Indefinitpronomen sind unveränderlich.
> Nur „jemand" und „niemand" kann man verändern, meistens verwendet man sie jedoch auch unverändert:
> Hast du jemand/jemanden getroffen? – Nein, ich habe niemand/niemanden gesehen.

Ü 1 Ergänzen Sie die Antworten mit „keiner".

◁ A2

1. Hast du einen Stuhl für mich? – Tut mir leid, ich habe _keinen._
2. Hast du eine Lampe für mich? – Nein, ich habe ....
3. Kannst du mir ein Paar Socken geben? – Tut mir leid, ich habe ....
4. Gibst du mir bitte ein Blatt Papier? – Ich habe leider ....
5. Kann ich bitte einen Kugelschreiber haben? – Tut mir leid, ich habe ....

5 Pronomen

 A2 **Ü 2** „Einer", „keiner" oder „was für einer"? Ergänzen Sie.

1. Ich nehme mir ein Bonbon. Magst du auch *eins* ? – Nein, danke. Ich mag ....

2. Bringst du mir bitte einen Kuchen mit? – Ja, gerne, ... magst du?

3. Kann mir bitte mal .... helfen?

4. Haben Sie vielleicht ein Taschentuch für mich? – Tut mir leid, ich habe ....

5. Sie interessieren sich also für ein neues Auto. .... möchten Sie denn haben?

B1 **Ü 3** Welches Pronomen passt?

niemand • jeder • ~~alle~~ • alle • jemand • alles • jemand • jeder

Ich wohne in einem großen Mietshaus in der Stadt. Es hat einen schönen Hof, den *alle* (1) benutzen können. Im Sommer ist immer .... (2) unten und hängt Wäsche auf oder spielt mit den Kindern. Es gibt einen großen Fahrradkeller für .... (3) und auch eine Waschküche, die .... (4) benutzen kann. Aber nachts, sonntags und an Feiertagen darf .... (5) die Waschküche benutzen, dann ist der Strom dort abgestellt. Es gibt einen Kalender, in den sich .... (6) einträgt, der waschen will. Manchmal gibt es Ärger, wenn sich .... (7) nicht in den Kalender eingetragen hat – aber eigentlich funktioniert das .... (8) sehr gut.

B1 **Ü 4** Schreiben Sie die Sätze mit „man".

1. Hier wird auch samstags gearbeitet.
2. In diesem Atelier kann jeder dem Künstler bei der Arbeit zusehen.
3. Dort kann das Gepäck abgegeben werden.
4. Hier wird englisch, deutsch und spanisch gesprochen.
5. Mit diesem Gerät kann jeder ganz einfach Gemüse hacken.

> 1. Hier arbeitet man auch samstags.

 B1 **Ü 5** Ergänzen Sie die Redewendungen.

viele • etwas • ~~nichts~~ • etwas • einige

1. Dumm geboren und *nichts* dazu gelernt.

2. Nur wer .... macht, kann auch .... falsch machen.

3. Wenige wissen Vieles, ... wissen Weniges, aber .... wissen alles besser.

5.4 Reflexivpronomen

Warum hast du nicht kurz angerufen? Was hast du dir dabei gedacht?

Ich habe mir überlegt, was ich machen will.

Hat sie sich schon bei dir entschuldigt?

Habt ihr euch schon auf einen Termin geeinigt?

Wir haben uns ja schon so lange nicht gesehen.

OH MEIN GOTT. SIE FREUNDEN SICH AN.

WWW.NICHTLUSTIG.DE

aus NICHTLUSTIG 2 © CARLSEN Verlag GmbH, Hamburg 2004

A   Ergänzen Sie die Tabelle.

Nominativ	ich	du	er	es	sie	wir	ihr	sie	Sie
Akkusativ	mich	dich		....		....	....	....	sich
Dativ	....	*dir*		sich		uns	euch	sich	sich

R ▷   Das Reflexivpronomen hat die gleichen Formen wie das Personalpronomen. Nur in der

3. Person und der höflichen Anrede heißt es immer „ .... ". **R**

Das Reflexivpronomen kann auch eine gegenseitige (reziproke) Relation ausdrücken.
Sie lernen **sich** kennen. = Sie lernen **einander** kennen.

⇨ 2.4.3 Reflexive Verben, S. 60

Satz mit einer Ergänzung: Ich ziehe **mich** an.   →   Reflexivpronomen im Akkusativ
Satz mit zwei Ergänzungen: Ich ziehe **mir** die Schuhe an.   →   Reflexivpronomen im Dativ

5 _____ Pronomen _____

A1 **Ü 1** Was passt zusammen?

1. Ich sehe	*E*	A sich bitte hier hin.
2. Du siehst	......	B sich die Haare.
3. Er wäscht	......	C euch gestern gesehen?
4. Setzen Sie	......	D uns morgen.
5. Wir sehen	......	E mich im Spiegel.
6. Habt ihr	......	F dich auf dem Foto.

A2 **Ü 2** Ergänzen Sie das Reflexivpronomen.

● Weißt du noch, wie wir *uns* .... (1) kennengelernt haben?

○ Natürlich. Ich war spät dran und ich musste .... (2) beeilen. Ich bin zum Bus gelaufen. Und in diesem Bus haben wir .... (3) kennengelernt.

● Ja, du hast .... (4) auf den Platz neben mir gesetzt. Dann haben wir .... (5) angesehen und ich habe .... (6) sofort in dich verliebt!

○ Ja. Aber jetzt muss ich leider los, wann sehen wir .... (7) wieder?

● Morgen. Ich freue .... (8) sehr auf dich.

B1 **Ü 3** Schreiben Sie die Sätze richtig.

1. die Schuhe / zieh / dir / an / bitte / !
2. die Regel / merken / ich / kann / mir / nicht / .
3. gestern / mich / in den Finger / habe / geschnitten / ich / .
4. du / freust / auch / dich / auf / das Theaterstück / ?

> *1. Zieh dir bitte die Schuhe an!*

B1 **Ü 4** Reflexivpronomen im Akkusativ oder Dativ? Ergänzen Sie.

○ Lisa, beeile *dich* .... (1) bitte, wir müssen jetzt los.

● Ich komme ja gleich, ich muss .... (2) nur noch die Haare kämmen. Hast du .... (3) schon fertig angezogen?

○ Ja, schon lange! Soll ich .... (4) noch einmal hinsetzen und Zeitung lesen, oder kommst du jetzt.

● Ich komme doch gleich, jetzt reg .... (5) doch nicht so auf.

○ Ich rege .... (6) überhaupt nicht auf – ich wollte .... (7) nur erkundigen, wie lange du noch brauchst.

● Ja, ist ja gut. Ich bin ja schon da. – Aber, wie siehst du denn aus? Willst du .... (8) nicht was Schickeres anziehen?

5.5 Relativpronomen

Relativpronomen leiten Relativsätze ein, die Informationen oder Erklärungen zu einem Substantiv oder Pronomen geben.

	maskulin	neutrum	feminin	Plural
Nominativ	der	das	die	die
Akkusativ	den	das	die	die
Dativ	dem	dem	der	denen
Genitiv	dessen	dessen	deren	deren

Die Relativpronomen „was" und „wo" sind unveränderlich.

„Was" bezieht sich auf Pronomen oder ganze Sätze, „wo" bezieht sich auf Ortsangaben.

Das ist alles, **was** ich weiß.

Das ist das Haus, **wo** wir wohnen.

aus NICHTLUSTIG 2,
© CARLSEN Verlag GmbH, Hamburg 2004

⇨ 13.2.2 Relativsatz, S. 196

Ü 1 Ergänzen Sie das passende Relativpronomen.   **A2**

1. Hast du das Buch, *das* ich dir geschenkt habe, schon gelesen?
2. Wo sind denn die Zeitschriften, ... ich gestern gekauft habe?
3. Gibst du mir bitte den Stift, ... da auf dem Tisch liegt?
4. Das Mädchen, ... mit dem Hund spielt, wohnt neben mir.
5. Der Computer, ... ich letzte Woche gekauft habe, ist kaputt.

Ü 2 Ergänzen Sie das passende Relativpronomen. **B1**

○ Wann gehe wir in den Kinofilm, von *dem* (1) ich dir erzählt habe?

● Meinst du den Film, in .... (2) es um zwei Frauen geht, ... (3) im gleichen Haus wohnen?

○ Ja, den meine ich. Er läuft heute um acht in dem Kino, in .... (4) wir letztes Mal auch waren. Wir könnten vorher noch in das thailändische Restaurant gehen, ... (5) es so leckeres Essen gibt.

● Ja, gerne, das ist eine gute Idee.

5.6 Pro-Form „es"

1. Es schneit.

2. Hier gibt es frischen Salat.

3. Guten Morgen, es ist jetzt sieben Uhr.

4. Mach die Tür auf, es hat geklopft.

5. Wir müssen zurück, es wird schon dunkel.

6. Hier gefällt es mir nicht.

7. Wie geht es dir? – Danke, es geht prima.

8. Wie spät ist es?

9. Ich kann jetzt nicht, ich habe es eilig.

10. Bei dir schmeckt es am besten!

11. Wir haben verschlafen! Es ist schon hell draußen.

12. Geh bitte ans Telefon, es klingelt.

13. Heute regnet es bestimmt noch.

14. Hier riecht es so komisch!

15. –15 Grad! Es ist kalt!

A 1a Markieren Sie „es" in den Sätzen.

A 1b Ordnen Sie die Sätze zu.

„es" bei Wetterverben	*1,*	
„es" bei Verben, die mit unbestimmtem	**Geräusche**	**Zeitangabe**
Subjekt oder Objekt stehen können	*4,*	*3,* ....
Wendungen mit „es"	*2, 5,*	

> „Es" wird oft zu „'s" verkürzt: Hier **gibt es** Erdbeeren. – Hier **gibt's** Erdbeeren.
> Wie **geht es** dir? – Wie **geht's** dir?

„Es" kann in Aussagesätzen auch als Platzhalter auf der Position 1 stehen. Wenn ein anderes Wort auf Position 1 steht, fällt „es" weg.

	1		**2**		
Es		sind		viele Leute	gekommen.
Viele Leute		sind			gekommen.

Ü 1 Wie ist das Wetter in ...? A2

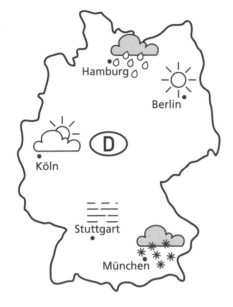

schneien • regnet • neblig sein
sonnig • heiter sein

In Hamburg regnet es.

Ü 2 Ergänzen Sie „es" oder machen Sie einen Strich. B1

1. Das Telefon ‾‾‾‾‾ klingelt!
2. Entschuldigung, gibt .... hier eine Post?
3. Ich glaube, heute schneit .... noch.
4. .... hat an der Tür geklopft!
5. Heute scheint .... die Sonne.
6. Lecker, hier riecht .... nach Kuchen!

Ü 3 Scheiben Sie Sätze. B1

1. Ich komme nur mit zum Radfahren, wenn *es nicht regnet* .... (nicht regnen)
2. Kommst du noch mit einen Kaffee trinken, oder .... ? (eilig haben)
3. Ist der Herd aus? Hier .... (verbrannt riechen)
4. Du bist ja ganz blass. .... ? (nicht gut gehen)
5. Ich habe meine Uhr vergessen, kannst du mir sagen, ... ? (wie spät sein)

Ü 4 Schreiben Sie die Sätze neu. Stellen Sie die unterstrichenen Wörter auf Position 1. B1
Was passiert mit „es"?

1. Es ist lange her, <u>dass wir uns gesehen haben</u>.
2. Es waren <u>nur wenige Leute</u> in der Vorstellung.
3. Es dauert vier Stunden, <u>mit dem Zug nach Köln zu fahren</u>.
4. Es ist <u>jetzt</u> alles vorbereitet.
5. Es singt heute <u>für Sie</u> Annett Louisan.

1. Dass wir uns gesehen haben, ist lange her.

5.7 Was man mit Pronomen machen kann

Auf Personen, Dinge und Tiere verweisen	○ Hast du mir die CD mitgebracht? ● Ja, hier ist **sie**. Ist hier **jemand**? **Sie** mögen **sich**.

    ⇨ 5.1 Personalpronomen, S. 94
    5.3 Indefinitpronomen, S. 98
    5.4 Reflexivpronomen, S. 101

Verneinen	● Hast du einen Stift für mich? ○ Nein, ich habe **keinen**. Hier ist **niemand**. Ich sage **nichts**.

    ⇨ 5.3 Indefinitpronomen, S. 98

Zugehörigkeiten ausdrücken	○ Wem gehört die Tasche? ● Das ist **meine**.

    ⇨ 5.2 Possessivpronomen, S. 96

Nachfragen	● Ich suche ein Buch. ○ **Was für eines** suchen Sie denn?

    ⇨ 5.3 Indefinitpronomen „Was für einer?", S.98

Etwas unpersönlich ausdrücken	Hier kann **man** Fußball spielen.

    ⇨ 5.3 Indefinitpronomen „man", S. 98

Jemanden/etwas genauer beschreiben	Das Buch, **das** ich gelesen habe, ist sehr gut. Das ist alles, **was** ich sagen wollte.

    ⇨ 5.5 Relativpronomen, S. 103

Das Subjekt ersetzen	**Es** klingelt.

    ⇨ 5.6 Pro-Form „es", S. 104

 A2 Ü 1 Ist das deins? Schreiben Sie Minidialoge wie im Beispiel.

1. Hier ist eine Tasche. Ist das _deine_ ? – Nein, ich habe _keine_ .

2. Wo ist mein Mantel? – Ich weiß nicht, ich habe nur .... (ich) gesehen.

3. Wem gehört das Feuerzeug? Ist das .... (Sie)? – Nein, ich habe ....

4. Haben Sie auch einen Hund? – Nein, ich habe ....

5. Entschuldigung, ist das Ihr Schirm? – O ja, vielen Dank, das ist .... (ich).

6. Ist das eure Zeitung? – Nein, das ist nicht .... (wir), wir haben ....

Pronomen

Ü 2 Personalpronomen oder Reflexivpronomen? Ergänzen Sie „sich", „ihn" oder „sie". A2

Peter trifft *sich* .... (1) heute mit Yvonne. Er freut .... (2) auf sie. Sie treffen .... (3) um
halb acht Uhr in einem kleinen Café. Jetzt ist es zwanzig vor acht und Yvonne wartet auf Peter.
.... (4) schaut aus dem Fenster, aber sie sieht .... (5) nicht. Sie ärgert .... (6). Dann
klingelt ihr Handy, es ist Peter: „Wo bist du?" frag er. „Im Café, aber wo bist du?" „Ich bin auch im
Café, oben, im ersten Stock." Yvonne sieht nach oben und endlich sehen sie .... (7).

Ü 3 Ersetzen Sie die Elemente in Klammern durch Pronomen. B1

nichts • ihn • jemand • ~~ihm~~ • sie
etwas • niemand • er • der • alles

1. Als Thomas am Morgen aufwachte, fiel *ihm*
(Thomas) auf, dass es sehr ruhig war. 2. ....
(Kein Mensch) fuhr mit dem Auto. 3. Auch die
Straßenbahnen und Busse fuhren nicht, jedenfalls
konnte er .... (die Bahnen und Busse) nicht
hören. 4. Schließlich stand .... (Thomas) auf und ging zum Fenster. 5. So etwas hatte er noch
nie gesehen: .... (alle Häuser, Autos, Straßen, Bäume und so weiter) war weiß. Da lagen mindestens 80 cm Schnee. 6. Dann hörte er doch .... (ein seltsames Geräusch), da war ....
(ein Mensch), der mit einer großen Schaufel und einem Besen versuchte, den Schnee von seinem
Auto zu räumen. 7. Thomas beobachtete .... (den Mann) und sah auf die Uhr. 8. Er dachte
sich: „............ (Der Mann) braucht mindestens eine Stunde, bis er damit fertig ist!" 9. Thomas
war froh, dass er Urlaub hatte, er konnte zu Hause bleiben und .... (keine Sache) konnte ihn
ärgern, auch der Schnee nicht.

Ü 4 Ergänzen Sie die Pronomen. B1

Sabine war gerade erst nach Hause gekommen, da klingelte *es* .... (1) auch schon an der Tür.
Sie öffnete die Tür und war sehr überrascht, als sie eine Frau sah, ... (2) sie sehr an eine
Freundin aus der Schulzeit erinnerte. Die Frau sah Sabine neugierig an und sagte dann: „Sabine,
bist du das?" „Ruth! Du bist wirklich Ruth?" „Ja. Weißt du noch, wir waren zusammen in der
Grundschule." Die beiden begrüßten .... (3) herzlich und setzten .... (4) zusammen in
die Küche. .... (5) hatten sich schon seit vielen Jahren nicht mehr gesehen. Ruth erzählte,
was .... (6) in diesen Jahren gemacht hat und sie wollte natürlich auch von Sabine wissen,
.... (7) diese gemacht hat. Die beiden saßen an diesem Tag lange in der Küche.

6 Fragewörter

6.1 W-Wörter

W-Wörter leiten eine Frage ein. Sie stehen an Position 1 im Satz. Die meisten W-Wörter sind unveränderlich.

A 1a Markieren Sie in den Fragen die W-Wörter.

1. Wo ist der Bahnhof? – Hier rechts und dann immer geradeaus.

2. Wohin gehen wir? – Wir gehen zum Bahnhof.

3. Wann fährt der Zug? – In einer halben Stunde.

4. Wer von euch kennt den Weg? – Ich!

5. Was ist das dort hinten? – Das ist das Rathaus.

6. Wie kommen wir zum Bahnhof? – Wir gehen zu Fuß.

7. Warum nehmen wir kein Taxi? – Weil der Weg nicht weit ist.

8. Woher kommt der Zug? – Der Zug kommt aus Hamburg.

A 1b Person, Sache, …: Wonach wird gefragt? Ordnen Sie die passenden Satznummern zu.

A 1c Notieren Sie die W-Wörter in der Übersicht.

Personen	Sache	Ort	Zeit	Grund	Art und Weise
....	....	1, ...	....	....	....
....	....	wo, ...	....	....	....

> **Frage nach Personen**
> Nominativ **Wer** ist das?
> Akkusativ **Wen** rufst du an?
> Dativ Mit **wem** telefonierst du?
> Genitiv **Wessen** Sachen sind das?

A 2 Woher – wo – wohin? Schreiben Sie die Fragen zu den passenden Symbolen.

> Woher kommst du? • Wo bist du? • Wohin gehst du?

? • ? → • ? →

⇨ 12.2 Fragesätze, S. 166
13.2.3 Nebensatz mit „ob" oder W-Wort, S. 200
4.4 Weitere Artikelwörter: Interrogativartikel, S. 91
5.3 Indefinitpronomen, S. 98

Fragewörter

Ü 1 Welches W-Wort passt?

A1

wie • wann • wo • wie • ~~wer~~ • warum • was

○ Hallo ich bin Anna, und *wer* ..... (1) bist du?

● Ich bin Lisa.

○ Ich wohne in dem Haus da drüben, und .... (2) wohnst du?

● Ich wohne in dem Haus neben dir.

○ Super. Ich gehe jetzt spielen, ... (3) machst du?

● Ich gehe jetzt nach Hause, lernen. .... (4) musst du nach Hause gehen?

○ Um 18 Uhr. Kommst du mal zu mir? Ich habe eine tolle Katze.

● Ja, sehr gern. .... (5) heißt deine Katze?

○ Mimi Kühlschrank!

● .... (6) bitte? .... (7) heißt deine Katze „Mimi Kühlschrank"???

○ Weil sie immer vor dem Kühlschrank sitzt.

Ü 2 Fragen Sie nach den unterstrichenen Satzteilen. Achten Sie auf den Kasus.

A2

1. Das ist <u>Herr Huber</u>.   *Wer ist das?* ....

2. Die Jacke gehört <u>mir</u>.   ....

3. Ich rufe <u>Frau Bahr</u> nachher an.   ....

4. <u>Paul</u> kommt heute zu Besuch.   ....

Ü 3 Welches W-Wort passt?

B1

○ *Wohin* ... (1) gehst du?

● Ich gehe joggen.

○ Du warst doch gestern schon joggen. .... (2) gehst du heute wieder joggen?

● Weil ich Lust habe!

○ .... (3) kommst du wieder?

● In einer Stunde.

...

○ Ich habe dich überall gesucht. .... (4) warst du?

● Joggen, das hab ich dir doch gesagt. .... (5) fragst du?

○ Ich habe mir Sorgen gemacht, du warst fast zwei Stunden weg.

6.2 „wo(r)-" + Präposition

○ Oma, ich freu mich sehr über deinen Besuch.

● Worüber freust du dich?

○ Über deinen Besuch.

● Ja, darüber freu ich mich auch.

○ Wir warten noch auf meine Freundin, sie bringt Kuchen mit.

● Auf wen warten wir?

○ Auf Lisa, meine Freundin. Sie bringt Kuchen mit.

● Oh, schön. Kuchen, darauf habe ich großen Appetit.

○ Lisa ist sehr stolz auf ihren Schokoladenkuchen.

● Worauf ist sie stolz?

○ Auf ihren Kuchen. Sie hat das Rezept selbst erfunden.

A 1a Markieren Sie die Fragewörter im Text.

A 1b Ergänzen Sie die Fragewörter aus dem Text.

Frage nach Dingen:

sich **über** den Besuch freuen

.... freust du dich?

auf den Kuchen stolz sein

.... bist du stolz?

Frage nach Personen:

auf eine Freundin warten

.... warten wir?

> **R1** In Sätzen mit Verben oder Ausdrücken mit Präpositionen fragt man
>
> – nach .... mit „wo(r)-" + Präposition
>
> – nach .... mit der Präposition + „Wen?" oder „Wem?".
>
> **R1**

A 2a Markieren Sie den ersten Buchstaben der Präposition in den Fragewörtern.

A 2b Sortiern Sie.

Worauf wartest du?
Worüber lachst du?

Woran denkst du?
Wonach suchst du?

Wozu brauchst du das?
Womit willst du das reparieren?

„wor-" + Präposition

worauf

„wo-" + Präposition

> **R2** Präposition mit einem Vokal oder Umlaut
>
> am Anfang (auf, über, ...) → .... + Präposition.
>
> **R2**

ebenso „da(r)-" + Präposition
Wozu brauchst du das? Dazu!
Worauf wartest du? Darauf!

⇨ 8 Präpositionen, S. 130

Fragewörter

Ü 1 Was passt zusammen?

B1

1. Worauf wartest du?   *B*   A Ich ärgere mich über meine Arbeit.
2. Auf wen wartest du?   ......   B Ich warte auf den Bus.
3. Über wen ärgerst du dich? ......   C Ich warte auf Hans.
4. Worüber ärgerst du dich? ......   D Ich ärgere mich über meine Kollegin.

Ü 2 Ergänzen Sie „wo(r)-".

B1

1. *Worauf* .... hast du dich in den Ferien am meisten gefreut? – Auf das Meer.
2. .... ärgerst du dich? – Über mein Handy, es funktioniert nicht.
3. .... hast du die Suppe gewürzt? – Mit Ingwer und Chilli.
4. .... hast du ihn erkannt? – An seinem Hut.
5. .... träumst du? – Vom Urlaub.

Ü 3a Ergänzen Sie die passende Präposition zu den Verben.
Ü 3b Ergänzen Sie die Fragen und Antworten rechts.

B1

1. bitten *um* ......   *Worum* ...... hast du den Kellner gebeten? – .... mehr Brot.
2. einladen .... haben sie uns eingeladen? – .... einem Gartenfest.
3. fragen .... hat dich der Mann gefragt? – .... der Toilette.
4. lachen .... lacht ihr? – .... einen Witz.
5. sich treffen .... triffst du dich heute? – .... einer Schulfreundin.

Ü 4 Lukas' Oma versteht nicht alles. Sie fragt oft nach. Schreiben Sie ihre Fragen.

B1

Lisa: Ich freue mich sehr darüber, <u>dass wir uns kennenlernen</u>. (1)

Lukas: Du musst lauter reden. Oma ärgert sich immer über <u>Leute, die leise sprechen</u>. (2)

Lisa: Gut. Draußen ist schönes Wetter, ich bin mit <u>dem Fahrrad</u> gekommen. (3)
        Ich wollte Ihnen von <u>unserem Urlaub in Irland</u> erzählen. (4)

Lukas: Interessierst du dich für <u>Irland</u>? (5)

> 1. Worüber freuen Sie sich?

> 2. Über wen ärgere ich ....

Adjektive

7.1 Adjektive bei Verben

○ Lukas! Du musst schnell zu mir kommen.

● Was gibt's denn?

○ Der Computer spinnt! Ich werde noch verrückt.

● Keine Panik. Vielleicht ist es gar nicht so schlimm.

○ Stundenlang schreibe ich jetzt meine Arbeit und plötzlich ist der Bildschirm dunkel geworden. Du musst mir helfen.

● Ja, ja …

A 1 Unterstreichen Sie in den Sätzen mit dem markierten Adjektiv das Verb.

> **R1**
> Adjektive haben keine Endung, wenn Sie zu einem .... gehören.

Adjektive bei „sein" und „werden"

A 2 Ergänzen Sie die Sätze in der Satzklammer.

Vielleicht	*ist*	es gar nicht so	*schlimm.* ....
Ich	werde	noch	....
....	ist	der Bildschirm	*dunkel* ....
	„sein", „werden"		**Adjektiv**

> **R2**
> Die Verben „sein" und „werden" bilden mit dem .... eine Satzklammer.

Adjektive bei anderen Verben

Du	*musst*	.... zu mir	....
....	....	ich jetzt meine Arbeit.	

> Adjektive, die zu einem Verb gehören, kann man auch Adverbien oder modale Adverbien nennen.
> Sie stehen im Satz an der gleichen Position wie Adverbien und adverbiale Angaben:
> Du musst **schnell** / **sofort** zu mir kommen. **Stundenlang** / **Seit heute Morgen** schreibe ich meine Arbeit.

⇨ 9. Adverbien, S. 144

A 3 Markieren Sie die Antworten im Text.

Wie fährt das Polizeiauto?	Ein Polizeiauto fährt schnell über einen Platz.
Wie bleibt das Auto stehen?	Plötzlich bleibt es stehen. Zwei Polizisten springen aus dem
Wie ruft der Polizist?	Auto. Einer ruft laut: „Stehen bleiben! Keine Bewegung!"
Wie verhalten sich die Leute?	Alle Leute bleiben erschrocken stehen.

Ü 1 Was ist das Gegenteil? Schreiben Sie die Sätze mit „sein" und Adjektiv.   ◁ **A1**

1. Ist die Stadt groß? (klein) Nein, sie _ist klein_____ .
2. Ist das Zimmer teuer? (billig) Nein, es _____ .
3. Ist der Kaffee heiß? (kalt) Nein, er _____ .
4. Sind die Schuhe neu? (alt) Nein, sie _____ .
5. Sind die Aufgaben schwer? (leicht) Nein, sie _____ .

Ü 2 Was wird anders. Ergänzen Sie „werden" und ein passendes Adjektiv.   ◁ **A1**

~~alt~~ •	gesund •	gut •	hell •	schön

1. Nicole hat Geburtstag. Sie _wird_____ 23 Jahre _alt_____ .
2. Es ist 5 Uhr morgens. Es _____ .
3. Heute regnet es, aber morgen _____ das Wetter _____ .
4. Silvia kocht eine Lasagne. Die _____ bestimmt _____ .
5. Die Kinder sind schon drei Tage krank. Bald _____ sie _____ .

Ü 3a Was passt zusammen? Notieren Sie.   ◁ **A1**
Ü 3b Ergänzen Sie in den Sätzen das Verb „sein" und das passende Adjektiv.

1. Polen ist	_C_	A ein bekannter Sportler.	1. Das Land	_ist groß_____	.
2. Die Donau ist	......	B schöne Städte.	2. Die Donau	_____	.
3. Garfield ist	......	C ein großes Land.	3. Garfield	_____	.
4. Dirk Nowitzky ist	......	D eine faule Katze.	4. Dirk Nowitzky	_____	.
5. Wien und Graz sind	......	E ein langer Fluss.	5. Wien und Graz	_____	.

Ü 4 Adjektiv beim Verb: Schreiben Sie Sätze.   ◁ **A2**

1. der Zug / pünktlich / abfahren
2. die Freunde / spät / ankommen
3. Helena / schnell / arbeiten
4. die Sängerin / sehr schön / singen
5. die Eltern / plötzlich / zurückkommen

> 1. _Der Zug fährt pünktlich ab._

Adjektive

7.2 Adjektive vor einem Substantiv

A 1a Vergleichen Sie die Adjektive vor dem Substantiv. Markieren Sie die Unterschiede.

A 1b Unterstreichen Sie das Artikelwort.

Das ist **ein neuer** Mantel.   Das ist **ein altes** Kleid.

Der neue Mantel   ist modern.   **Das alte** Kleid   ist schick.

> **R 1**
>
> Wenn das Adjektiv vor einem .... steht, hat es eine Endung.
>
> Die Endung hängt vom Artikelwort ab.   **R 1**

⇨ 4. Artikelwörter, S. 83

Der Wein ist **teuer** – ein **teur**er Wein	Zitronen sind **sauer** – **saur**e Zitronen
Die Farben sind **dunkel** – **dunkl**e Farben	Der Raum ist **hoch** – ein **hoh**er Raum

Endungen der Adjektive nach bestimmtem Artikel

A 2a Kreuzen Sie die Sätze mit bestimmtem Artikel an und markieren Sie dort die Endungen der Adjektive.

1. Theresa möchte ein neues Kleid kaufen. 2. Sie geht in ein kleines Geschäft. 3. Die nette Verkäuferin zeigt ihr einige Kleider. 4. Das blaue Kleid gefällt Theresa am besten. 5. Aber dann sieht sie einen roten Rock und eine helle Bluse. 6. Die helle Bluse passt gut zu dem roten Rock. 7. Sie probiert den roten Rock und die helle Bluse. 8. Die neuen Sachen stehen ihr gut, besonders die Farbe des langen Rockes.

A 2b Ergänzen Sie in der Tabelle die Endungen.

	maskulin	neutrum	feminin	Plural
Nominativ	der lang _e_ Rock der	das neu..... Kleid das	die hell..... Bluse die	die neu..... Kleider die
Akkusativ	den lang**en** Rock den			
Dativ	(mit) dem lang..... Rock dem	(mit) dem neu**en** Kleid dem	(mit) der hell**en** Bluse der	(mit) den neu**en** Kleidern den
Genitiv	(die Farbe) des lang..... Rockes des	(die Farbe) des neu**en** Kleides des	(die Farbe) der hell**en** Bluse der	(die Farbe) der neu**en** Kleider der

Adjektive

	maskulin	neutrum	feminin	Plural
Nominativ			-e	
Akkusativ			-e	
Dativ			-en	
Genitiv			-en	

Diese Endungen haben die Adjektive auch, wenn sie nach den Artikelwörtern **dieser, jeder, mancher, alle** stehen.

R2 Der bestimmte Artikel „der/das/die" enthält immer das Kasus-Signal. Die Endungen der Adjektive sind .... oder **R2**

Endungen der Adjektive nach dem unbestimmtem Artikel

A 3 Kreuzen Sie die Sätze mit unbestimmtem Artikel an und markieren Sie dort die Endungen der Adjektive.

𝗑 Manfred geht in ein großes Modehaus. 2. Er möchte einen neuen Mantel. 3. Aber die dicken Mäntel gefallen ihm nicht. 4. Er sieht eine warme, graue Jacke. 5. Der Verkäufer zeigt ihm auch ein schickes, blaues Hemd. 6. Er probiert die graue Jacke und das blaue Hemd. 7. Manfred kauft die graue Jacke nicht, sie ist zu teuer. 8. Er kauft dünne, schwarze Socken.

A 4 Ergänzen Sie in der Tabelle die Endungen.

	maskulin	neutrum	feminin	Plural
Nominativ	ein neu**er** Mantel der	ein schick**es** Hemd das	eine warm.... Jacke die	☐ dünn.... Socken die
Akkusativ	einen neu**en** Mantel den			
Dativ	(mit) einem neu**en** Mantel dem	(mit) einem schick**en** Hemd dem	(mit) einer warm**en** Jacke der	(mit) ☐ dünn**en** Socken den
Genitiv	(die Farbe) eines neu**en** Mantels des	(die Farbe) eines schick**en** Hemdes des	(die Farbe) einer warm**en** Jacke der	(die Farbe) ☐ dünn**er** Socken der

R3 Nach dem unbestimmten Artikel „ein/ein/eine" hat das Adjektiv die folgenden Endungen: **R3**

	maskulin	neutrum	feminin	Plural
Nominativ	-er	-es	-e	-e
Akkusativ		-es	-e	-e
Dativ		-en	-en	
Genitiv				-er

115

Adjektive

Diese Endungen (s. S. 115) haben die Adjektive **im Singular** auch, wenn sie nach den Artikelwörtern „kein/kein/keine", „mein/mein/meine", und „irgendein/irgendein/irgendeine" und nach dem Plural Plural „irgendwelche" stehen.

Im Plural ist die Endung nach diesen Artikelwörtern immer **-en** wie nach dem bestimmten Artikel:

keine neu**en** Socken, keine neu**en** Hemden

Endungen der Adjektive nach Nullartikel

A 5 Sätze mit Nullartikel: Markieren Sie die Endung beim Adjektiv.

1. Schicker Wintermantel mit modischem Muster. Sonderpreis!

2. Rotes Kleid mit schmalem Gürtel, aus reiner Wolle. 49,99 €

3. Dunkle Bluse mit Karomuster, Größe 38–42, 39,99 €

4. Schwarze Stiefel aus bestem Leder, mit flachem Absatz. Nur 79,90 €

A 6 Ergänzen Sie in der Tabelle die Endungen

	maskulin	neutrum	feminin	Plural
Nominativ	neu**er** Mantel	alt.... Kleid	warm..... Jacke	dünn..... Socken
Akkusativ	neu**en** Mantel			
Dativ	(mit) neu..... Mantel	(mit) alt..... Kleid	(mit) warm..... Jacke	(mit) dünn**en** Socken
Genitiv	(trotz) neu**en** Mantels	(trotz) alt**en** Kleides	(trotz) warm**er** Jacke	(trotz) dünn**er** Socken

R4 Wenn kein Artikelwort steht, trägt das Adjektiv das Kasus-Signal.

Im Genitiv Singular maskulin und neutrum ist das Kasus-Signal beim Substantiv, deshalb ist die Endung des Adjektivs **-en**.

	maskulin	neutrum	feminin	Plural
Nominativ	-er	-es	-e	-e
Akkusativ	-en			
Dativ	-em	-em	-er	-en
Genitiv	-en	-en		-er

Adjektive

Kasus-Signal und Endungen

Guck mal, de[r] Ring!	Siehst du da[s] Kleid?	(der Mann) mit de[m] Hut
Das ist ein schöne[r] Ring.	Ich habe ein neue[s] Kleid.	(ein Mann) mit eine[m] alten Hut
De[r] schöne Ring ist teuer.	Ich trage da[s] neue Kleid oft.	(der Mann) mit de[m] alten Hut
Schöne[r] Ring gefunden.	Neue[s] Kleid – billig!	(Mann) mit alte[m] Hut

Ü 1 Ergänzen Sie das Adjektiv.   ◁ A2

1. Das Auto ist alt.   Das ist ein _altes_ Auto.
2. Der Tasche ist voll.   Das ist eine _____ Tasche.
3. Der Ball ist bunt.   Das ist ein _____ Ball.
4. Die Schuhe sind grau.   Das sind _____ Schuhe.
5. Das Kind ist klein.   Das ist ein _____ Kind.
6. Das Tisch ist rund.   Das ist ein _____ Tisch.
7. Die Häuser sind neu.   Das sind _____ Häuser.

Ü 2 Was gehört wem? Ergänzen Sie die Endungen der Adjektive.   ◁ A2

1. Welches Auto gehört Ihnen, das rot_e_ oder das schwarz___ ?
2. Welcher Mantel gehört dir, der hell___ oder der dunkl___ ?
3. Welche Schuhe gehören Ihnen, die braun___ oder die schwarz___ ?
4. Welche Tasche gehört dir, die groß___ oder die klein___ ?
5. Welcher Rock gefällt dir besser, der lang___ oder der kurz___ ?

Ü 3a Gibt es ein Kasus-Signal beim Artikelwort? Wenn ja, markieren Sie es.   ◁ A2
Ü 3b Ergänzen Sie die Endungen der Adjektive.

1. Ich sehe einen groß_en_ Baum.
2. Er steht auf einer grün___ Wiese.
3. Der Baum hat hellgrün___ Blätter.
4. Auf der Wiese gibt es bunt___ Blumen.
5. Auf der klein___ Wiese spielen Kinder.
6. Hinter der klein___ Wiese steht ein Haus.
7. Das Haus hat weiß___ Wände.
8. Und es hat ein rot___ Dach.
9. In diesem klein___ Haus wohnt Simon.
10. Simon ist ein alt___ Mann.

Ü 4 Was haben die Leute gern? Ergänzen Sie passende Adjektive.   ◁ A2

1. Sibylle isst gern _frischen_ Salat. (frisch)
2. Lutz trinkt gern ein _____ Bier. (kühl)
3. Heiner mag gern _____ Tee. (kalt)
4. Natasha genießt _____ Desserts. (süß)
5. Aylin mag _____ Zitronen. (sauer)
6. Kathrin isst oft _____ Gemüse. (roh)

Adjektive

A2 **Ü 5** Ergänzen Sie die Sätze.

1. kalt – heiß   „Warum trinkst du _kalten_ Tee?" – „ _Heißer_ (Tee) schmeckt mit nicht."
2. sauer – süß   „Warum isst du .... Äpfel?" – „ .... (Äpfel) schmecken mir nicht."
3. lang – kurz   „Warum trägst du .... Hosen?" – „ .... (Hosen) mag ich nicht."
4. alt – neu   „Warum hast du ein .... Auto?" – „Ein .... (Auto) ist zu teuer."
5. klein – groß   „Warum nimmst du ein .... Hotel?" – „ .... (Hotels) mag ich nicht."
6. dick – dünn   „Warum trägst du .... Socken?" – „ .... (Socken) sind mir zu kalt."
7. weit – eng   „Warum trägst du .... Hosen?" – „ .... (Hosen) stehen mir nicht."

B1 **Ü 6** Eine kurze Geschichte zum Fürchten. Adjektive mit oder ohne Endung? Ergänzen Sie.

Am Rand der _kleinen_ (1) Stadt, da ist ein .... (2) Wald.	klein, dunkel
Und in dem .... (3) Wald steht ein .... (4) Haus.	dunkel, alt
Das Haus ist .... (5). Eine .... (6) Treppe	schief, steil
führt in den .... (7) Keller. Es riecht .... (8),	kalt, schrecklich
man hört .... (9) Geräusche. Aus einer .... (10) Tür	seltsam, offen
kommt .... (11) Licht. In diesem .... (12) Raum	schwach, klein
steht ein .... (13) Schrank. Eine .... (14) Stimme	groß, tief
ruft .... (15) aus dem .... (16) Schrank:	laut, schwarz
Rette mich, ich mache dich .... (17).	reich

B1 **Ü 7** Anzeigen in der Zeitung: Ergänzen Sie die Endungen der Adjektive.

Ruhig._e_.... (1) 3-Zimmer-Woh-
nung in zentral....... (2) Lage,
mit groß....... (3) Bad und
klein....... (4) Küche, sonnig.......
(5) Terrasse, in gut....... (6)
Zustand, zu vermieten.

Klein....... (7) Haus mit groß.......
(8) Garten in ruhig....... (9)
Umgebung von jung....... (10)
Ehepaar mit klein....... (11) Kind
gesucht.

Groß....... (12) Zimmer mit
klein....... (13) Balkon in WG
mit nett.......(14) Mitbewohnern,
in alt....... (15) Haus im Zentrum
zu vermieten.

7.3 Komparation der Adjektive: Komparativ und Superlativ

Kommen Sie näher, meine Damen und Herren, meine Damen.
Hier gibt es das beste Messer, das Sie finden können.
Damit schneiden Sie leichter und bequemer als bisher.
Sie schneiden weiche Tomaten genauso gut wie harten Käse.
Ein besseres Messer werden Sie nirgends finden. Aber passen Sie
auf, es ist das schärfste Messer, das Sie je in der Hand hatten.
Aber die größte Sensation ist der Preis!
29,99 € und das gute Stück gehört Ihnen.
Überall anders müssen Sie mehr bezahlen, aber nicht bei mir.
Am besten greifen Sie gleich zu.

A 1a Markieren Sie alle Adjektive im Text.

A 1b Ergänzen Sie die Adjektive aus dem Text in der Übersicht.

A 1c Markieren Sie die Merkmale von Komparativ und Superlativ.

Grundform	Komparativ	Superlativ
Sie schneiden leicht und bequem.	Sie schneiden *leichter* und .... als bisher.	Damit schneiden Sie am leicht esten und am bequemsten.
Das *gute* .... Stück gehört Ihnen.	Ein .... Messer werden Sie nicht finden.	Hier gibt es das .... Messer, das Sie finden können.

> **R1** Vom Adjektiv kann man zwei Formen zur Komparation (oder Steigerung) bilden:
>
> .... ist das Merkmal des Komparativs, **-(e)st-** ist das Merkmal des ....
>
> R1

A 2 Adjektive beim Verb oder vor einem Substantiv: Markieren Sie die Unterschiede.

Haus B ist kleiner als Haus A.   Das Haus C ist am kleinsten.

Haus B ist das kleinere Haus.   Haus C ist das kleinste Haus.

> **R2** Der Superlativ heißt **am ... -sten**, wenn das Adjektiv beim .... steht.
>
> Das Adjektiv bei einem Substantiv hat im Komparativ und Superlativ eine Endung.
>
> R2

A 3a Markieren Sie Komparativ und Superlativ in den Sätzen.

A 3b Ordnen Sie die markierten Adjektive in die Tabelle ein. Notieren Sie die Grundform.

Das neue Restaurant ist teurer als das Gasthaus.   Das war der schlechteste Urlaub seit Jahren!
        Der 21. Dezember ist der kürzeste Tag im Jahr.   Das war die kälteste Nacht des Jahres.
Jürgen war der intelligenteste Schüler in unserer Klasse.   Simon ist älter als Lukas.
        Kommen Sie näher!   Im Sommer sind die Nächte dunkler als im Winter!

klein	kleiner	am kleinsten		
leicht	leichter	am leicht**est**en	**-est** nach	*schlecht*
			-d, -t, -s, -sch, -z	
saurer	saurer	am sauersten	-er, el	*teuer*
mit Umlaut: a, o, u → ä, ö, ü (die meisten einsilbigen Adjektive)				
lang	länger	am längsten		
hart	härter	am härtesten	**-est** nach	*alt*
			-d, -t, -s, -sch, -z	
hoch	hö**h**er	am hö**ch**sten		
groß	größer	am größten		

Unregelmäßige Komparation

| gut | besser | am besten |
| viel | mehr | am meisten |

Das ist der **späteste** Zug – der letzte Zug
Peter kam **am spätesten** – **zuletzt / als Letzter**.

A 4 Was drückt den Vergleich aus? Markieren Sie.

Haus A	ist	genauso groß	wie Haus B.
Haus A und B	sind	nicht so groß	wie Haus C.
Haus C	ist	größer	als Haus A und B

R3 Einen Vergleich mit „genauso" oder „so" + Adjektiv in der Grundform setzt man mit
„ ...." fort.
Einen Vergleich im Komparativ setzt man mit „ ...." fort.

R3

In Vergleichssätzen verwendet man oft „noch" und „viel" vor dem Komparativ:
Berlin ist groß, aber London ist **noch** größer. Der Zug ist schnell, aber das Flugzeug ist **viel** schneller.

⇨ 13.2.1.6 Nebensatz mit „je ... desto" (Komparativ), S. 23

Adjektive

Ü 1 Schreiben Sie Komparativ und Superlativ.

1. alt   *älter*   *am ältesten*
2. reich   ....
3. scharf   ....
4. teuer   ....
5. lustig   ....

6. leise   ....
7. nah   ....
8. jung   ....
9. heiß   ....
10. klug   ....

Ü 2 Vergleichssätze mit Komparativ: Ergänzen Sie.

1. schnell   Mit dem Zug bist du *schneller als* .... mit dem Auto.
2. warm   In Spanien ist es heute .... in Italien.
3. dunkel   Im Sommer sind die Nächte .... im Winter.
4. schön   Ich arbeite gern, aber Urlaub ist einfach .... Arbeit.
5. hoch   Der Mont Blanc ist um 330 Meter .... das Matterhorn.
6. lang   Die Donau ist um die Hälfte .... als der Rhein.

Ü 3 Vergleichssätze: Ergänzen Sie die Sätze mit „so … wie" oder Komparativ + „als".

1. Peter ist sechs Jahre alt, Ivo auch.   Peter ist *so alt wie* .... Ivo.
2. Eva ist acht Jahre alt, Peter ist sechs.   Eva ist .... Peter.
3. Rotwein schmeckt mir gut, Bier nicht so.   Rotwein schmeckt mir .... Bier.
4. Jazz finde ich schön, Rockmusik auch.   Jazz finde ich .... Rockmusik.
5. Das Motorrad fährt schnell, das Auto nicht. Das Motorrad fährt .... das Auto.
6. Fisch kostet viel, Kartoffeln kosten wenig. Fisch kostet .... Kartoffeln.

Ü 4 Schreiben Sie Aufforderungen mit Komparativ.

früh • geduldig • langsam • ~~laut~~ • schnell • viel

1. Sie sprechen so leise.   *Sprechen Sie bitte ein bisschen lauter.*
2. Du arbeitest so langsam.   *Arbeite doch* ....
3. Du bist immer so ungeduldig.   ....
4. Ihr helft mir viel zu wenig.   ....
5. Du gehst zu spät schlafen.   ....
6. Du fährst sehr schnell.   ....

B1 Ü 5   Ergänzen Sie den Superlativ.

1. alt   der *älteste* Mann der Welt
2. teuer   das .... Hotel der Stadt
3. lustig der .... Film im Kino
4. heiß   der .... Tag des Monats
5. kalt   der .... Ort in Bayern

6. gut   die *besten* Äpfel im Laden
7. nah   die .... Verwandten
8. kurz   die .... Tage des Jahres
9. härt   die .... Steine
10. hoch   die .... Berge der Alpen

B1 Ü 6   Fragen mit Superlativ: Schreiben Sie.

1. gut spielen – welcher Fußballer
2. lang schlafen – welches Tier
3. schnell laufen – welche Sportlerin
4. laut klingen – welches Instrument
5. hart sein – welches Material
6. scharf schmecken – welche Speise

Welcher Fußballer spielt am besten?
....
....
....
....
....

B1 Ü 7   Vergleichen Sie: Komparativ und Superlativ.

	3.	2.	1.
1. schnell	die Maus	der Hund	der Gepard
2. hoch	das Haus	die Kirche	der Turm
3. groß	der Hund	das Pferd	der Elefant
4. gut	Arbeit	Freizeit	Urlaub

> 1. *Der Hund ist schneller als die Maus.*
> *Der Gepard ist am schnellsten.*

7.4 Partizipien als Adjektive

A 1a   In welchen Wörtern stecken die folgenden Verben: „bestellen", „blühen", „decken", „singen"? Markieren Sie.

Frau Bahr genießt den schönen Tag und ist glücklich. Vor dem Fenster steht ein blühender Baum, auf dem singende Vögel sitzen.

Herr Bahr sitzt am gedeckten Tisch und ärgert sich. Das bestellte Essen ist noch immer nicht da. Er ruft den Chef!

A 1b   Notieren Sie die Grundformen der markierten Partizipien.

ein blühender Baum	*blühend*	am gedeckten Tisch	*gedeckt*
singende Vögel		das bestellte Essen	

R1 Das Partizip I bildet man mit Infinitiv + Endung .... **Partizip I** und **Partizip II** kann man

als .... verwenden. **R1**

A 2   Partizip I: Welche Bedeutung passt? Kreuzen Sie an.

1. ein blühender Baum   **a** ein Baum, der gerade blüht   **b** ein Baum, der geblüht hat

2. singende Vögel   **a** Vögel, die gesungen haben   **b** Vögel, die jetzt singen

R2 Das Partizip I beschreibt etwas, das gleichzeitig/gerade passiert. **R2**

Manche Partizipien I kann man auch mit „sein" oder einem anderen Verb verwenden. Dann hat es keine Endung: Das Buch ist sehr **spannend**. Das Kind hat mich **lächelnd** angesehen.

A 3   Partizip II: Welche Bedeutung passt? Kreuzen Sie an.

1. der gedeckte Tisch   **a** jemand deckt den Tisch   **b** der Tisch ist gedeckt worden

2. das bestellte Essen   **a** jemand hat das Essen bestellt   **b** jemand bestellt gerade Essen

R3 Das Partizip II zeigt, dass etwas schon gemacht ist. Als Adjektiv hat es meistens eine

Passiv-Bedeutung. **R3**

Das Partizip II kann man auch mit „sein" oder einem anderen Verb verwenden: Dann hat es keine Endung: Der Tisch ist schön **gedeckt**. Sie hat **gequält** gelächelt.

 2.2.2 Perfekt, S. 23

Adjektive

B1 Ü 1 Ergänzen Sie das passende Partizip I. Achten Sie auf die Endung.

blühend • spielend • lachend • ~~passend~~ • schmeckend

1. Die Hose passt genau. Jetzt brauche ich nur noch eine *passende* .... Jacke dazu.
2. In diesem Garten gibt es den ganzen Sommer .... Rosen.
3. Das war ein tolles Fest! Sehen Sie nur die .... Gesichter der Kinder!
4. Ich habe selten so gut .... Fisch gegessen.
5. Im Zoo haben mir die .... Affenkinder am besten gefallen.

B1 Ü 2 Was ist das? Verwenden Sie Partizip I.

1. Wasser, das kocht   *kochendes Wasser* ....
2. ein Kind, das schläft   ein ....
3. Hunde, die spielen   ....
4. ein Mann, der lacht   ein ....
5. Leute, die meckern   ....
6. Fische, die fliegen   ....

B1 Ü 3 Was muss man in Naturparks beachten? Verwenden Sie Partizip II als Adjektiv.

1. Parken Sie nur auf den *gekennzeichneten* .... Flächen (, die gekennzeichnet sind).
2. Bitte bleiben Sie auf den .... Wegen (, die markiert sind).
3. Betreten Sie keine .... Gebiete (, die gesperrt sind).
4. Pflücken Sie keine .... Pflanzen (, die geschützt sind).
5. Lassen Sie keine .... Sachen (, die Sie mitgebracht haben,) liegen.

B1 Ü 4 Ein romantisches Abendessen. Verwenden Sie Partizip I oder II.

Das war ein romantisches Abendessen. Auf dem schön *gedeckten* .... (decken; 1) Tisch
standen wunderbare Blumen und eine .... (brennen; 2) Kerze. Nach fein
.... (schneiden; 3) Schinken mit Melone wurde die lecker
.... (aussehen; 4) Hauptspeise serviert. Es gab ....
(grillen; 5) Hähnchen mit Gemüse. Und dann kam die Nachspeise. Es gab frischen Apfelstrudel mit
.... (dampfen; 6) Vanillesauce.

7.5 Adjektive und Partizipien als Substantive

● Hast du schon das Neueste gehört? Der Dumme da drüben wird der neue Vorsitzende des Fußballclubs.

○ Oje, das auch noch. Warum haben die keinen Besseren gefunden?

● Ein Kluger will doch den Job gar nicht haben.

A 1 Welche Formen der Wörter „dumm", „gut", „neu", „klug", „vorsitzen" finden Sie im Text? Markieren Sie.

> **R1** Adjektive und Partizipien kann man auch als Substantive verwenden. Dann schreibt man
> sie ....
> **R1**

A 2 Vergleichen Sie die Endungen.

Adjektiv vor Substantiv

Das ist mein deutscher Freund Richard.
Die ankommenden Passagiere bitte zur Info kommen.
Im Verein gibt es viele verletzte Spieler.

Adjektiv als Substantiv

Richard ist Deutscher.
Die Ankommenden bitte zur Info.
Wir haben im Moment viele Verletzte.

> **R2** Adjektive und Partizipien als Substantive haben die .... Endungen wie Adjektive
> vor einem Substantiv.
> **R2**

A 3 Markieren Sie das Kasus-Signal.

	maskulin	feminin	Plural
Nominativ	der Bekannte ein Bekannter	die Bekannte eine Bekannte	die Bekannten ☐ Bekannte
Akkusativ	den Bekannten einen Bekannten		
Dativ	dem Bekannten einem Bekannten	der Bekannten einer Bekannten	den Bekannten ☐ Bekannten
Genitiv	des Bekannten eines Bekannten		der Bekannten ☐ Bekannter

> Man kann auch Substantive im Neutrum bilden. Man verwendet sie meistens im Singular:
> Was gibt es **Neues**? Hast du schon **das Neueste** gehört?

7 ———————— Adjektive ————————

B1 **Ü 1** Adjektive als Substantiv: Setzen Sie die passende Form ein.

1. der/die Deutsche   Frau Elsahavy ist *Deutsche* .... Sie lebt in Köln.

2. der/die Kranke   Meistens freuen sich .... über Besuch.

3. der/die Bekannte   Helmut besucht einen guten .... in Sofia.

4. der/die Verwandte   Weißt du nicht, Hans ist ein .... von Angelika.

5. der/die Schuldige   Nach dem Unfall sucht die Polizei den ....

B1 **Ü 2** Setzen Sie das Adjektiv in der passenden Form ein.

angestellt • arbeitslos • minderjährig • reich • verwandt

1. Wer in einer Firma eine Stelle hat, ist ein *Angestellter* ....

2. Der Eintritt für .... (Personen unter 18 Jahren) ist verboten.

3. Leute, die sehr viel Geld verdienen oder haben, nennt man ....

4. Viele verlieren den Job. Die Statistik zeigt, dass es immer mehr .... gibt.

5. Dagmar wohnt in den USA. Sie sieht ihre .... in Europa nur selten.

B1 **Ü 3** Verwenden Sie das Adjektiv im Superlativ.

1. gut   Sie bleiben ein paar Tage im Bett. Das ist das *Beste* ....

2. groß   Peter, hilf mir mal! Du bist der ....

3. einfach   Wir rufen schnell den Pizza-Service. Das ist das ....

4. schlimm   Bei dem Unwetter ist mein Auto kaputtgegangen. Das ist das ....

5. nett   Das freut mich riesig. Du bist die .... von allen.

B1 **Ü 4** Setzen Sie die Partizipien als Substantive ein.

anwesend • betrunken • reisend • verletzt • verliebt

1. Der Moderator begrüßt die *Anwesenden* .... und stellt das Programm vor.

2. Nach dem Unfall kümmert sich der Notarzt um die ....

3. Immer wieder passieren Autounfälle, an denen .... schuld sind.

4. Achtung, Achtung, ... nach Berlin: Der Zug fährt heute auf Gleis 17 ab.

5. Eine romantisch Reise nach Venedig ist der Traum von vielen ....

7.6 Adjektive + Ergänzung mit Präposition

	Subjekt		Präposition + Akkusativ
Sport ist gut für die Gesundheit.			
Elfi ist gespannt auf die Reise.			
Max ist froh über die Ferien.	Sport	ist gut	für die Gesundheit.

	Subjekt		Präposition + Dativ
Marisa ist fertig mit der Arbeit.			
Das freut mich, das ist lieb von dir.			
Metin ist sehr nett zu seiner Schwester.	Marisa	ist fertig	mit der Arbeit.

> Manche Adjektive können Ergänzungen mit verschiedenen Präpositionen haben:
> Sport ist **gut für** die Gesundheit. Heißer Tee ist **gut gegen** Erkältungen.
> Dein Anruf freut mich, das ist **nett von** dir. Du bist immer so **nett zu** mir.

Ü 1   Was passt zusammen? Ordnen Sie zu.   B 1

1. Der Vater ist stolz   _C_   A für meinen Beruf: Ich reise sehr viel.

2. Elena ist gespannt   ......   B über die Niederlage ihrer Mannschaft.

3. Fremdsprachen sind nützlich   ......   C auf seinen Sohn.

4. Eva musste warten, sie war wütend   ......   D für ihn, wenn er schlechte Laune hat.

5. Die Fans waren sehr traurig   ......   E über die Verspätung ihres Zuges.

6. Der Chef brüllt, das ist ganz typisch   ......   F auf den neuen Film „München".

Ü 2   „an", „mit", „von" oder „zu": Ergänzen Sie die passende Präposition.   B 1

1. Claudia ist gut befreundet _mit_ Agnes.

2. Max liest die Zeitung und sieht Nachrichten. Er ist sehr .... Politik interessiert.

3. „Danke für deinen Besuch. Das ist sehr lieb .... dir."

4. Lena macht die Arbeit keinen Spaß, der Chef ist nie zufrieden .... (7) ihr.

5. Die neue Chefin ist prima. Sie ist immer nett .... (5) uns, auch wenn sie gestresst ist.

6. Ich bin einverstanden .... (2) dem, was du da vorhast.

Ü 3   Präposition und Artikel oder Pronomen. Schreiben Sie die Sätze fertig.   B 1

1. Der Typ da nervt mich immer, ich bin so wütend _auf ihn_ .

2. Wann sehe ich deine neue Freundin? Ich bin sehr neugierig ....

3. Abdu ist so glücklich .... neue Stelle. Er hat so lange Arbeit gesucht.

4. Serpil hat so viel gelernt. Das muss genug sein .... Prüfung.

5. Endlich Wochenende! Cornelia ist sehr froh .... freien Tage.

Adjektive

7.7 Was man mit Adjektiven machen kann

Eigenschaften beschreiben	Das Haus ist **rot**. Das **rote** Haus steht auf dem Hügel. Siehst du das Haus **mit dunklen Fenstern**?

⟹ 7.1 Adjektive bei Verben, S. 112

7.2 Adjektive vor einem Substantiv, S. 114

Geschehen näher beschreiben	Das Auto fährt **schnell**. Das Auto fährt **mit hoher Geschwindigkeit**.

⟹ 7.1 Adjektive bei Verben, S. 112

Vergleiche ausdrücken	Der neue Computer ist **schneller als** der alte. Der alte Computer ist nicht **so schnell wie** der neue. Dieses Lied gefällt mir **am besten**. Die Donau ist **der längste** Fluss in Europa. **Je schneller** ein Auto fährt, **desto mehr** Benzin braucht es.

⟹ 7.3 Komparation der Adjektive, S. 119

Personen oder etwas **Abstraktes benennen**	Joe ist **Selbstständiger**, er hat eine kleine Firma. In dem Geschäft habe ich etwas sehr **Schönes** gesehen. Hast du schon das **Neueste** gehört? Harald Schmidt ist einfach der **Beste** von allen.

⟹ 7.5 Adjektive und Partizipien als Substantive, S. 125

 Ü 1   „Was war denn Besonderes im Koffer?" Beschreiben Sie den Inhalt.
Ergänzen Sie die Sätze.

1 Pullover rot, 1 Pullover grau
1 Hose – Loch, groß
1 Gürtel – Leder, rot
3 T-Shirts – weiß
1 Tüte mit Wäsche –
schmutzig
Fotos – im Urlaub gemacht

1. Im Koffer sind *ein roter und ein grauer Pullover* ....

2. Ich habe auch eine Hose, die .... hat.

3. Und da ist ein Gürtel aus ....

4. Ich hatte auch .... im Koffer.

5. Außerdem eine Tüte mit Wäsche. Die Wäsche ist

   ....

6. Und da sind .... Fotos drin.

Adjektive

Ü 2 „Was passiert hier?" Ergänzen Sie die Adjektive in der passenden Form

A2

Die beiden Mädchen rennen sehr *schnell*
(1; schnell) durch das .... (2; groß)
Zimmer. Die .... (3; klein) Sophie ist
.... (4; langsam) als Laura, ihre
.... (5; groß) Schwester. Sophie ist
zwar .... (6; klein), dafür kann sie
.... (7; laut) schreien als ihre
Schwester. Heute kocht Maxi. Er steht schon
.... (8; lange) am Herd, aber das Essen
ist immer noch nicht .... (9; fertig).
Sophie und Laura haben schon .... (10;
groß) Hunger.

Ü 3 Ergänzen Sie die Vergleiche mit den passenden Wörtern.

B1

1. Fahr mit dem Zug, das ist bequemer *als* .... mit dem Auto.
2. In Berlin ist das Wetter heute nicht .... schön .... in München.
3. Enzo liebt Filme, aber „La Strada" hat ihm .... besten gefallen.
4. Das war .... langweiligste Buch, das Manuela je gelesen hatte.
5. In Berlin leben mehr Leute .... in München.
6. Max ist nicht .... groß .... sein Freund Jonas.

Ü 4 Smalltalk auf einer Party. Ergänzen Sie die Adjektive in der passenden Form.

B1

○ Kennst du den *Kleinen* .... (1; klein), der mit Christa spricht?

● Ich glaube, das ist ein .... (2; alt) Freund von ihr.

○ Und wer ist der .... (3; grauhaarig) mit dem .... (4; hell) Sakko?

● Das ist mein .... (5; neu) Chef! Er ist recht .... (6; nett).

○ Und wer ist die .... (7; groß) neben ihm, mit dem .... (8; rot) Rock?

● Das ist eine .... (9; verwandt) von ihm, die jetzt auch bei uns arbeitet.

○ Was gibt es sonst noch .... (10; neu) in der Firma?

● Nichts .... (11; wichtig). Oder doch, wir arbeiten jetzt .... (12; lange) als früher.

Präpositionen

- ● Wo wohnst du?
- ○ **In** <u>der Mehringstraße</u>. Und du?
- ● Ich wohne **bei** <u>der Universität</u>, **in** <u>der Tucholskystraße</u>. Wohnst du allein?
- ○ Nein, ich wohne **mit** <u>meiner Freundin</u> zusammen. Wir haben eine schöne alte Wohnung gefunden. Kommst du mal **zu** <u>uns</u>?
- ● Ja gern. Wie komme ich **zu** <u>euch</u>?
- ○ Du fährst einfach **mit** <u>dem Bus</u> Nr. 4, und **an** <u>der Haltestelle</u> Ossietzkystraße steigst du aus. Da gibt es das Cafe „Soyfer". Ich wohne **hinter** <u>dem Café</u>, **in** <u>der zweiten Etage</u>. Du musst einfach **durch** <u>den Hof</u> gehen. Der Eingang ist **auf** <u>der linken Seite</u>.

> **R**
>
> Präpositionen stehen .... einem Substantiv (mit oder ohne Artikelwort) oder
> .... einem Pronomen. Artikelwort oder Pronomen zeigen einen Kasus.   **R**

Die Präpositionen legen fest, welcher Kasus folgt.

mit Dativ **oder** Akkusativ	mit Dativ	mit Akkusativ	mit Genitiv
in, auf, an,	aus, von,	durch,	wegen, trotz,
über, unter,	nach, zu, bei,	für, gegen,	während,
neben, zwischen,	mit,	bis, um,	statt, innerhalb,
vor, hinter	seit	ohne	außerhalb

Kevin wohnt im Zentrum, beim Stephansplatz. Er geht zu Fuß zur Arbeit, vom Stephansplatz bis zum Büro braucht er nur 5 Minuten.

Ursula lebt am Stadtrand. Sie fährt mit dem Bus ins Zentrum. Heute muss sie aufs Arbeitsamt.

A   Die folgenden Präpositionen können mit dem bestimmten Artikel eine Kurzform bilden: Ergänzen Sie mithilfe der Texte.

Dativ   Akkusativ

an dem   ⇨ *am*.......   an das   ⇨ ans

in dem   ⇨ ....   in das   ⇨ ....

bei dem   ⇨ ....   auf das   ⇨ ....

von dem   ⇨ ....   durch das   ⇨ durchs

zu dem   ⇨ ....   zu der   ⇨ ....   für das   ⇨ fürs

Präpositionen

> Eva geht **zum** Arzt. – Eva geht zu **dem** Arzt, bei dem ihre Freundin arbeitet.
> Im zweiten Satz ist ein bestimmter Arzt gemeint, der Artikel ist betont und bildet keine Kurzform mit
> der Präposition.
> Die Formen „aufs", „durchs", „fürs" verwendet man meistens nur mündlich.

Ü 1a Wo sind die Präpositionen versteckt? Markieren Sie. A1

Ü 1b Zeichnen Sie die Satzgrenzen ein.

michaealfährtmitdembuszurarbeitermusssimzentrumbeimtheateraussteigenaufdemwegvonder
haltestellezuseinerarbeitkommterbeieinerbäckereivorbeimichaelgehtammorgenmeistensindie
bäckereiundkauftetwaszumessendennermachtbeiseinerarbeitnureinekurzemittagspauseinder
pausegehternichtindiekantineergehtliebereinpaarminutenspazierendannarbeiteterweiterbisvier
uhrnachderarbeitfährternachhause

Ü 2 Notieren Sie die passende Kurzform aus Präposition und Artikel. A2

1. Ich wohne (bei dem) _beim_ Stadtpark.
2. Silvia fährt (zu der) _____ Arbeit.
3. Eva geht (zu dem) _____ Arzt.
4. Der Brief ist (von dem) _____ Vater.
5. (An dem) _____ Abend kommt Besuch.
6. Max geht (an das) _____ Telefon.
7. Die Post liegt (in dem) _____ Zentrum.
8. Ines geht (in das) _____ Theater.
9. Max geht (auf das) _____ Gymnasium.

8.1 Präpositionen mit Dativ oder Akkusativ (Wechselpräpositionen)

Du musst deinen Schlüssel finden! Such ihn überall! Wo kann er sein?

1. Ist er auf dem Schreibtisch?
2. Liegt er in der Schublade?
3. Hängt er vielleicht an der Wand!
4. Steckt er zwischen den Büchern?
5. Liegt er neben den CDs?
6. Such unter dem Bett!
7. Hängt er nicht über dem Computer?
8. Hast du vor der Tür geschaut?
9. Liegt er vielleicht hinter dem Regal?

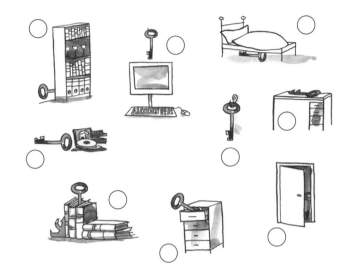

A 1a Wo soll man suchen? Nummerieren Sie in der Zeichnung.

A 1b Markieren Sie Präposition und Artikelwort. Welcher Kasus steht nach den Präpositionen?

> **R1** Die Präpositionen „in", „an", „auf", „neben", „zwischen", „über", „unter", „vor", „hinter" haben auf die Frage „Wo?" den .... ●.
> R1

A 2 Ergänzen Sie die Verben.

Wo ist das?
Diese Verben geben an, **wo** etwas ist:
sein
liegen, sitzen, stehen,
hängen
stecken
bleiben

1. Der Pass _i_____ in der Schublade.
2. Das Buch _l_____ unter dem Tisch.
3. Die Lampe _st_____ auf dem Boden.
4. Das Bild _h_____ an der Wand.
5. Das Kind _s_____ auf dem Sofa.
6. Der Pass _st_____ zwischen den Büchern.
7. Martina _b_____ in der Schule.

„Hängen" und „stecken" passen zur Frage „Wo?" und zur Frage „Wohin?"
Wo hängt der Schlüssel? – **Wohin hängst du** den Schlüssel?
Wo steckt der Pass? – **Wohin steckst du** den Pass?

A 3a Wohin gehören die Sachen? Nummerieren Sie in der Zeichnung.

A 3b Markieren Sie Präposition und Artikelwort. Welcher Kasus steht nach den Präpositionen?

Papa und Mama kommen! Wir müssen aufräumen. Schnell!

1. Leg die Kamera auf den Schrank!
2. Wirf die Zigaretten in den Müll!
3. Häng die Jacke an die Garderobe!
4 Steck die CDs zwischen die Bücher!
5. Leg die Zeitung neben den Fernseher!
6. Schieb die Kiste unter das Bett!
7. Häng das Bild über den Fernseher!
8. Der Hund muss wieder vor die Tür!
9. Stell das Fahrrad hinter die Tür!

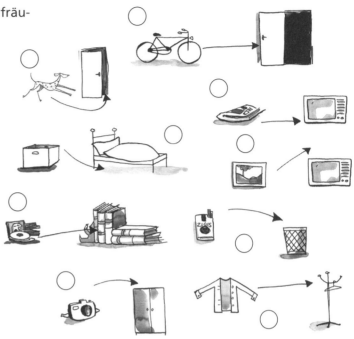

R2 Die Präpositionen „in", „an", „auf", „neben", „zwischen", „über", „unter", „vor",
„hinter" haben auf die Frage „Wohin?" den .... →.

R2

A 4 Ergänzen Sie die Verben.

Wohin?
(sich) legen
(sich) setzen
(sich) stellen
hängen
stecken

1. Die Katze *l*.............. sich auf **den** Teppich.
2. *S*.............. Sie sich doch auf **den** Stuhl, bitte.
3. Eva *st*.............. die Blumen auf **den** Tisch.
4. Elia *h*.............. die Jacke an **die** Garderobe.
5. Andrea *st*.............. Kaugummis in **den** Mund.

Die Verben „hängen" und „stecken" passen auch zur
Frage „Wo?"

A2 > **Ü 1a** „Wo?" oder „Wohin?" Notieren Sie das passende W-Wort.

Ü 1b Kasus des Artikelworts: Markieren Sie (Akkusativ) oder unterstreichen Sie (Dativ).

1. Simon geht in die Schule. *Wohin?*
2. Er sitzt neben <u>seinem</u> Freund *Wo?*
   Mustafa.
3. Sie sitzen in der ....
   ersten Reihe.
4. Die Lehrerin kommt ....
   in die Klasse.
5. Ina setzt sich auf ....
   ihren Platz.

6. Die Lehrerin steht vor ....
   der Tafel.
7. Sie stellt ihre Tasche ....
   auf den Boden.
8. An der Wand ....
   hängen Bilder.
9. Vor dem Fenster ....
   stehen ein paar Bäume.

A2 > **Ü 2** Abendessen mit Gästen. Was passt zusammen? Notieren Sie.

1. Ich hänge Ihren Mantel *E*
2. Gehen Sie bitte weiter ....
3. Setzen Sie sich doch bitte ....
4. Nehmen Sie sich, Getränke stehen ....
5. Mein Freund kocht, er ist ....
6. Das Essen ist fertig, wir setzen uns ....

A auf dem Tisch.
B in der Küche.
C an den Tisch.
D auf das Sofa.
E an die Garderobe.
F ins Wohnzimmer.

A2 > **Ü 3** Ergänzen Sie die passende Präposition.

| an • auf • auf • hinter • in • neben |
| über • unter • vor • zwischen |

In .... (1) der Ecke steht ein Tisch.

.... (2) dem Tisch hängt ein Spiegel.

Rechts .... (3) dem Tisch steht ein Stuhl.

.... (4) dem Tisch liegt ein Hund,

.... (5) dem Stuhl sitzt eine Katze. Links

vom Tisch hängt ein Mantel .... (6) der

Wand. .... dem (7) Tisch steht links ein

Drucker, rechts liegen Bücher. .... (8)

den Büchern und dem Drucker steht ein

Computer. .... (9) dem Computer sieht

man ein Regal. .... (10) dem Tisch liegt

ein Teppich auf dem Boden.

Präpositionen

Ü 4 Wo ist das? Ergänzen Sie die Sätze. ◁ A2

1. Große, bunte Häuser stehen _an einem Fluss_ (an / ein Fluss).
2. .... und .... (zwischen / der Fluss – die Häuser) gibt es Bäume.
3. Man kann .... (hinter / Bäume) hohe Berge sehen.
4. Oben .... (auf / Berge) gibt es Schnee, alles ist weiß.
5. .... (vor / Häuser) ist eine Straße.
6. .... (auf / die Straße) parken viele Autos.
7. Das Haus links ist am größten. .... (an / die Wand) sieht man ein Bild.

Ü 5 Wohin mit den Sachen? Ergänzen Sie Präposition und Artikelwort in der passenden Form. ◁ A2

1. Das Bett stellen wir _vor das_ (das) Fenster.
2. Das Nachkästchen kommt rechts .... (das) Bett.
3. Den Teppich legen wir .... (die) Mitte.
4. Die Kommode stellen wir links .... (die) Wand.
5. Die Lampe stellen wir .... (das) Nachtkästchen.
6. Das Bild hängen wir .... (die) Lampe.

Ü 6 „Wo?" oder „Wohin?" Ergänzen Sie das Artikelwort in der passenden Form. ◁ A2

1. Anna lebt auf _einem_ (ein) Bauernhof.
2. Der Bauernhof liegt in .... (ein) Dorf.
3. Ihre Kinder gehen in .... (die) Schule.
4. Sie fahren am Morgen in .... (die) Stadt.
5. Vor .... (das) Haus steht eine Bank.
6. Unter .... (die) Bank schläft der Hund.
7. Die Oma setzt sich auf .... (die) Bank.
8. Neben .... (das) Haus steht ein Baum.

Ü 7 Schreiben Sie Sätze. ◁ A2

1. Eva / die CD / auf / der Tisch / legen — _Eva legt die CD auf den Tisch._
2. ein Auto / vor / die Tür / stehen — ....
3. Ali / auf / das Land / ziehen — ....
4. die Kinder / in / das Haus / spielen — ....
5. die Katze / auf / das Sofa / liegen — ....
6. Arno / die Ski / in / der Keller / stellen — ....
7. Lena / an / der Hauptplatz / aussteigen — ....

8.2 Präpositionen mit Dativ

A 1a Welche Bedeutung haben die Beispiele? Manchmal sind mehrere möglich. Kreuzen Sie an.

A 1b Markieren Sie das Artikelwort, Pronomen oder die Adjektivendung nach der Präposition.

		„Ort"	„Zeit"	andere
ab	Achtung Autofahrer! **Ab** der Rheinbrücke gibt es Stau.	X		
	Ab nächster Woche habe ich Urlaub.		X	
aus	Anna kommt **aus** Österreich, ihr Mann **aus** der Schweiz.	X		
	Helen kommt gerade **aus** der Küche.	X		
	Die Möbel sind **aus** hellem Holz.			
außer	Niemand hat mich am Wochenende angerufen **außer** dir.			
bei	Elisabeth bleibt noch zwei Tage **bei** ihrer Schwester.			
	Jussuf hört **bei** der Arbeit immer Musik.			
	Bei schönem Wetter sitzt die Oma immer vor dem Haus.			
mit	Stefan fährt **mit** seiner Frau nach Venedig.			
	Carola fährt immer **mit** dem Fahrrad zur Arbeit.			
nach	Henry geht **nach** der Arbeit ins Fitnessstudio.			
	Die Arbeit läuft genau **nach** dem Plan des Chefs.			
	Maurice fährt im Sommer **nach** Schweden.			
seit	Serpil lebt **seit** 18 Jahren in Berlin.			
von	Das ist ein alter Wein **von** 1994!			
	Der Zug **von** München nach Berlin hat Verspätung.			
	Ein Freund **von** mir lebt in Kanada.			
zu	Ich muss noch schnell **zur** Post gehen.			
	Wir fahren am Wochenende **zu** unseren Freunden.			
	Ich wünsche dir alles Gute **zum** Geburtstag.			

> **R** ⟩ Die Präpositionen „ab", „aus", „außer", „bei", „mit", „nach", „seit", „von", „zu" haben immer den .... **R**

Angabe des Ziels: „Wohin?"

Namen von Orten **ohne** Artikel: „nach"
Max fährt **nach** Österreich.
Metin reist **nach** Deutschland.
Das Schiff fährt **nach** Hamburg.

Namen von Orten **mit** Artikel: „in" + Akk.
Sandra fährt **in die** Schweiz.
Metin reist **in die** Bundesrepublik Deutschland.
Das Schiff fährt **in die** Hafenstadt Hamburg.

Präpositionen

Ü 1 Welche Präposition passt? Schreiben Sie.

> ab • bei • mit • nach • seit • von • zu

Markus fährt am Wochenende _zu_ (1) seiner Freundin Ulla. Sie holt ihn .... (2) der

Haltestelle ab. Sie haben sich .... (3) einer Woche nicht mehr gesehen. Ulla geht .... (4)

Markus in ein Café. Sie unterhalten sich. .... (5) einer Stunde gehen sie nach Hause. Markus

bleibt zwei Tage .... (6) Ulla. .... (7) Montag muss er wieder arbeiten.

Ü 2 Antworten Sie. Welche Präposition passt? Notieren Sie.

- ● Frau Graf, woher kommen Sie?
  - ○ _Aus_ (1) der Schweiz, ... (2) Basel.
- ● Was machen Sie beruflich?
  - ○ Ich arbeite .... (3) Novartis, einer Chemiefirma.
- ● Wie lange sind Sie bei Novarits?
  - ○ Schon lange! Ich bin .... (4) 1996
    .... (5) dieser Firma.
- ● Was sind Ihre Hobbys?
  - ○ .... (6) der Arbeit bin ich am liebsten
    faul. Oder ich gehe .... (7) meinem
    Hund spazieren.
- ● Was machen Sie am Sonntag?
  - ○ Da fahre ich .... (8) Freunden .... (9)
    Frankreich. Es sind ja nur 10 km bis .... (10) Grenze.

Ü 3 Welche Präpositionen passt? Kreuzen Sie an.

1. Maia kommt um 16 Uhr   ab   seit ☒ von der Arbeit nach Hause.
2. Christian geht   mit   bei   nach seinem Hund spazieren.
3. Lore kommt gerade   von   aus   außer ihren Eltern, sie hat einen Besuch gemacht.
4. Die Kinder gehen stundenlang nicht   von   aus   ab dem Wasser, sie schwimmen so gern.
5 Der Zug   bei   zu   aus Paris hat heute Verspätung.
6. Frau Ostermann kommt   ab   bei   aus der Stadt, sie hat eingekauft.

Ü 4 Eine Wegerklärung: Präpositionen mit Dativ und Wechselpräpositionen. Schreiben Sie Aufforderungen.

1. mit / die U-Bahn / zu / der Karlsplatz / fahren
2. dort / in / die Linie 4 / umsteigen
3. an / die Friedensbrücke / aussteigen
4. dann / über / die Brücke / gehen
5. nach / die Brücke / rechts / gehen
6. bei / die Ampel / über / die Straße / gehen
7. in / der vierten Stock / gehen
8. an / die Tür / läuten

> 1. Fahr mit der U-Bahn zum Karlsplatz!

8.3 Präpositionen mit Akkusativ

A 1a Welche Bedeutung haben die Beispiele? Manchmal sind mehrere möglich. Kreuzen Sie an.

A 1b Markieren Sie das Artikelwort oder das Pronomen nach der Präposition.

		„Ort"	„Zeit"	andere
bis	Der Zug fährt **bis** Hamburg.	X		
	Tschüs, **bis** Sonntag!		X	
durch	Peter geht **durch** die Tür.			
	Ich gehe jeden Morgen **durch** den Stadtpark.			
	Die Häuser wurden **durch** das Feuer zerstört.			
für	„Wer bekommt das Schnitzel?" – „Das ist **für** mich."			
	Elia macht **für** drei Wochen einen Sprachkurs.			
	Viel frische Luft ist gut **für** dich.			
	Ich bin **für** den Vorschlag, der gefällt mir.			
gegen	Das Auto fährt **gegen** den Baum.			
	Ich bin **gegen** diese Politik.			
	Kommen Sie morgen **gegen** 10 Uhr.			
ohne	Peter kann **ohne** Brille nicht gut sehen.			
um	Das Auto fährt sehr schnell **um** die Kurve.			
	Wenn es kalt ist, sitzen wir **um** den Ofen.			
	Der Zug fährt **um** 8.25 Uhr.			
	Haare schneiden kostet **um** die 20 Euro.			

R Die Präpositionen „bis", „durch", „für", „gegen", „ohne", „um", haben immer

den ....

„Bis" verwendet man nur **ohne** Artikelwort, mit Artikelwort verwendet man „bis zu":
Der Zug fährt **bis** Hamburg. – Der Zug fährt **bis zum** Bahnhof Hamburg Altona.
Tschüs, **bis** Sonntag! – Tschüs, **bis zum** Wochenende.

„um" + Uhrzeit ist genau, „um" + Zahl- oder Zeitangabe ist ungefähr (ungenau):
Der Zug fährt um 8.25 Uhr.
Das Haus wurde um 1950 gebaut. (= ein paar Jahre früher oder später)
Haare schneiden kostet um die 20 Euro. (= ein paar Euro mehr oder weniger)

Präpositionen

Ü 1 Welche Präposition passt? Ergänzen Sie.

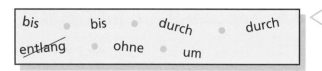

bis • bis • durch • durch
entlang • ohne • um

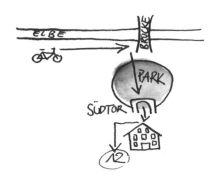

Du fährst mit dem Fahrrad die Elbe _entlang_ (1),
.... (2) zur blauen Brücke. Da ist ein kleiner
Park. Fahr .... (3) den Park, zum Ausgang
„Südtor". Fahr .... (4) das Tor, dann stehst
du vor einem großen Haus. Fahr .... (5)
die Ecke, ... (6) zur Hausnummer 12.
Dann komm rauf, aber bitte .... (7)
Fahrrad.

<A2

Ü 2 „um", „bis" oder „gegen"? Ergänzen Sie.

<A2

● Hallo Sara. Kommst du mit ins Kino? Wir gehen in „Sommer vorm Balkon" im Metropol.

○ Wann geht ihr? Ich muss heute _bis_ (1) sieben arbeiten.

● Wir gehen .... (2) viertel nach neun. Der Film dauert .... (3) elf.

○ Ja, das geht gut, da bin ich .... (4) halb zwölf zu Hause.

Ü 3 „für", „gegen", „ohne"? Ergänzen Sie die Sätze.

<A2

1. mein Freund   Guck mal, das habe ich _für meinen Freund_ gekauft.
2. die Prüfung   Barbara hat viel .... gelernt.
3. Zucker   Für mich einen Kaffee bitte, aber ....
4. der Schlüssel   Ich bin .... aus der Wohnung gegangen.
5. die Tür   „Was ist passiert?" – „Ich bin .... gerannt."

Ü 4 Temporalangaben: Welche Präposition passt? Achten Sie auf den Kasus.

<A2

an • bei • in • in • nach • um • mit

Der Tag fängt ja gut an. Sabine hat
in der (1) (die) Nacht schlecht geschlafen. Aber der Wecker läutet .... (2)

(der) Morgen wie immer, ... (3) halb 7 Uhr muss sie aufstehen. Sie geht schnell ins Bad
und duscht sich. .... (4) (das) Duschen fühlt sie sich besser und macht sich ein Frühstück.
Aber als sie gerade .... (5) (das) Frühstück angefangen hat, läutet das Telefon. Sabine
muss schon .... (6) 20 Minuten in der Firma sein. Sie mag es nicht, wenn sie
.... (7) (das) Essen keine Zeit hat und trinkt nur schnell ihren Kaffee.

Präpositionen

8.4 Präpositionen mit Genitiv

A 1a   Gesprochen und geschrieben: Was passt zusammen? Notieren Sie.

A 1b   Vergleichen Sie Ausdrücke mit den Präpositionen „statt", „trotz", „während", „wegen".
Markieren Sie rechts die Unterschiede.

1. _B_   „Du kannst doch nicht während dem Essen einfach aufstehen und weggehen."

2. ......   „Wir hatten trotz dem schlechten Wetter einen schönen Urlaub."

3. ......   „Ich kann wegen dem Fieber nicht in die Schule gehen."

4. ......   „Ich nehme das Menü. Aber ich habe noch eine Frage: Kann ich statt dem Nachtisch Käse haben?"

A   Meine Tochter kann heute nicht zum Unterricht kommen, da sie wegen hohen Fiebers zu Hause bleiben muss.

B   Es ist sehr unhöflich, während des Essens aufzustehen und wegzugehen.

C   Wählen Sie bei unseren Menüs: Fragen Sie unser Personal, wenn Sie zum Beispiel statt des Nachtisches Käse wollen.

D   Die Reise war für alle trotz des schlechten Wetters ein wunderbares Erlebnis.

> **R** Nach den Präpositionen „(an)statt", „trotz", „während", „wegen" steht in gesprochener Sprache meistens der .... , in geschriebener Sprache meistens der ....   **R**

> Nach diesen Präpositionen stehen Pronomen immer im Dativ:
> **Wegen dir** bin ich zu spät gekommen. Mein Bruder ist **statt mir** einkaufen gegangen.

B1   **Ü 1**   Ausdrücke mit Präpositionen oder Nebensatz: Was passt zusammen?

1. ..D..   Wegen einer Verletzung muss Mario ins Krankenhaus.

2. ......   Statt eines Spielplatzes für die Kinder haben sie eine Garage gebaut.

3. ......   Während des Essens hat immer wieder das Handy geläutet.

4. ......   Trotz komischer Geräusche seines Wagens fuhr der Autofahrer weiter.

A   Bei uns haben sie eine Garage für die Autos gebaut, statt einen Spielplatz für die Kinder zu machen.

B   Während wir gegessen haben, hat immer wieder das Handy geläutet.

C   Obwohl der Wagen komische Geräusche machte, ist der Fahrer weiter gefahren.

D   Mario muss ins Krankenhaus, weil er sich verletzt hat.

B1   **Ü 2**   Schreiben Sie Sätze mit „wegen", „trotz" oder „während".

1. der Regen – Frau Moser geht spazieren
2. die Krankheit – Monika arbeitet wie immer
3. Schmerzen – Herr Kirch geht zum Arzt
4. die Pause – Max isst ein Brot
5. das heiße Klima – man muss viel trinken
6. der Flug – man darf nicht telefonieren

    1. Trotz des Regens geht Frau Moser spazieren.

8.5 Was man mit Präpositionen machen kann

Eine Richtung angeben: „Wohin?" (das Ziel)

nach	Evelyn und ihr Freund Janne fahren nach Zürich.
in	Der Bus fährt in die Stadtmitte.
zu	Mia geht am Abend zu einer Freundin.
auf	Jan geht auf die Post und kauft Briefmarken.
an	Mona fährt an den Bodensee.
bis	Ina fährt mit dem Auto bis Konstanz.
bis zu	Mona nimmt den Bus bis zur Endstation.

Eine Richtung angeben: „Woher?"

aus	Evelyn kommt aus Köln, Janne aus Helsinki.
von	Janne kommt gerade von der Arbeit.

Einen Ort angeben: „Wo?"

in	Evelyn und Janne treffen sich im Café „Brückel".
bei	Das Café liegt gleich beim Theater.
an	Viele Leute machen am Meer Urlaub.
auf	Janne kauft gern auf dem Markt ein.
über	Über dem Sofa hängen Bilder an der Wand.
neben	Neben dem Sofa steht ein Tischchen.
zwischen	Zwischen dem Sofa und der Wand steht eine Lampe.

Zeitangaben machen: „Wann?"

an	Am Montag hat es geregnet.
in	Im Sommer fährt Lisa gern mit dem Rad.
um	Um halb neun fängt der Film an.

Zeitangaben machen: eine Abfolge

vor	Vor einer Prüfung ist Alex sehr nervös.
bei	Bei der Prüfung ist er am Anfang noch sehr gestresst.
während	Während der Prüfung geht es ihm immer besser.
nach	Nach der Prüfung ist Alex total entspannt.

Zeitangaben machen: „Von wann?" „Wie lange?" „Bis wann?"

von ... bis	Von Montag bis Freitag geht Claudia ins Büro.
seit	Sie arbeitet seit 2001 bei der gleichen Firma.
seit	Seit sechs Jahren hat sie sehr viel Stress.
bis ... zu	Bis zu ihrem Urlaub sind es nur noch ein paar Tage.
ab	Ab nächstem Montag hat sie zwei Wochen frei.

Präpositionen

Etwas begründen: „Warum?"

wegen	Wegen Urlaubs ist das Geschäft geschlossen.
aus	Aus Enttäuschung hat sich das Paar getrennt.
vor	Denis hat vor Angst nicht geschlafen.
durch	Viele Arbeiten werden durch Maschinen erledigt.
trotz	Trotz seiner Zahnschmerzen geht er nicht zum Zahnarzt.

> **Sehr geehrte Kunden!**
> **Wegen Urlaubs ist das Geschäft geschlossen.**
> **Ab 18. Juli sind wir wieder für Sie da.**
> **Vielen Dank für Ihr Verständnis!**

Einen Zweck angeben: „Wofür?" „Wozu?"

für	Ich wünsche dir viel Glück für die Prüfung.
zu	Wir gratulieren zum Geburtstag.

Herzlichen Glück- wunsch!

Modale Angaben machen: „Wie?" „Womit?" / „Mit wem?"

mit	Ayse kommt mit ihrem Freund zu Besuch.
	Mit sechs Jahren gehen Kinder in die Schule.
ohne	Herr und Frau Mair fahren ohne ihre Kinder weg.
in	„Ärzte ohne Grenzen" helfen Menschen in Not.

„Nicht mit dir, aber auch nicht ohne dich!"

A2 **Ü 1** Was passt zusammen? Notieren Sie.

1. Karl arbeitet immer in der Nacht,   *E*   A man darf während der Arbeit nicht rauchen.
2. Karl sagt, er ist nie müde   ....   B sie möchte bis zur Rente dort bleiben.
3. Irina ist schon lange in Deutschland, ...   C er hat vor 40 Jahren die Lehre gemacht.
4. In Irinas Firma gibt es eine Vorschrift, ... D bei der Arbeit, aber dafür nach der Arbeit.
5. Petar ist schon sehr lange Koch, ...   E von zehn bis in der Früh um sechs.
6. Dora gefällt ihr Arbeitsplatz sehr gut, ...   F seit sieben Jahren lebt sie in Krefeld.

A2 **Ü 2** Ergänzen Sie Präposition und Artikelwort in der passenden Form.

1. Anna lebt *in einer* (eine) Kleinstadt.
2. Dort lebt sie .... (ihre) Familie.
3. Das Haus liegt .... (der) Stadtrand.
4. Sie fährt mit dem Auto .... (die) Arbeit.
5. Sie muss quer .... (die) Stadt fahren.
6. Anna braucht 10 Minuten .... (die) Firma.
7. Sie stellt das Auto .... (der) Parkplatz.
8. .... (der) Parkplatz gibt es Bäume.
9. Bei Sonne stellt sie ihr Auto .... (ein) Baum.

Ü 3 Welche Präposition passt? Kreuzen Sie an. A2

1. Der Sprachkurs fängt ☐ bei ☐ seit ☒ um <u>11.30 Uhr</u> an.
2. Der Kurs findet ☐ seit ☐ vor ☐ zu <u>einer Woche</u> statt.
3. Die Studenten arbeiten gern ☐ mit ☐ aus ☐ von <u>ihrer Lehrerin</u>.
4. Sie haben ☐ in ☐ für ☐ auf <u>drei Wochen</u> eine Prüfung.
5. Sie lernen viel ☐ um ☐ für ☐ an <u>die Prüfung</u>.
6. Nora möchte ☐ nach ☐ auf ☐ seit <u>dem Kurs</u> eine Reise machen.

Ü 4 Welche Antworten passen zu den Fragen? Notieren Sie. B1

A für meine Schwester • B trotz ihrer Eltern • C für neue Kleider • D aus Liebe
E für meine Arbeit • F ohne einen Freund • G wegen seiner Grippe • H aus Plastik
I durch Zufall • J mit dem Bus • K vor großen Hunden • L zum Geburtstag

1. Wie fahren Sie zur Arbeit? J
2. Für wen ist das Geschenk? ......
3. Wozu kann man dir gratulieren? ......
4. Warum ist Maria von München nach Athen gezogen? ......

5. Warum muss Max zum Arzt? ......
6. Woraus ist das gemacht? ......
7. Wovor hast du Angst? ......
8. Wofür brauchst du das Geld? ......

Ü 5 Ergänzen Sie die passende Präposition und – wenn nötig – das Artikelwort. B1

Arno, Eva und Klaus packen die Sachen (1) _ins_ Auto (das).
Sie fahren (2) .... Frankreich in Urlaub. Sie fahren sehr früh
(3) .... Frankfurt weg. Sie fahren von Frankfurt (4) ....
Lyon nach Avignon. In der Nähe (5) .... Avignon fahren sie
(6) .... ein...... Campingplatz (der).
Sie packen alle Sachen (7) .... Auto (das). Die nächsten
zwei Wochen schlafen sie (8) .... Zelt (das). Das Zelt steht
(9) .... ein...... Baum (der). So können sie bequem
(10) .... Schatten (der) sitzen.
Ein paar Mal fahren sie auch (11) .... Meer (das), vor allem
(12) .... Klaus, weil er so gern (13) .... Meer (das)
schwimmt. (14) .... zwei Wochen ist der Urlaub vorbei.

Adverbien

Lukas und Toby gehen gern spazieren.

Morgens gehen sie im Park spazieren.

Toby kennt den Weg: er rennt geradeaus.

A 1 Ergänzen Sie die Adverbien aus dem Text in der Satzklammer.

		Satzklammer	
Lukas und Toby	gehen	*gern*............	spazieren.
....	gehen	sie im Park.	spazieren.
Er	rennt	....	
		Mittelfeld	

> **R** Adverbien sind unveränderlich. Sie werden nicht dekliniert und – bis auf wenige Aus-
> nahmen – nicht gesteigert. Im Satz stehen sie meistens im .... oder auf
> Position ....: Sie gehen **morgens** im Park spazieren. **Morgens** gehen sie im Park spazieren.
> R

Die folgenden Adverbien haben Steigerungsformen:

gern	lieber	am liebsten
oft	öfter	am öftesten / am häufigsten
bald	eher	am ehesten

⇨ 7.3 Komparation der Adjektive: Komparativ und Superlativ, S. 119

A 2 Tragen Sie die Adverbien in die Übersicht ein.

Vorgestern wollte ich zum ersten Mal bei einer Frau privaten Deutschunterricht nehmen und ich war auf dem Weg dorthin. Ich war noch nie in dieser Gegend, deswegen habe ich mich verlaufen. Ein Mann hat mir den Weg erklärt: „Gehen Sie die erste Straße links, dann die zweite rechts, dann ..." Ich habe noch lange gesucht, aber ich habe die Wohnung nicht gefunden. Bei mir zu Hause war dann eine Nachricht auf dem Anrufbeantworter: Es war die Lehrerin, sie hatte ein Problem mit ihrem Auto und musste leider die Unterrichtsstunde absagen. Jetzt haben wir einen neuen Termin ausgemacht. Ich habe gerade auf dem Stadtplan nachgesehen, wo die Wohnung ist. Hoffentlich finde ich sie morgen ...

temporal	lokal	kausal	modal
(Wann? Wie lange?)	(Wo? Wohin? Woher?)	(Warum?)	(Wie?)
vorgestern,	*dorthin,*	*deswegen*	

> Zu den Adverbien zählen auch die Verbindungsadverbien (daher, deshalb, deswegen, trotzdem) und die Pronominaladverbien (damit, dafür, darüber ...).
>
> Ich habe mich sehr **darüber** geärgert, dass ich die Wohnung nicht gefunden habe.

⇨ 13.1.2 Verbindungsadverbien, S. 178
6.2 „wo(r)-" + Präposition, S. 110

So können Sie auch sagen:

Adverb	**adverbiale Angabe**
Wir waren **vorgestern** schwimmen.	Wir waren **am Dienstag** schwimmen.
Lukas und Toby sind oft **hier**.	Lukas und Toby sind oft **im Park**.
Das Wetter ist schlecht, **deswegen** gehen sie nur kurz spazieren.	**Wegen dem schlechten Wetter** gehen sie nur kurz spazieren.

Mehrere Adverbien in einem Satz

Die lokalen Adverbien stehen meistens am Ende des Mittelfelds. Die Reihenfolge der anderen Adverbien ist relativ frei: Ich kann **deswegen heute gerne zum Bahnhof** fahren.

Betonte Position für Adverbien und Angaben

– am Ende des Mittelfelds (lokale Adverbien und Angaben stehen trotzdem meistens am Ende des Mittelfelds.): Ich kann **deswegen gerne <u>heute</u> zum Bahnhof** fahren.
– auf Position 1: <u>Deswegen</u> kann ich **heute gerne zum Bahnhof** fahren.

> **Adverbien in Sätzen mit „nicht"**
> Temporale und kausale Adverbien stehen im Mittelfeld meistens vor der Negation:
> Ich kann **heute trotzdem** <u>nicht</u> kommen.
> Modale und lokale Adverbien stehen nach der Negation:
> Ich mache das <u>nicht</u> **gern**. Du sollst <u>nicht</u> **rechts** fahren!

⇨ 11.1 Negation mit „nicht" oder mit „kein", S. 158

———————— **Adverbien** ————————

Ü 1 In diesem Text finden Sie sieben Adverbien. Markieren Sie diese.

Bald sind wir da! Ich freue mich schon auf das Meer. Gestern waren wir alle in der Arbeit und in der Schule, heute Morgen sind wir losgefahren und in einer Stunde sind wir da. Auf der langen Autofahrt haben wir viele kurze Pausen gemacht und mittags sind wir Essen gegangen.

A2 **Ü 2** Schreiben Sie die Sätze neu. Beginnen Sie den Satz mit dem unterstrichenen Adverb.

1. Ich kann <u>heute</u> nicht arbeiten.
2. Wir kommen euch <u>gerne</u> besuchen.
3. Wir haben <u>morgen</u> eine wichtige Besprechung.
4. Er isst morgens <u>am liebsten</u> ein Müsli.
5. Sie ist <u>immer</u> fröhlich.

1. Heute kann ich nicht arbeiten.

B1 **Ü 3** Ergänzen Sie die Adverbien. Es gibt mehrere Möglichkeiten.

1. Ich habe einen Termin beim Zahnarzt. (morgen, leider)
2. Er geht spazieren. (draußen, gerne)
3. Sie geht ins Kino. (abends, oft)
4. Er ist müde. (immer, morgens)
5. Sie geht schwimmen. (oft, dienstags, allein)
6. Ich habe gewartet. (heute, lange)

1. Ich habe morgen leider einen Termin beim Zahnarzt. / Leider habe ich …

B1 **Ü 4** Verneinen Sie die Sätze mit „nicht".

1. Das machen wir gerne.
2. Der Koffer ist hier oben.
3. Sie werden morgen kommen.
4. Er kann nachmittags schlafen.
5. Sie hat früher in Paris gewohnt.
6. Da vorne kannst du links fahren.

1. Das machen wir nicht gerne.

9.1 Temporaladverbien

A 1 Welchen Zeitbezug drückt das Adverb aus? Kreuzen Sie an.

	Zeitpunkt (wann?)	Häufigkeit (wie oft?)	Reihenfolge (was, wann?)	Wiederholung (immer wieder)
1. Wir essen jetzt .	X			
2. Wir sehen uns oft .				
3. Sehen wir uns morgen ?				
4. Mittags geht sie spazieren.				
5. Ich komme heute später .				
6. Danach komme ich zu Ihnen.				
8. Damals hatte ich wenig Zeit.				
9. Manchmal geht er joggen.				
10. Kannst du das zuerst machen?				

mittags = oft am Mittag   ebenso: **Tageszeiten:** morgens, vormittags, mittags, nachmittags, abends, nachts
Wochentage: montags, dienstags, mittwochs, ... und werktags, feiertags

A 2a Ordnen Sie die Adverbien auf der Zeitskala.

bald • gestern • heute • jetzt • morgen • damals • früher
später • gerade • gleich • nachher • vorher

Vergangenheit		Gegenwart	Zukunft
lange her vor kurzem		jetzt	

d _ _ _ _ _ _   v _ _ _ _ _ _   g _ _ _ _ _   g _ _ _ _ _   m _ _ _ _ _
f _ _ _ _ _   g _ _ _ _ _ _   j _ _ _ _   n _ _ _ _ _ _   b _ _ _
h _ _ _ _   s _ _ _ _ _

A 2b Häufigkeit: Ergänzen Sie „manchmal", „meistens", „oft", und „selten" in der Übersicht.

immer .... nie

Reihenfolge: zuerst – dann – danach – zuletzt
Zuerst ging er ans Meer, dann ...

⇨ 8.5 Was man mit Präpositionen machen kann, S. 141
Verbindungsadverb „dann", S. 178
16.2 Textzusammenhang: Zeit- und Ortsangaben, S. 217

9 _____ Adverbien _____

A2 **Ü 1**   Wie können Sie es anders sagen? Verwenden Sie Adverbien.

1. Sie steht <u>jeden Morgen</u> um 7.30 Uhr auf.
2. Nur an <u>den Sonntagen</u> kann sie länger schlafen.
3. <u>Jeden Mittag</u> geht sie in den Park und isst etwas.
4. <u>Am Abend</u> sieht sie oft fern.
5. <u>An den Montagen</u> geht sie meistens mit einer Freundin schwimmen.

> *1. Sie steht morgens um ...*

A2 **Ü 2**   Schreiben Sie Sätze. Beginnen Sie mit den unterstrichenen Elementen.

1. <u>wir</u> / wiedersehen / uns / bald / müssen / .
2. sie / <u>morgen</u> / zur Post / gehen / .
3. <u>ich</u> / anrufen / dich / später / .
4. er / zu Hause sein / abends / <u>diese Woche</u> / .
5. ich / kommen / nach Hause / <u>heute</u> / später / .

> *1. Wir müssen uns bald ...*

B1 **Ü 3**   Welches Adverb passt?

1. Ich bin kein Vegetarier, aber ich esse _ _ _ _ _ _ Fleisch.
   ₁
2. Wir lieben die Berge! Wir fahren _ _ _ _ _ in die Berge.
   ₅
3. Wann merkst du dir das endlich? Ich habe dir das schon so
   _ _ _ gesagt.
   ₂
4. Ich bin überhaupt nicht sportlich. Ich mache _ _ _ Sport.
   ₃
5. Mir gefällt es gut hier, aber _ _ _ _ _ _ _ möchte
   ₄
   ich woanders wohnen.

manchmal • selten
nie • oft • immer

Lösungswort: _ _ _ _ _

B1 **Ü 4**   Ergänzen Sie die passenden Adverbien in den Dialogen. Es gibt oft mehrere Möglichkeiten.

> bald • nachher • gestern • jetzt • gleich • gerade • jetzt • später • morgen

● Komm mal schnell!
○ Ich kann *jetzt* .... (1) nicht.
  Ich koche .... (2).

▲ Bist du endlich fertig?
▷ .... (3)! Ich brauche noch eine Minute.

● Hoffentlich sehen wir uns .... (4) wieder!
○ Ja, hast du .... (5) Zeit?

▷ Wir machen eine telefonische Umfrage.
▲ Tut mir leid. Ich habe .... (6) keine Zeit.
▷ Kann ich .... (7) noch einmal anrufen?

● Sollen wir noch zusammen abwaschen?
▷ Nein, nein. Ich mache das .... (8).

▲ Was hast du .... (9) gemacht?
▷ Nichts. Ich war zu Hause.

9.2 Lokaladverbien

> Ich habe die Schlüssel doch hier oben auf das Regal gelegt. Rosi, wo sind die Schlüssel?
>
> Keine Ahnung. Schau mal hinten bei den Zeitschriften. Dahin legst du sie doch öfter. Weiter rechts, ja unten, bei den Fernsehprogrammen.

> Ich komme gerade von draußen. Was glaubt ihr, was ich an der Tür gefunden habe? – Die steckten außen!
>
> Äh, na so was. Die habe ich schon überall gesucht!

A 1 Schreiben Sie die Adverbien bzw. Präposition + Adverb in die Übersicht.

Wo?	Wohin?	Woher?
hier oben,	dahin,	von draußen,

A 2 Ergänzen Sie die Übersicht aus A1 mit den folgenden Adverbien bzw. Präposition + Adverb.

nach oben • geradeaus • von links • links • von rechts • dort • draußen
drinnen • heim • hin • her • hinten • innen • unten • vorn(e) • zurück
nach rechts • drüben • entlang • hierhin • rauf • raus • rein
runter • von drinnen • von hinten • von vorn(e) • nach links

In der gesprochenen Sprache verwendet man meistens „rauf", „raus", „rein" und „runter" für „herauf" oder „hinauf", „heraus" oder „hinaus" usw.

> Komm bitte (he)runter!
>
> Ich will nicht (hin)unter! Komm du doch (he)rauf!

Adverbien

Oft verwendet man zwei Lokaladverbien in einem Satz.
Die Schlüssel liegen **hier hinten**. Sie sind **dort drüben**. Schau mal **unten rechts**.

So können Sie es auch sagen:

Adverb	Adjektiv	Präposition
Es ist die Tür da **hinten**.	Es ist die **hintere** Tür.	Es ist die Tür **hinter** dem Durchgang.
Besteck ist in der Schublade **oben**.	Besteck ist in der **oberen** Schublade.	Besteck ist in der Schublade **über** den Töpfen.

Eine Richtung angeben

Wohin?

nach + Lokaladverb
Wir gehen **nach draußen**.

X ⟶

Woher?

von + Lokaladverb
Wir kommen **von draußen**.

X ⟵

Lokaladverbien, die sich auf ein Substantiv beziehen, stehen direkt hinter dem Substantiv:
Siehst du das Auto dahinten?
Das gilt auch, wenn das Substantiv auf Position 1 steht:
Der Hund **draußen** bellt schon den ganzen Tag.

A1 **Ü 1**   „Rechts", „links" oder „geradeaus": Ergänzen Sie die Wegbeschreibung zum Hotel.

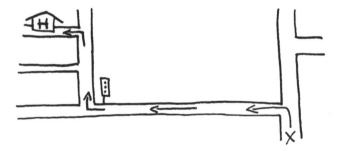

Zum Hotel gehen Sie hier die Straße

links................... (1), dann weiter ....

(2) bis zur Ampel. An der Ampel gehen Sie

dann .... (3) und die zweite

Straße wieder .... (4). Da ist dann

das Hotel.

Adverbien

Ü 2 Ergänzen Sie.

A2

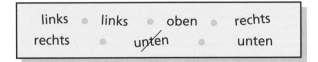

| links • links • oben • rechts |
| rechts • unten • unten |

Unten ....(1).... ....(2).... ist eine Bäckerei und

....(3).... ....(4).... ist ein

Supermarkt. ....(5).... ....(6).... ist

ein Café und ....(7).... ist ein Kino.

Ü 3 Was ist wo? Beschreiben Sie.

B1

| draußen • überall im Regal |
| rechts auf dem Boden • vorne auf dem Tisch |
| hinten auf dem Tisch • hinten rechts |

1. Vase   3. Bücher   5. Hund
2. Zeitschriften   4. Teller und Gläser   6. Fernseher

> 1. *Die Vase steht rechts auf dem Boden.*

Ü 4 „Wo?", „Wohin?" oder „Woher?" – Ergänzen Sie: „(nach / von) draußen", „(nach / von) oben" und „(nach / von) drinnen".

B1

○ Ich gehe ....*nach draußen*.... (1) auf den Balkon, komm doch mit!

● Nein, ich gehe lieber .... (2) in mein Zimmer. Ich will .... (3) noch

   ein bisschen fernsehen.

○ Bei dem Wetter darf man doch nicht .... (4) bleiben! Los, komm schon. Wir

   gehen ein bisschen .... (5).

● Du, ich komme gerade .... (6) und ich möchte jetzt wirklich lieber

   .... (7) bleiben. Warum gehst du nicht alleine .... (8)?

Adverbien

9.3 Was man mit Adverbien machen kann

Zeitangaben machen	**Vorgestern** war das Wetter sehr schön. Ich habe **jetzt** keine Zeit. Wir gehen **morgen** Ski fahren. ⇨ 9.1 Temporaladverbien, S. 147
Reihenfolge angeben	**Zuerst** musst du den Deckel abmachen. **Dann** kannst du die Dose öffnen. **Danach** machst du sie bitte wieder zu. Und **zuletzt** stellst du sie bitte in den Kühlschrank. ⇨ 9.1 Temporaladverbien, S. 147
Häufigkeit ausdrücken	Im Bus hört er **immer** Musik. Wir sind **öfter** in diesem Restaurant. Er geht **manchmal** joggen. ⇨ 9.1 Temporaladverbien, S. 147
Zeitdauer ausdrücken	Ich musste auf der Post sehr **lange** warten. ⇨ 9.1 Temporaladverbien, S. 147
Ortsangaben machen	Toby ist **draußen**. Frage: Wo? Toby geht <u>nach</u> **draußen**. Frage: Wohin? → „nach" + Lokaladverb Toby kommt <u>von</u> **draußen**. Frage: Woher? → „von" + Lokaladverb ⇨ 9.2 Lokaladverbien, S. 149
Gründe angeben	Ich kenne den Weg nicht, **deswegen** brauche ich Hilfe. ⇨ 9 Adverbien, S. 144
Art und Weise angeben	Ich mache das sehr **gern**. ⇨ 9 Adverbien, S. 144
Sätze verbinden	Ich habe wenig Zeit, **trotzdem** komme ich zu deinem Fest. ⇨ 9 Adverbien, S. 144 13.1.2 Verbindungsadverbien, S. 178
Bezüge im Text herstellen	Heute muss ich lange arbeiten. Ich ärgere mich sehr **darüber**. ⇨ 9 Adverbien, S. 144

Ü 1 Formulieren Sie die Sätze um. Verwenden Sie Adverbien.

B1

1. Gusai ist krank. <u>Wegen seiner Erkältung</u> konnte er gestern nicht zu der Feier kommen.
2. Wenn er gesund ist, geht er wieder <u>jeden Donnerstag</u> joggen.
3. Hoffentlich ist er <u>in wenigen Tagen</u> wieder gesund.
4. Er fährt mit dem Bus <u>zum Arzt</u>.

> 1. Gusai ist krank. Deswegen konnte er gestern ...

Ü 2 Beschreiben Sie, was man in dem Rezept tun soll. Verwenden Sie Adverbien um die Reihenfolge der Schritte deutlich zu machen.

B1

Zwiebeln und   in Öl anbraten   Tomatenstücke dazu-   würzen
Knoblauch schneiden   geben

> Zuerst schneiden Sie die Zwiebeln und ... dann/danach ... anschließend/danach/dann ... zuletzt

Ü 3 Ergänzen Sie in jeder Lücke ein passendes Adverb.

B1

öfter • abends • deswegen • heute • oft • dann • gern • dorthin

Ayla arbeitet in einem Reisebüro und sie sitzt viel am Computer. Wenn sie _abends_ (1) nach Hause geht, hat sie sehr _____ (2) Rückenschmerzen. _____ (3) will sie mehr Sport machen. Sie schwimmt sehr _____ (4) und sie überlegt schon seit Tagen, ob sie Mitglied in einem Schwimmclub werden soll. _____ (5) Abend geht sie endlich zum Club um sich anzu-melden. Als sie am Abend _____ (6) kommt, ist niemand da: Der Schwimmclub hat geschlos-sen! Ayla ärgert sich, aber _____ (7) hat sie eine andere Idee: Sie geht ins Schwimmbad und schwimmt einen Kilometer – einfach so, ohne Schwimmclub. Sie nimmt sich fest vor, von jetzt an _____ (8) schwimmen zu gehen.

10

10.1 Modalpartikeln

> Stehst du jetzt mal auf?

> Was machst du denn? Ich will doch noch schlafen!

Mit Modalpartikeln kann man Äußerungen emotional betonen. Man verwendet Modalpartikeln vor allem in der gesprochenen Sprache. Ein Satz ist auch ohne Modalpartikeln grammatisch korrekt:
Hör **doch** auf!   Hör auf!

A 1a Vergleichen Sie die Sätze und markieren Sie die Modalpartikeln in Satz 1und 2.

1. Stehst du jetzt mal auf?
2. Ich will doch noch schlafen!

3. Stehst du jetzt auf?
4. Ich will noch schlafen!

A 1b Welche Umschreibung passt zu den Sätzen 1 und 2 aus A1a?

Satz 1: ☐ Toby ist ungeduldig.
Satz 2: ☐ Lukas ist ungeduldig.

☐ Toby freut sich.
☐ Lukas ist genervt.

A 2 Ergänzen Sie rechts die passenden Partikeln.

Tschüs! – Ja, tschüs. Ruf mich morgen mal an. Hast du morgen vielleicht Zeit?	(höfliche) Aufforderung oder Frage: .... , ...
Ich habe aber keinen Hunger! Ich will dir die Autoschlüssel aber nicht geben!	Verstärkung einer Aussage mit Negation: ....
Blumen, vielen Dank! Das ist aber nett. Das ist ja toll!	Überraschung: .... , ...
Wo bleibt Paul? – Er hat wohl verschlafen.	Vermutung: ....
Wo bleibst du denn? Stehst du jetzt mal auf?	Verstärkung einer Frage, Vorwurf: .... , ...
Sag doch was. – Ich habe doch was gesagt!	Vorwurf, Rechtfertigung: ....

R ▷ Modalpartikeln stehen meistens in der Mitte des Satzes nach dem konjugierten Verbteil.
Sie sind unveränderlich. Oft stehen mehrere Modalpartikeln in einem Satz.
Kannst du mir **dann vielleicht mal** die Zeitung geben?

R

Die Bedeutung der Modalpartikeln hängt sehr stark vom Kontext und auch von der Betonung ab.
Könnten Sie bitte **mal** das Fenster öffnen? (höfliche oder fordernde Frage)

Partikeln

Ü 1 Welcher Satz passt zu welcher Situation?

B 1

1. Sie sind überrascht und freuen sich. ..B..
2. Sie haben eine Vermutung. .....
3. Sie bitten jemand höflich um etwas. .....
4. Sie rechtfertigen sich. .....

A Das habe ich doch schon erledigt.
B Das hätte ich ja nie gedacht!
C Sie steht wohl im Stau.
D Könnten Sie vielleicht zu mir kommen?

Ü 2 Ergänzen Sie die Partikeln.

B 1

denn • ~~mal~~ • aber • doch • ja

1. Entschuldigung, könnten Sie mir bitte _mal_ helfen?
2. Wie bitte? Sie haben kein Zimmer für mich reserviert?
   Das ist .... nicht in Ordnung!
3. Aua, du bist mir auf den Fuß getreten. Pass .... auf!
4. Das ist sehr schön, dass du mir morgen helfen willst.
   Hast du .... wirklich Zeit?
5. Und du willst uns wirklich beim Umzug helfen?
   Das ist .... nett von dir.

aus NICHTLUSTIG 2,
© CARLSEN Verlag GmbH, Hamburg 2004

Ü 3 Ergänzen Sie.

B 1

doch • ~~mal~~ • ja • wohl • mal • wohl • vielleicht

● Ich habe vorgestern ein neues Auto gekauft. Rate _mal_ .... (1), was gestern war!

○ Du hattest .... (2) Ärger mit dem Auto?

● Genau! Ich bin morgens kurz zum Schwimmen gefahren und wollte wieder nach Hause. Ich steige also ins Auto und nichts passiert! Dabei hatte ich .... (3) alles ganz normal ausgeschaltet.

○ Das gibt es .... (4) gar nicht!

● Doch! Ich habe dann bei der Servicenummer angerufen und gefragt, ob .... (5) schnell jemand kommen kann. Ich musste ja in die Arbeit.

○ Und, was war kaputt?

● Keine Ahnung. Jetzt ist das Auto in der Werkstatt und die werden mich .... (6) bald anrufen. Und rate .... (7), wie viele Kilometer ich insgesamt mit dem Auto gefahren bin: 45!

10.2 Dialogpartikeln

- Hast du Hunger?
- ○ Nein! Ich will nichts essen.
- Magst du was trinken?
- ○ Ja! Einen Tee.
- Soll ich das Radio anmachen?
- ○ Gern. Aber nicht so laut.
- Magst du vielleicht doch ein Stück Kuchen?
- ○ Na ja. Ich weiß nicht.
- Also ich bring dir einfach ein Stück.
- ○ Okay.
- Du hast keine Taschentücher mehr.
- ○ Doch. Hier sind noch welche.

A 1 Markieren Sie die Dialogpartikeln in den Antworten.

A 2a Welche Bedeutung haben die Partikeln? Ordnen Sie in der Übersicht zu.

A 2b Ordnen Sie auch die folgenden Partikeln in der Übersicht zu.

Freust du dich? – Sehr!   Ich komme morgen um 8 Uhr. – Gut.
Sind alle da? Dann können wir jetzt anfangen. – Genau!   Ich mache heute Lasagne. – Super!

Bejahen, Zustimmen:	ja............ , ... , ... , ... , ... , ...
Zögern, Zweifeln:	....
Verneinen, Widerspruch:	.... , ...

> **R** Dialogpartikeln sind Antworten im Gespräch. Sie können alleine stehen und ersetzen dann einen ganzen Satz.
>
> Hast du Hunger? – **Nein.** / Nein, ich habe keinen Hunger.
>
> Hast du keinen Hunger? **Doch.** / Doch, ich habe Hunger.

⇨ Fragesätze, Antwort mit „doch", S. 167

Auch „danke" und „bitte" sind Dialogpartikel.
- Ich bringe dir einen Tee.
- ○ Danke!
- Bitte.

Ü 1 Was passt zusammen?

◄ A2

1. Willst du heute Abend ins Kino gehen? *E*

2. Ich möchte „Sonnenallee" sehen. ....

3. Kannst du Karten für uns reservieren? ....

4. Dann reserviere ich zwei Kinokarten für uns. ....

5. Dann treffen wir uns um halb acht vor dem Kino? ....

6. Also dann, bis später! ....

A Super, vielen Dank!

B Ja, gern. Da komme ich mit.

C Genau! Bis später!

D Nein. Ich habe gleich einen Termin.

E Na ja, das kommt auf den Film an.

F Gut, ich komme pünktlich.

Ü 2 Ergänzen Sie.

◄ B1

gern • ja • sehr • genau • nein • ~~na ja~~ • gut

● Hallo Martin, wie war dein Tag?

○ *Na ja* .... (1), es geht so. Ich hab viel zu tun. Und du, hattest du auch viel Arbeit?

● .... (2). Ich hatte heute frei und war baden. Morgen will ich wieder an den See fahren. Kommst du mit?

○ .... (3)! Ich hab noch nichts vor und baden gehen wollte ich schon letztes Wochenende. Du willst bestimmt mit dem Fahrrad fahren, oder?

● Ja, ... (4). Ich komm um 9 Uhr zu dir, okay?

○ .... (5), dann bis morgen um neun.

● Freust du dich?

○ .... (6), ... (7)!

aus NICHTLUSTIG 2,
© CARLSEN Verlag GmbH, Hamburg 2004

Ü 3 Welcher Dialogpartikel passt nicht? Streichen Sie sie durch. Es können auch zwei Partikeln falsch sein.

◄ B1

1. Schmeckt dir der Tee? | Ja! | Sehr! | ~~Doch!~~

2. Kannst du heute nicht kommen? | Doch! | Ja! | Super!

3. Gehen wir tanzen? | Okay! | Doch! | Gern!

4. Wir sollten jetzt losfahren. | Genau! | Gut! | Doch!

Negation

11.1 Negation mit „nicht" oder mit „kein"?

A 1 Markieren Sie alle Sätze, die verneint sind.

Ich habe keine Lust mitzukommen. Er hat heute Zeit. Sie kommt heute sicher nicht.

Ich esse kein Fleisch. Das ist Herr Wertenschlag. Ich habe keine Ahnung.

Ich nehme eine Pizza.

Wir können leider nicht schwimmen. Ich habe gestern Abend nicht angerufen.

> **R1** Mit „nicht" kann man Sätze oder Wörter verneinen, „kein" steht nur vor Substantiven. **R1**

⇨ 4.2 Negationsartikel, S. 86

Position von „nicht": Verneinung des ganzen Satzes

A 2 Schreiben Sie die Sätze mit „nicht" aus A1 in die Übersicht.

	1		2	
Sie	kommt		heute sicher nicht.	
Wir	....	....		schwimmen.
Ich	....	....	....	

> **R2** Wenn „nicht" einen ganzen Satz verneint, steht es möglichst weit hinten, am Ende des Satzes oder vor dem 2. Teil der Satzklammer. **R2**

Position von „nicht": Verneinung eines Satzteils

A 3 Welche Fortsetzung passt?

1. Sie kommt heute **nicht**.   *C*
2. Sie kommt **nicht** heute.   ....
3. Ich habe **nicht** angerufen.   ....
4. **Nicht** ich habe angerufen.   ....

A Ich habe gestern überhaupt nicht telefoniert.
B Das muss jemand anders gewesen sein.
C Sie hat keine Zeit.
D Sie kommt morgen.

> **R1** Wenn „nicht" einen Satzteil verneint, steht es direkt .... diesem Satzteil. **R1**

Satzteil-Verneinungen mit „nicht" werden oft mit „sondern" fortgesetzt.
Nicht ich habe angerufen, **sondern** mein Bruder.

Negation

Ü 1 „nicht" oder „kein"? Verneinen Sie die Sätze. ◁ A1

1. Ich gehe heute arbeiten. *Ich gehe heute nicht arbeiten.*
2. Es regnet. ....
3. Er hat eine Katze. ....
4. Das Wetter ist schön. ....
5. Ich habe Durst. ....

Ü 2 Im Hotel: „nicht" oder „kein"? Ergänzen Sie. ◁ A2

● Guten Tag. Ich hätte gern ein Einzelzimmer für vier Nächte bitte.

○ Haben Sie das Formular schon ausgefüllt?

● Oh, nein das habe ich noch *nicht* (1) ausgefüllt. Moment. ... Entschuldigung, hier steht: E-Mail-Adresse. Ich habe aber .... (2) E-Mail-Adresse. Was soll ich jetzt machen?

○ Na, wenn Sie .... (3) E-Mail-Adresse haben, dann können Sie das Feld .... (4) ausfüllen. Das macht nichts.

Ü 3 Satz-Verneinung oder Satzteil-Verneinung? Kreuzen Sie an. ◁ A2

	Satz-Verneinung	Satzteil-Verneinung
1. Er hat nicht gestern angerufen, das war vorgestern.		×
2. Nicht ich habe das gesagt, sondern er.		
3. Er hat nicht geschrieben.		
4. Wir gehen morgen nicht Ski fahren.		
5. Gehen Sie nicht am Sonntag in die Ausstellung, da ist es so voll.		

Ü 4 Schreiben Sie die Antworten. ◁ A2

1. Kommst du heute mit ins Kino? – Nein, / nicht / mit / komme / ich
2. Gehst du mit joggen? – Nein, / ich / heute / mag / joggen / nicht
3. Hast du gut geschlafen? – Nein, / nicht / ich / konnte / schlafen
4. Hast du heute einen Vortrag? – Nein, / ich / nicht / habe / einen Vortrag / sondern / mein Kollege

1. Nein, ich komme nicht mit.

11.2 Negationswörter

Am Wochenende: Ein ganz normales Mittagessen

Katarina:	Mama, die Marilena soll aufhören, die ärgert mich.
Marilena:	Ich hab doch gar nichts gemacht!
Mutter:	Was ist da los? Gebt jetzt bitte beide Ruhe.
Katarina:	Nein, erst wenn mich die Marilena in Ruhe lässt.
Vater:	Was macht sie denn? Ich sehe und höre nichts.
Katarina:	Die schaut mich immer so komisch an.
Marilena:	Ich schau dich gar nicht komisch an!
Katarina:	Die Marilena lässt mich nie in Ruhe, die ärgert mich immer!
Mutter:	Ach komm, hör auf, niemand ärgert dich!

A 1 Markieren Sie im Text alle Wörter, die etwas verneinen.

A 2 Welche Wörter bedeuten das Gegenteil?

~~etwas / alles~~ • überall

jemand / alle • ~~schon~~

immer • ~~noch~~

aus NICHTLUSTIG 3,
© CARLSEN Verlag GmbH, Hamburg 2005

nichts	*etwas / alles*	nirgends	....
niemand	....	nicht mehr	*noch*
nie	....	noch nicht	*schon*

⇨ Indefinitpronomen „kein", S. 98

Die Partikel „gar" verstärkt die Negation von „nichts" und „nicht". Sie steht direkt vor „nichts" oder „nicht".

Ich habe nichts gemacht.	Ich habe **gar** nichts gemacht.
Ich habe heute nicht gearbeitet.	Ich habe heute **gar** nicht gearbeitet.

Negation

Ü 1 „nie", „nichts" oder „nicht"? Ergänzen Sie.

Heute ist leider gar _nicht_ (1) mein Tag: Am Morgen habe ich verschlafen, ich habe .... (2) gehört, keinen Wecker und kein Radio! Dann habe ich auch noch die U-Bahn verpasst. Mein Chef fand das .... (3) lustig. Er war sehr wütend. Ich arbeite jetzt schon drei Jahre für ihn und bin noch .... (4) zu spät gekommen! Das habe ich meinem Chef auch gesagt, aber er meinte nur: „Das interessiert mich .... (5). Heute Morgen war eine sehr wichtige Besprechung und ich habe mich auf Sie verlassen!"

Ü 2 Schreiben Sie das Gegenteil.

1. <u>Alle</u> haben es gesehen.   *Niemand hat es gesehen.*
2. Er hat in der WG <u>immer</u> gekocht.   ....
3. Ich habe dir <u>etwas</u> mitgebracht.   ....
4. Dieses Buch findet man <u>überall</u>.   ....
5. Sie hat <u>alles</u> organisiert.   ....

Ü 3 „noch nicht", „gar nichts" oder „noch nie"? Ergänzen Sie.

1. Gefällt dir das Buch? – Ich habe es _noch nicht_ gelesen.
2. Hast du heute schon etwas gegessen? – Nein, ich habe noch .... gegessen.
3. Hast du die Kinokarten reserviert? – Nein, das habe ich .... gemacht.
4. Weißt du, wie man Nudeln selber macht? – Nein, das habe ich .... gemacht.
5. Hast du Tina die Blumen geschenkt? – Nein, damit habe ich .... zu tun.

Ü 4 Antworten Sie auf die Fragen. Verneinen Sie.

nicht mehr • ~~niemand~~ • noch nie • nichts mehr • nirgends • gar nicht

1. Kennst du jemand, der sich gut mit DVD-Rekordern auskennt?
2. Hast du am Wochenende viel gearbeitet?
3. Waren Sie schon einmal in einer Wüste?
4. Mein Auto ist kaputt, kann ich da noch was machen?
5. Kann man hier irgendwo schwimmen gehen?
6. Kannst du heute noch zu mir kommen?

1. Nein, ich kenne leider niemand, der sich gut mit DVD-Rekordern auskennt.

11.3 Negation durch Wortbildung

arbeitslos   Unfähigkeit   misslingen   Intoleranz   missverstehen   Unsicherheit

Missverständnis   intolerant   unsicher   unbedeutend   immobil   unwichtig

missverständlich   indirekt   rücksichtslos   kostenlos

A 1a   Schreiben Sie zu jeder Spalte zwei Beispiele aus den Wörtern oben.

un-	miss-	in- / im-	-los
....	....	....	....
....	....	....	....

A 1b   Welche Wortarten können mit den Silben verneint werden? Ergänzen Sie die Übersicht.

	Verb	Substantiv	Adjektiv
un-	- - -	*Unsicherheit,*	
miss-	*missverstehen,*		
in- / im-	- - -		*intolerant,*
-los	- - -	- - -	*kostenlos,*

> Wörter mit der Nachsilbe „-los" sind immer Adjektive.
> ebenso: „-frei", „-leer" und „-arm"
>
> koffein**frei** = ohne Koffein   inhalts**leer** = ohne Inhalt   schadstoff**arm** = mit wenig Schadstoffen

B1 ▷ **Ü 1**   Notieren Sie das Gegenteil der Wörter.

1. untypisch   *typisch* ....
2. misstrauen   ....

3. unsympathisch   ....
4. inkompetent   ....

B1 ▷ **Ü 2**   Verneinen Sie die Wörter.

1. **un-**   sicher, das Wetter, die Ruhe, wichtig
2. **miss-**   der Erfolg, verstehen, achten, glücken

3. **in-**   die Toleranz, direkt, diskret
4. **-los**   die Arbeit, der Respekt, der Sinn

> 1. unsicher, das Unwetter,

Negation

11.4 Was man mit Negation machen kann

Wörter verneinen	Ich habe Geld. – Ich habe **kein** Geld.
	Das Haus ist schön. – Das Haus ist **nicht** schön.
	Hast du **etwas** gekauft? – Nein, ich habe **nichts** gefunden.
	Er ist glücklich – Er ist **un**glücklich.

⇒ 11.1 Negation mit „nicht" oder mit „kein"?, S. 158
11.2 Negationswörter, S. 160
11.3 Negation durch Wortbildung, S. 162

Satzteile verneinen

Das ist <u>ein schöner Tag</u>. – Das ist **kein** <u>schöner Tag</u>.
Wir sehen uns heute Abend. – Wir sehen uns **nicht** heute Abend (, sondern morgen Abend).

⇒ 11.1 Negation mit „nicht" oder mit „kein"?, S. 158

Sätze verneinen

Ich schlafe. – Ich schlafe **nicht**.
Ich habe gestern viel gemacht. – Ich habe gestern (gar) **nichts** gemacht.

⇒ 11.1 Negation mit „nicht" oder mit „kein"?, S. 158
11.2 Negationswörter, S. 160

Ü 1 Verneinen Sie die unterstrichenen Elemente. **B1**

1. Ich hatte heute <u>Glück</u>.
2. Ich habe <u>ein gutes Restaurant</u> gefunden.
3. Dort konnte ich <u>etwas</u> essen.
4. <u>Die Bedienung hat mir die Speisekarte gebracht.</u>
5. Ich war sehr <u>zufrieden</u>.
6. Ich bin <u>lange</u> geblieben.

> 1. Ich hatte heute kein Glück.

Ü 2 Widersprechen Sie: Behaupten Sie das Gegenteil. **B1**

1. Unser neuer Nachbar ist sympathisch.
2. Er ist sehr höflich.
3. Er ist sehr hilfsbereit.
4. Er grüßt immer, wenn man ihn trifft.
5. Er fragt mich, wie es mir geht.

> 1. Das denke ich nicht. Ich finde unseren neuen Nachbarn unsympathisch.

12.1 Aussagesätze

Berlin <u>ist</u> die Hauptstadt von Deutschland. Die Stadt hat 3,5 Millionen Einwohner. Sie ist die zweit-größte Stadt in der EU. Bis 1989 teilte die Mauer die Stadt in Ost- und Westberlin.
In Berlin hat das Finale der Fußball WM 2006 stattgefunden.

A 1a Unterstreichen Sie die Verben im Text und markieren Sie die Subjekte.

A 1b Ergänzen Sie die Sätze in der Tabelle. Markieren Sie das Subjekt.

		Satzklammer	
Berlin	*ist*	die Hauptstadt von Deutschland.	
....	....	3,5 Millionen Einwohner.	
Sie	....	die zweitgrößte Stadt in der EU.	
Bis 1989	....	die Mauer die Stadt in Ost- und Westberlin.	
In Berlin	....	.... der Fußball WM 2006	stattgefunden.

R1 Im Aussagesatz steht das konjugierte .... an Position 2. Das Subjekt steht vor oder .... dem konjugierten Verb. **R1**

> Aussagesätze sind in einem Text oft miteinander verbunden:
> Berlin ist die Hauptstadt von Deutschland **und** hat 3,5 Millionen Einwohner.

⟹ 13.1 Hauptsatz und Hauptsatz, S. 173

A 2 Welche Information steht an Position 1? Ordnen Sie die Fragewörter „Wann?", „Wer?/Was?", „Wie?" und „Wo?" zu.

		Satzklammer		
Die Mauer	teilte	die Stadt Berlin in zwei Teile.		*Was?*
Am 9. November 1989	wurde	die Berliner Mauer	geöffnet.	....
Neugierig und glücklich	fuhren	viele Ostberliner in den Westen.		....
In der ganzen Stadt	feierten	die Menschen.		....

> Informationen, die man betonen möchte, stellt man oft an die erste Position.
> Ergänzungen im Dativ oder Akkusativ stehen nur selten an Position 1.

Satztypen und Verbstellung

Ü 1 Markieren Sie das Subjekt in den Sätzen. ◁A1

1. Heute ist Donnerstag, der 22. Dezember. 2. In zwei Tagen ist Weihnachten. 3. Viele Leute sind in der Stadt und kaufen Geschenke. 4. Die Geschäfte sind voll. 5. In allen Geschäften hört man Musik: Weihnachtslieder.

Ü 2a Wo muss das Verb stehen? Zeichnen Sie einen Pfeil. ◁A1
Ü 2b Schreiben Sie die Sätze.

1. Ines und Ranko ↓ einen Ausflug. (machen)
2. Sie mit dem Auto nach Seebüll. (fahren)
3. Ihr Freund Pavel auch mit. (kommen)

4. Ranko den Weg nicht. (finden)
5. An einer Ampel Ines einen Mann. (fragen)
6. Der nette Mann ihnen den Weg. (zeigen)

> 1. Ines und Ranko machen einen Ausflug.

Ü 3 Was hat Felix als Kind gemacht? Schreiben Sie die Sätze anders. ◁A2

1. Felix hat gern Fußball gespielt.
2. Er ist in die Schule gegangen.
3. Er hat neue Freunde getroffen.
4. Er hatte eine nette Lehrerin.
5. Er ist in eine andere Schule gekommen.
6. Die Schüler mussten viel lernen.

Als Kind *hat Felix gern Fußball gespielt.*
Mit sechs Jahren ....
Dort ....
Zuerst ....
Mit zehn ....
Da ....

Ü 4 Schreiben Sie einen Text. Stellen Sie die unterstrichene Information an Position 1. ◁A2

1. <u>ich</u> / für ein langes Wochenende / nach Berlin / fahren
2. ich / <u>die Geschichte von Berlin</u> / besonders interessant / finden
3. ich / <u>zuerst</u> / das Mauermuseum / besichtigen
4. ich / <u>dann</u> / zur Museumsinsel / gehen
5. ich / <u>von den langen Wegen</u> / müde werden
6. ich / <u>am Nachmittag</u> / mit dem Bus / eine Stadtrundfahrt / machen

> 1. Ich bin für ein langes Wochenende nach Berlin gefahren.

12.2 Fragesätze

A 1a Was passt zusammen? Notieren Sie zu jeder Frage die passende Kurzantwort.

A 1b Markieren Sie in beiden Spalten den Satzanfang.

> In der Grünerstraße.

> Ja, ich bin in Berlin geboren.

> Am 20.12.1984.

> Ja. Ich habe mir ein Sandwich gekauft.

> Am liebsten esse ich Fisch.

> Nein, ich habe leider schon einen Termin.

1. **Wann** sind Sie geboren?
   Am 20.12.1984.

2. Wo wohnen Sie?

3. Was ist dein Lieblingsessen?

4. **Hast** du schon gegessen?

5. Holen Sie mich am Bahnhof ab?

6. Sind Sie ein Berliner?

> **R1** Die Fragen beginnen mit einem ....-Wort (Fragewort). Man nennt Sie W-Fragen. **R1**

> **R2** Die Fragen beginnen mit dem konjugierten .... Man nennt sie Ja-/Nein-Fragen. **R2**

A 2 Ergänzen Sie die W-Fragen in der Tabelle.

Wann kannst du zu mir kommen?

Wo und wie haben Sie so gut Deutsch gelernt?

Mit welchem Bus fährst du zur Arbeit?

Was für eine Farbe hat dein Auto?

		Satzklammer	
Wann	*kannst*	du zu mir	*kommen?* ....
Mit welchem Bus	....	du zur Arbeit?	
....	hat	.... ?	
....	....	Sie so gut Deutsch	.... ?
W-Wort	**konjugiertes Verb**		

> **R3** In den W-Fragen steht das konjugierte Verb an Position .... Auf Position 1 steht ein **R3**

⇨ 6 Fragewörter, S. 108

A 3a Wie unterscheiden sich die Fragen und Antworten in der linken und in der rechten Spalte?
Markieren Sie die Unterschiede.

1. „Können Sie Auto fahren?" – „Ja."
2. „Hast du Geld bei dir?" – „Nein."

3. „Können Sie nicht Auto fahren?" – Doch.
4. „Hast du kein Geld bei dir?" – Nein.

A 3b Ergänzen Sie die Verben in der Tabelle.

Satzklammer		
Haben	Sie schon	gegessen?
Holen	Sie mich am Bahnhof	ab?
....	Sie nicht	Auto fahren?
....	du kein Geld bei dir?	
konjugiertes Verb		**Infinitiv, Partizip II, Präfix**

R4
Ja-/Nein-Fragen bilden eine Satzklammer: Das konjugierte .... steht an Position 1.
Wenn die Ja-/Nein-Frage eine Negation enthält, dann verwendet man für eine positive Antwort
„..................." (nicht „ja"). **R4**

⟹ 10.2 Dialogpartikeln, S. 156

Ja-/Nein-Fragen werden als Nebensatz mit „ob" eingeleitet.
Fährst du auch mit? – Kannst du mir sagen, **ob** du auch mitfährst?

⟹ 13.2.3 Nebensatz mit „ob" oder W-Wort, S. 200

Ü 1a Schreiben Sie Fragen.   **A1**
Ü 1b Ordnen Sie die Fragen dem Formular zu.

1. wie / heißen   *Wie heißen Sie?* ....
2. wann / geboren sein   ....
3. wo / wohnen   ....
4. was / von Beruf / sein ....
5. wo / arbeiten   ....

| Name 1 .... | Wohnort ● .... | |
| Geburtsdatum ● .... | Beruf ● .... | Arbeitgeber ● .... |

A2 Ü 2   In einer fremden Stadt: Schreiben Sie Fragen.

1. Entschuldigen Sie, _wie komme ich zum Bahnhof?_ .... (wie / zum Bahnhof / kommen)

2. Ich habe eine Frage: .... (wo / das Metropolkino / sein)

3. Entschuldigung, ... (welcher Bus / zum Stadtturm / fahren)

4. Bitte, ... (wann / der Zug nach Kassel / abfahren)

5. Ich habe eine Bitte: .... (wo / parken können)

A2 Ü 3   Nach dem Urlaub: Die Nachbarin hat viele Fragen? Schreiben Sie.

1. wo / ihr / sein
   Wo wart ihr?

2. wie / die Reise / sein
   ....

3. wie lange / ihr / fahren
   ....

4. was / ihr / den ganzen Tag / machen
   ....

5. was / am schönsten / sein
   ....

6. wann / ihr / zurückgekommen
   ....

A2 Ü 4a   Smalltalk beim Essen: Ergänzen Sie die Fragen.
     Ü 4b   Ordnen Sie Fragen und Antworten zu.

1. _Sind Sie_ .... zum ersten Mal in Bonn? (sein) .... Nein, danke, ich bin satt.

2. .... länger in Bonn? (bleiben) .... Ja, es ist ganz nett hier.

3. .... die Stadt schön? (finden) _1_ Nein, ich komme öfter her.

4. .... auch Familie? (haben) .... Nein, leider nicht, nur zwei Tage.

5. .... es Ihnen nicht? (schmecken) .... Doch, es ist sehr gut.

6. .... keine Nachspeise? (möcht-) .... Ja, einen Sohn und eine Tochter.

B1 Ü 5   Das nicht geführte Interview: Stellen Sie Fragen zu den Antworten.

1. _Was essen Sie gern? / Was essen Sie_ .... – Gemüse und Fisch, immer wieder.
   am liebsten? ...

2. .... – Nein, das suche ich noch.

3. .... – Lehrer!

4. .... – Ja, so oft wie möglich.

5. .... – Tee, viel Tee, und keinen Kaffee.

6. .... – Doch, ich war schon oft in Berlin.

12.3 Aufforderungssätze

Gib dem Papagei frisches Wasser, Udo!

Und ihr beiden, geht nicht zu spät schlafen!
Und kümmert euch gut um die Katze!

Frau Stern! Bitte räumen Sie die Küche auf!

A 1 Ergänzen Sie die Sätze in der Tabelle.

		Satzklammer	
	Gib	dem Papagei frisches Wasser, Udo!	
Und ihr beiden,	....	nicht zu spät	.... !
Und	....	euch gut um die Katze!	
Frau Stern! Bitte	....	Sie die Küche	.... !
	Verb im Imperativ		**Infinitiv oder Präfix**

> **R 1**
> Im Aufforderungssatz steht das konjugierte .... an Position ....
> R 1

> Vor dem Verb kann eine Anrede, ein Konjunktor oder „bitte" stehen.
> **Udo**, gib dem Papagei frisches Wasser! **Und** Kümmert euch gut um die Katze!
> **Frau Stern! Bitte** räumen Sie die Küche auf!

A 2 Vergleichen Sie die beiden Texte. Markieren Sie die Verben.

Du musst viel Tee trinken.
Und nimm zweimal einen Löffel Hustensaft.
Wenn es morgen nicht besser ist, gehst du zum Arzt.

Bei Erkältungen:
Viel Tee trinken. Zweimal täglich einen Löffel Hustensaft nehmen. Wenn keine Besserung eintritt zum Arzt gehen.

Es gibt auch Infinitive als Aufforderungen, besonders in Anleitungen und Rezepten.

A2 **Ü 1** Aufforderungen mit Imperativ: Ergänzen sie das Verb in der passenden Form.

1. weitergehen – Sie   *Gehen Sie* .... bitte *weiter* ....!
2. schließen – du   .... die Tür, bitte!
3. aufmachen – ihr   Bitte .... das Fenster ....!
4. vergessen – Sie   Bitte .... mein Buch nicht!
5. warten – ihr   .... noch kurz, dann bin ich auch fertig!
6. unterschreiben – Sie   .... bitte hier!
7. aufhören – du   Das ist zu laut, ... bitte .... damit!

A2 **Ü 2** Ratschläge für die kalte Jahreszeit: Schreiben Sie.

	„du"	„ihr"
1. sich warm anziehen	*Zieh dich warm an!*	*Zieht euch*
2. eine Mütze aufsetzen		
3. sich viel bewegen		
4. täglich spazieren gehen		
5. viel Tee trinken		

A2 **Ü 3** Ein Rezept umformen: Schreiben Sie Aufforderungen in der „Sie"-Form.

1. Das Gemüse waschen und putzen.   *Waschen und putzen Sie das Gemüse.*
2. Die Zwiebel fein schneiden.   ....
3. Zwiebel kurz in Butter anbraten.   ....
4. Das geschnittene Gemüse dazugeben.   ....
5. Einen ½ Liter klare Suppe aufgießen.   ....
6. Mit Salz, Pfeffer und Thymian würzen.   ....

A2 **Ü 4** Aus Fragen eine Bitte machen: Schreiben Sie Aufforderungen.

1. Könnt ihr bitte damit aufhören?   *Bitte hört damit auf!*
2. Kannst du mich am Abend anrufen?   ....
3. Können Sie das wiederholen, bitte?   ....
4. Gibst du mir mal das Brot?   ....
5. Können Sie mich vom Hotel abholen?   ....
6. Können Sie mir eine E-Mail schicken?   ....

12.4 Was man mit Sätzen machen kann

Sachverhalte beschreiben	Diese Hose kostet 49,90 €.
	Frau Berg ist Ärztin, sie muss oft in der Nacht arbeiten.
Fakten feststellen	Deutschland liegt in Europa.
	Die Berliner Mauer wurde am 9.11.1989 geöffnet.
Dinge charakterisieren	Dieses Hotel ist für Leute mit viel Geld.
Etwas bewerten	Ich finde Berlin sehr angenehm und schön.

⇨ 12.1 Aussagesätze, S. 164

Absichten ausdrücken	
Aussagesatz im Präsens	Ich fahre nach Wien.
Aussagesatz im Präsens mit Zeitangabe	Lukas fliegt morgen nach Japan.
Aussagesatz im Futur I	Ich werde dich nach deinem Urlaub besuchen.

⇨ 2.2.1 Präsens, S. 18
2.2.5 Futur I, S. 34

Etwas vorschlagen	
Aussagesatz im Präsens	Wir machen die Arbeit am besten gemeinsam fertig.
Aussagesatz mit „können"	Wir können heute einfach zu Hause bleiben und fernsehen.
Aussagesatz im Konjunktiv II	Wir könnten uns morgen nach der Arbeit treffen.
Fragesatz im Präsens	Gehen wir ins Kino?
Fragesatz mit „sollen"	Sollen wir mal ins Theater gehen?
Fragesatz mit „wollen"	Willst du mit uns kommen?
Fragesatz im Konjunktiv II	Würdest du einen Kuchen mitbringen?
Aufforderungssatz	Mach mal Pause! Sei doch nicht immer so fleißig!

⇨ 2.4.1 Modalverben, S. 48
2.3.2 Konjuktiv II, S. 38
2.3.1 Imperativ, S. 36

Etwas versprechen	
Aussagesatz im Präsens	Ich gehe einkaufen und bringe die Zeitung mit.
Aussagesatz im Futur I	Ich werde dir eine E-Mail mit der Adresse schicken.
Aussagesatz im Präsens mit Zeitangabe	Morgen bringe ich dir dein Buch mit.

⇨ 2.2.1 Präsens, S. 18
2.2.5 Futur I, S. 34

Auffordern	
Aufforderungssatz	Nehmen Sie Platz, bitte!
Aufforderungssatz mit „wir"	Machen wir Schluss!
Aussagesatz	Herr Busch, Sie machen jetzt die Arbeit fertig.
Aussagesatz mit „müssen"	Du musst den Bus um 12 Uhr 10 nehmen.
Aussagesatz mit „nicht dürfen"	Du darfst nicht allein in diesen Film gehen.
Fragesatz mit „können"	Können Sie bitte herkommen?
Fragesatz im Konjunktiv II	Würdest du jetzt aufhören?
Aufforderungssätze im Infinitiv	Die Türen schließen!
Sätze mit „bitte"	Bitte geben Sie mir Ihre Adresse.

⇨ 2.4.1 Modalverben, S. 48
2.3.2 Konjuktiv II, S. 38
2.3.1 Imperativ, S. 36

12 ——— Satztypen und Verbstellung ———

A1 **Ü 1** Punkt? Fragezeichen? Ausrufezeichen? Ergänzen Sie die Satzzeichen.

1. Waren Sie schon in Berlin ......
2. Was gefällt Ihnen in Berlin am besten ......
3. Ich habe Freunde in Berlin besucht ......
4. Elke wohnt im Zentrum von Berlin ......
5. Der Reichstag ist sehr interessant.
   Besuchen Sie ihn ......

6. Viele Touristen kaufen „Am Kurfürstendamm" ein ......
7. Welches Museum hast du besucht ......
8. Der Tiergarten ist ein großer Park im Zentrum von Berlin ......
9. Gefällt Ihnen der neue Potsdamer Platz ......

A2 **Ü 2** Schreiben Sie Aufforderungen.

1. Sie   den Hund – draußen lassen – müssen
2. du   den Hund – vor der Tür – lassen
3. ihr   endlich – herkommen – können
4. Sie   bitte – hier – unterschreiben

5. du   die Arbeit – endlich – fertig machen
6. wir   jetzt – essen – gehen
7. Sie   bitte – langsamer – fahren
8. du   morgen – zum Arzt gehen – müssen

> 1. Sie müssen den Hund draußen lassen!
> 2. Lass den Hund ...

B1 **Ü 3** Was versprechen Sie da? Verwenden Sie verschiedene Möglichkeiten für Ihre Antworten.

1. Hast du die Post schon geholt?   gleich   *Ich hole sie gleich.*
2. Haben Sie das Buch mitgebracht?   morgen   ....
3. Ist das Frühstück schon fertig?   fertig machen   ....
4. Der Kühlschrank ist fast leer.   einkaufen   ....
5. Sie kommen oft zu spät!   pünktlich sein   Ab morgen ....

B1 **Ü 4** Vorschläge machen: Ergänzen Sie die Sätze.

1. „Lost in Translation" ist ein guter Film.   du – mitkommen – ins Kino
2. Ich war noch nie in diesem Theater.   wir – gemeinsam gehen – sollen
3. Was machen wir morgen Abend?   wir – einen Spaziergang machen – können
4. Haben Sie morgen etwas vor?   Sie – zu uns kommen – können
5. Es ist noch sehr weit.   wir – nicht – eine Pause machen – wollen
6. Der letzte Zug fährt bald.   du – den Zug um 23.20 Uhr – nehmen – müssen

> 1. Kommst du mit ins Kino? / Komm mit ins Kino.

Satzverbindungen

13.1 Hauptsatz und Hauptsatz

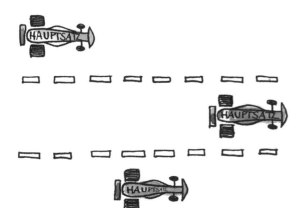

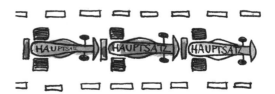

Hauptsätze können unverbunden hintereinander stehen:

Lisa bekommt ein neues Handy.
Felix bekommt einen Fotoapparat.

Hautsätze können sich aber auch zu einem komplexen Satz verbinden:

Lisa bekommt ein neues Handy **und** Felix bekommt einen Fotoapparat.

➪ 12 Satztypen und Verbstellung, S. 164

Typen von Hauptsatzverbindungen

Lisa und Felix haben bald Geburtstag und ihre Eltern Rosi und Thomas denken über die Geschenke nach. Lisa hat ein Handy, aber es ist sehr alt. Sie kann damit im Ausland keine SMS verschicken, <u>deswegen</u> wollen ihre Eltern ihr ein neues Handy schenken. Felix macht sehr gerne Fotos, <u>darum</u> leiht er sich oft die Kamera seines Vaters aus. Rosi fragt: „Sollen wir ihm eine Kamera mit Fotofilm schenken oder kaufen wir ihm eine Digitalkamera?" Thomas: „Ich bin für eine Digitalkamera, <u>dann</u> kann er sich die Fotos am Computer ansehen."

A 1a Markieren Sie die Verben in den Sätzen.

Es gibt zwei Typen von Hauptsatzverbindungen:
1. Hauptsatz 1 + Konjunktor + Hauptsatz 2
2. Hauptsatz 1 + <u>Verbindungsadverb</u> + Hauptsatz 2

Satzverbindungen

A 1b Es gibt zwei Typen von Hauptsatzverbindungen. Schreiben Sie je ein Beispiel aus dem Text in A1a in die Satztabellen.

Hauptsatz 1 + Konjunktor + Hauptsatz 2

Hauptsatz 1		Hauptsatz 2
Lisa und Felix haben bald Geburtstag.	und 0	ihre Eltern Rosi und Thomas denken über die Geschenke nach.
	Konjunktor	

Hauptsatz 1 + Hauptsatz 2 mit Verbindungsadverb

Hauptsatz 1		Hauptsatz 2	
Sie kann damit im Ausland keine SMS verschicken,	deswegen 1	wollen 2	ihre Eltern ihr ein neues Handy schenken.
		Verb	
	Verbindungs-adverb		

Satzverbindung mit Konjunktor: Der Konjunktor steht auf Position	**Satzverbindung mit Verbindungsadverb:** Das Verbindungsadverb steht auf Position	R

A2 **Ü 1a** Markieren Sie die Verben, die Konjunktoren und die Verbindungsadverbien.

1. Ich will ihr ein Handy schenken, dann kann sie uns auch aus England eine SMS schicken.
2. Felix kann sich meine Kamera gern ausleihen, trotzdem möchte ich ihm eine Kamera schenken.
3. Wir kaufen ihm eine Kamera, aber sie darf nicht so teuer sein.
4. Willst du mitkommen oder soll ich allein einkaufen gehen?
5. Ich schau jetzt mal im Internet nach Kameras, dann können wir eine aussuchen.

Ü 1b Ordnen Sie die Sätze zu.

Satzverbindung mit Konjunktor

Satznummer: ....

Satzverbindung mit Verbindungsadverb

Satznummer: 1, ...

13.1.1 Konjunktoren

Einfache Konjunktoren

Herr Bahr, welche Medien nutzen Sie am Wochenende?

Am Wochenende höre ich morgens oft Radio und abends sehe ich fern oder leihe mir eine DVD aus. Oft schauen meine Frau und ich abends auch zusammen einen Film, denn zu zweit macht es mehr Spaß. Einen Videorekorder haben wir auch, aber wir brauchen ihn nur noch ganz selten.

A 1 Welcher Konjunktor passt?

1. Ich höre morgens oft Radio .... abends sehe ich fern.

2. Abends sehe ich fern .... leihe mir eine DVD aus.

3. Einen Videorekorder haben wir auch, ... wir brauchen ihn nur noch selten.

4. Oft schauen wir zusammen einen Film, ... zu zweit macht es mehr Spaß.

Aufzählung: ....

Alternative: ....

Gegensatz: ....

Grund: ....

Satzverbindungen

Bei gleichem Subjekt in beiden Sätzen kann man im 2. Satz das Subjekt weglassen.
Abends sehe **ich** fern oder **ich** leihe mir eine DVD aus.
→ Abends sehe ich fern oder leihe mir eine DVD aus.

Wenn in beiden Sätzen auch das gleiche Verb steht, kann man auch das Verb im 2. Satz weglassen.
Ich habe einen Videorekorder und **ich** habe einen DVD-Player.
→ Ich habe einen Videorekorder und einen DVD-Player.

Vor den Konjunktoren „aber" und „denn" steht immer ein Komma.
Er hat viel Geld, aber wenig Zeit.
Er hat wenig Zeit, denn er arbeitet sehr viel.

Satzverbindungen

Zweiteilige Konjunktoren

Bleiben Sie denn abends immer zu Hause?

Nein, natürlich nicht. Wir bleiben nicht immer zu Hause, sondern wir gehen auch gern ins Kino. Dann machen wir uns einen schönen Abend in der Stadt. Meistens gehen wir entweder vorher essen oder wir trinken nach dem Kino noch etwas in einer

Bar. Ich mag eigentlich alle Typen von Filmen. Meine Frau mag weder Action- noch Science-Fiction-Filme. Aber wir beide mögen sowohl Komödien als auch Tragödien oder Dokumentationen.

A 2a Was gehört zusammen? Nehmen Sie das Interview zu Hilfe.

1. nicht (nur) *D*
2. entweder ......
3. sowohl ......
4. weder ......

A oder
B noch
C als auch
D sondern (auch)

A 2b Welche Umschreibung passt?

das eine und das andere

das eine oder das andere

das eine nicht und das andere auch nicht

sowohl ... . / ....

....

> Mit „sowohl ... als auch" und „weder ... noch" verbindet man oft auch nur Satzteile:
> Ich habe sowohl **Hunger** als auch **Durst**.
> Ich habe weder **Hunger** noch **Durst**.

Satzverbindungen

Ü 1 „und", „oder" oder „aber"? Ergänzen Sie.

A1

1. Ich heiße Thomas Bahr _und_ ich bin der Vater von Lisa und Felix.
2. Früher habe ich in Bonn gelebt, ... jetzt lebe ich in Berlin.
3. Ich habe eine Tochter .... einen Sohn.
4. Meine Tochter heißt Lisa. Sie will in London studieren .... in Dublin.

Ü 2 Schreiben Sie die Sätze.

A2

1. ich / telefonieren / nicht / mit dem Handy / aber / ich / schreiben / viele SMS.
2. er / brauchen / den Laptop / in der Arbeit / und / seine Frau / brauchen / ihn / am Wochenende.
3. sie / gehen / oft / ins Internetcafé / denn / sie / schreiben / E-Mails / an ihre Freunde.
4. er / sehen / gern / mit Freunden / Videos / oder / sie / gehen / ins Kino.

> *1. Ich telefoniere nicht mit dem Handy, aber ich schreibe viele SMS.*

Ü 3 Was passt zusammen?

B1

1. Vor dreißig Jahren gab es weder Handys	_C_	A sondern über den Computer.
2. Viele Leute können entweder zu Hause arbeiten	......	B aber es funktioniert sehr gut.
3. Bald werden wir nicht mehr über Telefone telefonieren,	......	C noch E-Mails.
4. Ich habe ein altes Handy,	......	D denn das alte ist noch gut.
5. Ich kaufe mir kein neues,	......	E oder in der Firma.

Ü 4 Verbinden Sie die Sätze mit passenden Konjunktoren.

B1

> sowohl ... als auch • aber • denn • weder ... noch • ~~und~~ • oder

Lukas studiert Informatik _und_ (1) er arbeitet als Programmierer bei SOS-Com,
.... (2) in seiner Freizeit sitzt er nicht gerne am Computer. In seiner Freizeit trifft er sich
lieber mit Freunden .... (3) er geht schwimmen. Er geht gern schwimmen,
.... (4) er mag Wasser. Aber er macht auch andere Dinge gern: Er macht
.... gern Wanderungen .... (5) Radtouren. Aber er mag keine
Ballsportarten: Er spielt .... gern Volleyball .... Fußball.

13.1.2 Verbindungsadverbien

Zwei geniale Forscher

Hubert M. und Thomas P. sind schon seit vielen Jahren Forscher. Sie wollten unbedingt berühmt werden, deswegen haben sie eine Zeitmaschine erfunden. Sie haben dafür einen alten Kühlschrank umgebaut. Lange hat die Maschine nicht funktioniert, trotzdem haben sie nicht aufgegeben, dann hat es eines Tages geklappt. Leider gibt es mit der Maschine ein Problem: Sie funktioniert nur ohne Zuschauer, sonst wären die beiden Forscher schon lange sehr berühmt. Inzwischen haben sie sich daran gewöhnt, unbekannte Genies zu sein, darum nutzen sie die Zeitmaschine jetzt nur noch privat.

aus NICHTWEIHNACHTEN © CARLSEN Verlag GmbH, Hamburg 2005

A 1b Notieren Sie die Verbindungsadverbien aus den folgenden Sätzen in der Übersicht.

1. Der Zeitforscher wusste nicht, was er seinem Kollegen schenken soll, trotzdem hat er schnell ein Geschenk gefunden.

2. Er ist mit der Zeitmaschine in die Zukunft gefahren, deshalb konnte er sehen, was er ihm schenken wird.

3. Dann hat er das Geschenk schnell gekauft.

4. Er ist froh, dass er die Zeitmaschine hat, sonst hätte er kein Geschenk für seinen Kollegen.

Widerspruch ....

Grund ....

Reihenfolge ....

Notwendigkeit, Bedingung

....

Die Verbindungsadverbien: „darum", „deswegen", „daher" und „deshalb" haben die gleiche Bedeutung.

Verbindungsadverbien können auch in einem einzelnen Hauptsatz stehen:
Das Wetter war sehr schlecht. Wir sind **trotzdem** zum Wandern gegangen.

Nach dem Verbindungsadverb „sonst" steht oft der Konjunktiv:
Ich wusste nicht, dass du zu Hause bist, **sonst** <u>hätte</u> ich dich angerufen.

Satzverbindungen

Ü 1 Was passst?

1. Am Montag ist die Besprechung.
   Ich muss die Arbeit am Wochenende
   fertig machen, _C_

2. Ich weiß, dass du viel zu tun hast, ...

3. Ich muss heute Abend arbeiten, ...

4. Geht schon mal ins Café. Ich muss noch
   telefonieren, ...

A dann komme ich nach.

B trotzdem kannst du mich mal anrufen!

C sonst schaffe ich es nicht mehr rechtzeitig.
   Am Montag habe ich keine Zeit mehr dafür.

D deshalb kann ich nicht ins Kino mitkommen.

Ü 2 Felix redet mit Lukas über Probleme beim Lernen. Ergänzen Sie.

sonst • deshalb • dann • sonst • darum • ~~trotzdem~~

○ Ich habe nächste Woche eine wichtige Prüfung in Mathe, _trotzdem_ (1) kann ich mich nicht
konzentrieren. Ich muss wirklich lernen, ... (2) schaffe ich die Prüfung nicht.

● Mir geht es im Moment so ähnlich, ich muss für die Zwischenprüfung lernen. Ich mache immer
irgendwas anderes, ... (3) habe ich noch nichts gelernt. Aber ich muss unbedingt
anfangen, ... (4) bestehe ich die Prüfung auch nicht.

○ Vielleicht sollten wir zusammen lernen? Ich fühle mich beim Lernen immer so allein,
.... (5) lerne ich lieber gleichzeitig mit jemand anderem.

● Ja, das ist eine gute Idee, ... (6) können wir auch zusammen Pausen machen.

○ Ja, das ist super, so macht das Lernen auch mehr Spaß!

Ü 3 Verbinden Sie mit „trotzdem", „sonst" oder „darum".

	1. Ich bin gut erreichbar.		4. Ich habe selten eine Erkältung.
Ich habe kein Handy,	2. Du kannst mich im Zug nicht anrufen.	Ich mache oft Sport,	5. Ich fühle mich heute nicht fit.
	3. Ich telefoniere zu viel.		6. Ich bekomme schlechte Laune.

> 1. Ich habe kein Handy, trotzdem bin ich gut erreichbar.

13.2 Haupt- und Nebensatz

Nebensätze gehören zu einem Hauptsatz.

In der gesprochenen Sprache kann ein Nebensatz auch alleine stehen:
- Wir müssen in 20 Minuten am Flughafen sein.
- **Ob wir das noch schaffen?**
- Ich glaube nicht.

Hauptsatz	Nebensatz		
	Nebensatz-Klammer		
Ich weiß nicht,	ob	wir das noch	schaffen.
Wir haben noch 20 Minuten,	bis	wir am Flughafen	sein müssen.
Ich hoffe,	dass	wir noch pünklich	ankommen.
Schau mal auf dein Handy,	ob	Maribel schon	angerufen hat.
	Einleitewort		Verb

R1

Nebensätze beginnen mit einem ....

Im Nebensatz steht das konjugierte Verb **R1**

Bei trennbaren Verben bleibt das Präfix am Verb (wie im Infinitiv).
Ich warte, bis du an rufst.

⇨ 2.4.2 Verben mit Präfix, S. 54

Reihenfolge: Haupt- und Nebensatz

A 1 Wo steht der Nebensatz? Markieren Sie.

	Ich	hole	dich ab,	wenn ich es schaffe.
Wenn ich es schaffe,	hole	ich	dich ab.	

> **R2** Nebensatz vor Hauptsatz: Im Hauptsatz steht das
>
> .... an Position 1, direkt nach dem Komma.   **R2**

Typen von Nebensätzen

Lisa und Felix bekommen Besuch von Maribel aus Spanien. Lisa fährt zum Flughafen, weil sie Maribel abholen will. Felix hat gesagt, dass er lieber zu Hause bleibt. Am Flughafen wartet Lisa auf das Flugzeug, das 30 Minuten Verspätung hat. Endlich ist Maribel da.

● Hallo Maribel, schön, dass du da bist!

○ Hallo Lisa. Ich freue mich auch! Rate mal, was ich dir mitgebracht habe!

● Keine Ahnung.

○ Ich habe dir Olivenöl mitgebracht, wenn du mal wieder kochen willst.

● Hm, danke, du weißt doch, dass ich nicht gerne koche ...

○ Eben!

A 2a Markieren Sie die Nebensätze.

A 2b Es gibt drei Typen von Nebensätzen. Schreiben Sie je ein Beispiel zu den Einleitewörtern.

mit Subjunktor	mit Relativpronomen	mit W-Wort oder „ob"
(dass, weil, damit, wenn, ...)	(der, das, die)	(wie, was, ...)
....	....	....
....	....	....
....	....	....

13 Satzverbindungen

A2 **Ü 1** Wo steht im Nebensatz das Verb?

1. Ich finde es gut, dass (a) du (b) uns (c). besuchst *c*
2. Wenn (a) ich (b) Zeit (c), komme ich zum Flughafen. habe ....
3. Das ist der Bus, der (a) zum (b) Flughafen (c). fährt ....
4. Ich brauche Kleingeld, weil (a) ich (b) eine Fahrkarte (c). kaufen muss ....
5. Wenn (a) ich (b) dich (c) nicht (d), rufe ich dich auf dem finde ....
   Handy an.

A2 **Ü 2** Was ist der Haupt-, was der Nebensatz? Markieren Sie die Verben und notieren Sie.

1. Ich hoffe , dass wir uns bald wieder sehen .
   <u>Hauptsatz</u>   <u>Nebensatz</u>

2. Wenn ich Zeit habe, rufe ich dich an.
   ....

3. Kommst du mit ins Kino, wenn du mit der Arbeit fertig bist?
   ....

4. Wie hieß der Film, den du dir gestern angesehen hast?
   ....

5. Weil ich krank bin, kann ich leider nicht mitkommen.
   ....

B1 **Ü 3** Schreiben Sie die Sätze.

1. Ich / mich / freuen // weil / ich / heute / nicht / arbeiten müssen.
2. Können / du / mich / anrufen // wenn / du / zu Hause / sein?
3. Dort / sein / die Frau // die / mich / mitgenommen haben.
4. Das / sein / sehr einfach // wenn / du / gut aufpassen.
5. Ich / nicht wissen // ob / ich dich / später / anrufen können.

> 1. *Ich freue mich, weil ich heute nicht arbeiten muss.*

B1 **Ü 4** Vertauschen Sie die Sätze.

1. Ich nehme eine Tablette, wenn ich Kopfschmerzen habe.
2. Maribel kommt gern nach Deutschland, seit sie dort Freunde hat.
3. Lukas hat sich sehr gefreut, als er den Hund gefunden hat.
4. Ich bleibe einfach hier sitzen, bis du wiederkommst.
5. Ich weiß nicht, was das ist.

> 1. *Wenn ich Kopfschmerzen habe, nehme ich eine Tablette.*

13.2.1 Nebensätze mit Subjunktoren

13.2.1.1 Nebensatz mit „dass"

Heute hat Lukas eine Besprechung. Gestern hat sein Chef gesagt, dass er unbedingt pünktlich sein muss. Es ist wichtig, dass Lukas bei der Besprechung um 8 Uhr dabei ist.
Die ganze Nacht hatte Lukas Angst, dass der Wecker nicht klingelt. Am Morgen war er dann sehr müde. Jetzt hat er die U-Bahn verpasst und hofft, dass er trotzdem noch pünktlich in die Arbeit kommt.
Er hat Glück. Um fünf vor acht meint sein Chef: „Ich freue mich sehr, dass Sie hier sind." Lukas lächelt und ist froh, dass er es geschafft hat.

Ich komme zu spät zur Besprechung.

Lukas denkt: Ich komme zu spät zur Besprechung.
Lukas denkt, **dass** er zu spät zur Besprechung kommt.

A 1 Ergänzen Sie. Der Text hilft Ihnen.

Nebensätze mit „dass" stehen nach

Verben: _denken_ .... , ... , ... ,

.... , wissen, berichten, schreiben ...

Ausdrücken mit Adjektiven: .... _sein_ , sicher sein, glücklich sein, traurig sein ...

unpersönlichen Ausdrücken: _es ist_ .... , es gefällt mir ...

Substantiven + „haben": .... , Sorge haben, Glück haben ...

> der Ansicht sein, dass ...
> der Meinung sein, dass ..

A 2 Vergleichen Sie die Satzpaare.

Nebensatz mit „dass"
Ich hoffe, dass ich pünktlich bin.
Ich hoffe, dass er pünktlich ist.
Es freut mich, dass ich dich sehe.
Es freut mich, dass du hier bist.

„zu" + Infinitiv
Ich hoffe, pünktlich zu sein.
– – –   – – –   – – –
Es freut mich, dich zu sehen.
– – –   – – –   – – –

> **R** Handelnder im Hauptsatz = Handelnder im .... satz
>
> → Nebensatz mit „dass" oder „zu" + Infinitiv. **R**

⇨ Verb + „zu" + Infinitiv, S. 68

13 ——— Satzverbindungen ———

A2> **Ü 1** Lisa schreibt an Maribel. Verbinden Sie die Sätze mit „dass".

1. Du kommst uns besuchen.
   Ich freue mich.

   Ich freue mich, dass du uns besuchen kommst.

2. Du kommst. Auch Felix freut sich.

3. Am Samstag muss ich arbeiten.
   Es tut mir leid.

4. Aber Felix hat Zeit. Er kann mit dir
   in ein Museum gehen. Er ist froh.

   Aber Felix hat Zeit und er ist froh,

5. Am Samstagabend gehen wir
   zusammen essen. Ich freue mich.

6. Wir sehen uns endlich wieder.
   Ich bin sehr froh.

A2> **Ü 2** Lisa und Felix überlegen, was sie Maribel alles zeigen können. Schreiben Sie „dass"-Sätze.

1. Lisa (denken): Maribel geht gerne in ein Museum.

   Lisa denkt, dass Maribel gerne in ein Museum geht.

2. Felix (meinen): Sie interessiert sich für Moderne Kunst.

   Felix

3. Lisa (sicher sein): Sie mag auch das Naturkundemuseum sehen.

   Lisa ist

4. Felix (sagen): Sie möchte auch auf die Weihnachtsmärkte gehen.

5. Lisa (glauben): Sie mag Glühwein.

6. Felix und Lisa (hoffen): Maribel mag deutsches Essen.

Satzverbindungen

Ü 3 Kombinieren Sie. Schreiben Sie acht „dass"-Sätze. B1

~~hoffen (nicht)~~ – der Meinung sein	das Essen schmeckt dir – du magst Moderne Kunst
sich ärgern – es ist schade	die U-Bahn fährt nicht – der Bus kommt zu spät
sich wundern – denken (nicht)	~~die Besprechung ist interessant~~ – der Termin ist wichtig
sich freuen – es ist schön	alles ist teuer – das Museum hat geschlossen

1. Wir hoffen, dass die Besprechung interessant ist.

Ü 4a Welche „dass"-Sätze können Sie auch als Infinitive mit „zu" ausdrücken? Kreuzen Sie an. B1

	Infinitiv mit „zu"	
	möglich	nicht möglich
1. Lukas hofft, dass er die U-Bahn nicht verpasst.	☒	☐
2. Aber er hat Pech. Er ärgert sich, dass die U-Bahn weg ist.	☐	☐
3. Er schafft es trotzdem, dass er pünktlich kommt.	☐	☐
4. Er hat seinem Chef versprochen, dass er heute das Protokoll schreibt.	☐	☐
5. Um 19 Uhr ist er froh, dass das Protokoll endlich fertig ist.	☐	☐

Ü 4b Schreiben Sie die Infinitivsätze mit „zu".

1. Lukas hofft, die U-Bahn nicht zu verpassen.

Ü 5 Redewiedergabe: Schreiben Sie „dass"-Sätze. Achten Sie auf die Pronomen. B1

1. Lukas erzählt: Ich hatte gestern eine wichtige Besprechung. 2. Er berichtet: Mein Chef war auch dabei. 3. Der Chef war der Meinung: Der Termin ist für alle wichtig. 4. Lukas und seine Kollegen waren froh: Sie haben wichtige Informationen bekommen. 5. Nach der Besprechung waren alle zufrieden und sie haben beschlossen: Wir gehen noch etwas essen.

1. Lukas erzählt, dass er am Tag davor eine wichtige Besprechung hatte.

13.2.1.2 Konditionaler Nebensatz mit „wenn"

An:	lisa.bahr@web.de	
CC:		
Betreff:	Besuch in Berlin	

```
Liebe Lisa,

ich komme im Dezember nach Berlin, wenn mein Chef mir Urlaub gibt.


Bis bald
Maribel
```

A 1 Was schreibt Maribel? Kreuzen Sie an.

☐ Sie kommt im Dezember nach Berlin.

☐ Sie möchte im Dezember nach Berlin kommen. Sie muss aber noch Urlaub bekommen.

☐ Sie hat im Dezember sicher Urlaub und kommt deswegen nach Berlin.

A 2 Welcher Satz ist die Bedingung, welcher die Folge? Notieren Sie.

Wenn mein Chef mir Urlaub gibt,   komme ich im Dezember nach Berlin.

Bedingung   ....   Bedingung →
....

Maribel fährt zu Lisa,   wenn sie frei hat.

....   *wenn*
....

Konditionale Nebensätze mit „wenn" drücken oft irreale Bedingungen aus. Dann steht das Verb im Konjunktiv II:
Wenn ich mehr Zeit **hätte**, **würde** ich öfter Sport **machen**.

Es gibt auch konditionale Nebensätze ohne „wenn". Dann steht das Verb auf Position 1:
Hätte ich mehr Zeit, würde ich öfter Sport machen.

⇨ 2.3.2 Konjunktiv II, S. 38

Satzverbindungen

Ü 1 Was passt zusammen?

1. Ich schlafe lange,   *C*   A wenn ich Kopfschmerzen habe.
2. Ich fahre in die Berge, ...   B wenn ich für Freunde koche.
3. Ich nehme eine Tablette, ...   C wenn ich Zeit habe.
4. Ich kaufe frisches Obst und Gemüse, ...   D wenn das Wetter schön ist.

Ü 2 Maribel überlegt. Schreiben Sie.

1. ich / nach Berlin / fahre – wenn – ich / Urlaub / bekomme
2. wenn – in Berlin / ich / bin – zum Potsdamer Platz / ich / gehe
3. wenn – das Wetter / schlecht / ist – in ein Museum / ich / gehe
4. wenn – Zeit / ich / habe – am Abend / ich / für / Lisa und Felix / koche

> *1. Ich fahre nach Berlin, wenn ich Urlaub bekomme.*

Ü 3a Welcher Satz drückt die Bedingung aus? Markieren Sie.

1. Das Wetter ist schön. Wir gehen spazieren.
2. Ich trinke viel Wasser. Ich habe Kopfschmerzen.
3. Ich habe Zeit. Ich hole dich ab.
4. Ich höre gute Musik. Ich bin traurig.
5. Sie hat heute frei. Sie liest ein Buch.

Ü 3b Verbinden Sie die Sätze mit „wenn".

> *1. Wenn das Wetter schön ist, gehen wir spazieren.*

Ü 4 Was wäre, wenn …? Schreiben Sie Sätze. Verwenden Sie dabei den Konjunktiv II.

1. Peter: viel Geld haben → Weltreise machen
2. Sabine: ein Auto haben → in die Berge fahren
3. Herr Ritter: Urlaub haben → mehr Bücher lesen
4. Frau Rademacher: mehr Zeit haben → öfter ins Kino gehen
5. Herr und Frau Stadelmann: weniger Arbeit haben → mehr miteinander reden

> *1. Wenn Peter viel Geld hätte, würde er eine Weltreise machen.*

13.2.1.3 Temporaler Nebensatz

Liebe Nina,

ich bin jetzt schon zehn Tage in Berlin. Seit ich hier bin, spreche ich nur Deutsch. Als ich vor drei Jahren das erste Mal hier war, habe ich kein Wort verstanden. Das ist jetzt ganz anders. Wenn ich morgens zum Bäcker gehe, spreche ich schon Deutsch. Nachdem ich keine Angst mehr hatte, Fehler zu machen, ging es auch viel leichter. Während Lisa und ich Frühstück machen, reden wir natürlich auch die ganze Zeit. Ich hab schon viel gesehen, aber eine Sache fehlt noch: Bevor ich zurück- fahre, möchten Lisa und ich unbedingt noch an die Ostsee fahren. Dort wollen wir warten, bis es dunkel wird und wir die Sterne sehen können.

Liebe Grüße und bis bald
Maribel

A Markieren Sie die Subjunktoren und ergänzen Sie sie in der Übersicht.

Seit ich hier bin, spreche ich nur Deutsch.

Dort wollen wir bleiben, bis es dunkel wird.

Als ich das erste Mal in Deutschland war, habe ich kein Wort verstanden.

(Immer) wenn ich zum Bäcker gehe, spreche ich Deutsch.

Bevor ich zurückfahre, möchten wir noch an die Ostsee fahren.

Nachdem ich keine Angst mehr hatte, ging es viel leichter.

Während Lisa und ich Frühstück machen, reden wir natürlich die ganze Zeit.

Zeitspanne
mit Blick auf den Anfang → ....

Zeitspanne
mit Blick auf das Ende → ....

Ein Moment / Ereignis in der
Vergangenheit → ....

Momente / Ereignisse / Zustände,
die immer wieder passieren
(früher, jetzt oder in Zukunft) →
(immer) ....

Ein Ereignis passiert
vor einem anderen → ....

Ein Ereignis passiert
nach einem anderen → ....

Zwei Ereignisse
passieren gleichzeitig → ....

Ü 1 Maribel erzählt von ihren Reisen und gibt Tipps. Ergänzen Sie „wenn" oder „als".   ◁ A2

Als (1) ich zum ersten Mal eine lange Busfahrt gemacht habe, hatte ich großen Durst und nichts zu trinken dabei. Heute nehme ich immer eine Flasche Wasser mit, ... (2) ich mit dem Bus unterwegs bin. Ich frage immer genau nach, ... (3) ich auf Reisen etwas nicht verstehe. Ich bin einmal mit dem Zug gefahren und in einer falschen Stadt ausgestiegen, ... (4) ich nach Valencia fahren wollte.

Ü 2 Auf Reisen. Schreiben Sie Sätze mit „wenn" und „als".   ◁ A2

Wenn ich ...
1. Zug verpassen
2. den Weg nicht wissen
3. etwas nicht verstehen

Als ich ...
4. zum ersten Mal im Ausland sein
5. meine erste Flugreise machen
6. zum ersten Mal ein Hotel suchen

> 1. Wenn ich einen Zug verpasse, gehe ich
>   zur Information.

> 4. Als ich zum ersten Mal im Ausland war,
>   war ich sieben Jahre alt.

Ü 3 „bis", „seit", „bevor" oder „nachdem"? Ergänzen Sie.   ◁ B1

○ Ich gehe etwas essen. _Seit_ (1) ich gefrühstückt habe, habe ich nichts mehr gegessen. Kommst du mit?

● Nein! Ich warte hier so lange, ... (2) du wiederkommst.

○ Na toll. Ich gehe jetzt. Und du wirst sehen: .... (3) ich was gegessen habe, geht es mir viel besser. Willst du nicht noch mal nachdenken, ... (4) du „Nein!" sagst?

Ü 4 „als", „wenn", „seit" „bevor", „nachdem", oder „während"? Ergänzen Sie.   ◁ B1

Als (1) ich zum ersten Mal in Deutschland war, habe ich nichts verstanden. Das hat mich sehr gestört! .... (2) ich vor vier Jahren dort war, lerne ich Deutsch. Es macht mir Spaß. Und immer .... (3) ich keine Lust habe zu lernen, denke ich an meine Deutschlandreisen. Ich war 2003 zum ersten Mal hier. .... (4) ich am Bahnhof von Berlin ankam, wusste ich nicht wohin. Ich hatte mich überhaupt nicht um ein Hotel gekümmert, ... (5) ich losgefahren war. Aber ich habe schnell Leute kennengelernt und alle haben mir geholfen. Ich bin dann erst mal in eine kleine Pension gegangen. .... (6) ich auf dem Zimmer ein Stück Pizza gegessen habe, habe ich mir den Stadtplan von Berlin angesehen. .... (7) ich die Pizza aufgegessen hatte, bin ich losgegangen und habe Berlin entdeckt.

13.2.1.4 Kausaler und konzessiver Nebensatz

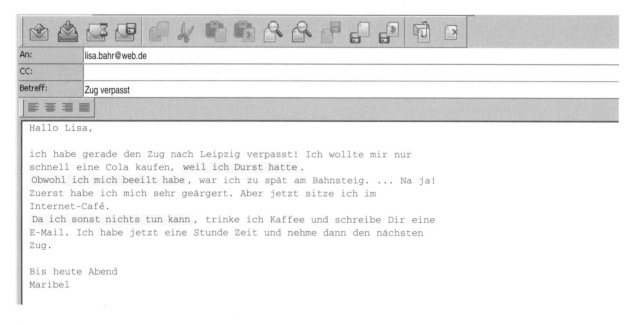

An: lisa.bahr@web.de
CC:
Betreff: Zug verpasst

```
Hallo Lisa,

ich habe gerade den Zug nach Leipzig verpasst! Ich wollte mir nur
schnell eine Cola kaufen, weil ich Durst hatte.
Obwohl ich mich beeilt habe, war ich zu spät am Bahnsteig. ... Na ja!
Zuerst habe ich mich sehr geärgert. Aber jetzt sitze ich im
Internet-Café.
Da ich sonst nichts tun kann, trinke ich Kaffee und schreibe Dir eine
E-Mail. Ich habe jetzt eine Stunde Zeit und nehme dann den nächsten
Zug.

Bis heute Abend
Maribel
```

A 1 Welche Bedeutung haben die folgenden Nebensätze? Notieren Sie die Nummern in der Übersicht.

A 2 Ergänzen Sie die passenden Subjunktoren in der Übersicht.

1. Ich kaufe mir eine Cola, weil ich Durst habe. 2. Obwohl ich mich beeilt habe, war ich zu spät am Bahnsteig. 3. Da ich sonst nichts tun kann, trinke ich Kaffee.

Einen Grund angeben	Einen Gegensatz, etwas Unerwartetes angeben
Satznummer: *1*.............	Satznummer: ....
Subjunktor: .... oder	Subjunktor: ....

Nebensätze mit „da" ● verwendet man vor allem in geschriebener Sprache,
● stehen oft vor dem Hauptsatz.

So können Sie es auch sagen:

Hauptsatz + Nebensatz
Ich kaufe eine Cola, **weil** ich Durst ⟨habe⟩.
Da ich Durst ⟨habe⟩, kaufe ich eine Cola.

Ich bin zu spät, **obwohl** ich mich beeilt ⟨habe⟩.

Hauptsatz + Hauptsatz
Ich kaufe eine Cola, **denn** ich ⟨habe⟩ Durst.

Ich habe mich beeilt. **Trotzdem** ⟨bin⟩ ich zu spät.

⇨ 13.1.1 Konjunktoren, S. 175
13.1.2 Verbindungsadverbien, S. 178

A2

Ü 1 Schreiben Sie Sätze mit „weil".

● Wie war die Zugfahrt?

○ Schön. Ich fahre gerne Zug, (ich / dann / können / ein Buch / lesen) (1)

● Na ja. Ich fahre nicht so gerne Zug, (ich / müssen / immer / warten) (2)

○ Das stimmt, aber mit dem Auto bin ich auch nicht schneller, (ich / oft / im Stau / stehen) (3)

   Und Zug fahren ist oft lustig, (man / neue Leute / kennenlernen) (4)

> 1. Ich fahre gerne Zug, weil ich dann ein Buch lesen kann.

B1

Ü 2 Schreiben Sie, was Lukas letzten Freitag passiert ist. Verbinden Sie die Sätze. Beginnen Sie mit „da" oder „weil".

1. S-Bahn / haben / am Freitagmorgen / Unfall – ich / zu spät / zum Flughafen / kommen
2. ich / nicht aussteigen / aus der S-Bahn / können – den Flug nach Frankfurt / ich / verpassen
3. ein Vorstellungsgespräch in Frankfurt / ich / um 9 Uhr / verpassen – ich / sein / sehr wütend
4. sein / Reise nach Frankfurt / für mich / sinnlos – ich / Geld für das Ticket / zurückfordern

> 1. Da die S-Bahn am Freitagmorgen einen Unfall hatte, bin ich zu spät zum Flughafen gekommen.

B1

Ü 3 Lukas' Vater erzählt von seinem letzten Wochenende. Schreiben Sie die Sätze mit „obwohl".

1. viel Arbeit haben <-> am Wochenende wegfahren, 2. ein teures Hotel buchen <-> ein kleines Zimmer haben, 3. wenig Zeit haben <-> ein Museum besuchen, 4. nicht viel Geld haben <-> in ein gutes Restaurant gehen, 5. schlechtes Wetter sein <-> ein schönes Wochenende sein

> 1. Obwohl ich viel Arbeit hatte, bin ich letztes Wochenende weggefahren.

B1

Ü 4 „weil" oder „obwohl"? Ordnen Sie zu und schreiben Sie die Sätze.

Er fährt oft mit dem Fahrrad.

Er ist langsamer als mit der U-Bahn.
Er macht dann ein bisschen Sport.
Er muss durch die Stadt fahren.
Er kann auf der Fahrt nicht Zeitung lesen.
Er wartet nicht gern auf die U-Bahn.

> Er fährt oft mit dem Fahrrad, obwohl er langsamer ist als mit der U-Bahn.

13.2.1.5 Nebensatz mit „damit", „um … zu" (final) und „sodass" (konsekutiv)

Felix schläft morgens gern lange. Jetzt hat er einen Radiowecker gekauft, damit er endlich pünktlich aufsteht. Begeistert erzählt er Lisa von seinem neuen Kauf.

○ Ich habe mir einen Wecker gekauft, um endlich pünktlich aufzustehen. Es ist ein Radiowecker, sodass ich jeden Morgen die Nachrichten hören kann.

● Na ja. Früher hatte ich auch einen Radiowecker. Aber ich habe immer verschlafen. Ich musste den Wecker weit vom Bett wegstellen, sodass ich aufstehen musste, um ihn auszuschalten.

○ Das glaube ich nicht, ich stehe bestimmt nach den Nachrichten auf.

● Das werden wir ja sehen … (hihi) und wann soll ich dich morgen wecken?

A 1 Markieren Sie die Nebensätze.

A 2 Ergänzen Sie die Sätze und notieren Sie die passenden Subjunktoren in der Übersicht.

Es ist ein Radiowecker,

sodass .... Felix die Nachrichten ....

Jetzt hat er einen Radiowecker gekauft,

.... er endlich pünktlich ....

Ich habe mir einen Wecker gekauft,

.... endlich pünktlich ....

Folge, Konsequenz ausdrücken →

....

Ziel, Zweck angeben →

.... oder ....

Konsekutiver Nebensatz mit „sodass"
Der Wecker steht weit weg, **sodass** ich aufstehen muss.

Hauptsatz mit „so" → **Nebensatz nur mit „dass"**
Der Wecker steht **so** weit weg, **dass** ich aufstehen muss.

A 3 Vergleichen Sie die Sätze.

Nebensatz mit „damit"
Ich stelle den Wecker, damit ich nicht verschlafe.
Ich stelle den Wecker, damit du nicht verschläfst. – – –   – – –   – – –

Nebensatz mit „um … zu"
Ich stelle den Wecker, um nicht zu verschlafen.

R Verschiedene Subjekte in Haupt- und Nebensatz → finaler Nebensatz immer mit ....

⇨ 2.5.2 Verb + Infinitiv, S. 67

Satzverbindungen

Ü 1a Wer macht was? Was passt zusammen?

1. Felix hat einen Radiowecker gekauft   *C*   A   Felix wecken
2. Lisa geht in Felix' Zimmer   ....   B   einen zweiten Wecker für Felix kaufen
3. Felix steht auf   C   nicht mehr verschlafen
4. Lisa geht in die Stadt   ....   D   frühstücken

Ü 1b Schreiben Sie Sätze mit „um ... zu".

> *1. Felix hat einen Radiowecker gekauft, um nicht mehr zu verschlafen.*

Ü 2 Verbinden Sie die Sätze, wenn möglich, mit „um ... zu", sonst mit „damit".

1. Lukas braucht keinen Wecker. Er steht früh auf.
2. Er muss jeden Tag früh aufstehen. Er geht mit Toby spazieren.
3. Toby sitzt jeden Morgen neben Lukas' Bett und zieht an der Decke. Lukas wacht auf.
4. Manchmal muss Lukas kalt duschen. Er wird richtig wach.

> *1. Lukas braucht keinen Wecker, um früh aufzustehen.*

Ü 3 Tipps für Langschläfer. Verbinden Sie die Sätze mit „sodass". Verwenden Sie den Imperativ.

1. sofort aufstehen → nicht wieder einschlafen können
2. Wecker so weit weg vom Bett stellen → aufstehen müssen
3. eine Flasche Wasser neben das Bett stellen → morgens gleich einen Schluck trinken können
4. regelmäßig früh aufstehen → sich ans Aufstehen gewöhnen

> *1. Stehen Sie sofort auf, sodass Sie nicht wieder einschlafen können.*
> *2. Stellen ...*

Ü 4 Ergänzen Sie „um ... zu", „damit", „dass" oder „sodass".

1. Lisa fährt in die Stadt, _um_ für Felix einen Wecker _____ kaufen. 2. Sie will Felix den Wecker schenken, _____ sie ihn nicht jeden Morgen wecken muss. 3. Er soll den Wecker dann so weit vom Bett weg stellen, _____ er aufstehen muss, wenn der Wecker klingelt. 4. Hoffentlich steht Felix dann auch schnell auf, _____ Lisa nicht auch wach wird.

13.2.1.6 Nebensatz mit „je ... desto" (Komparativ)

Je später der Abend ist, desto schöner sind die Gäste!

A 1 Markieren Sie im Text die Adjektive.

> **R1** „je ... desto" verbindet zwei Sätze. In beiden Sätzen stehen die Adjektive
>
> im Positiv (Grundform).
>
> im Komparativ.
>
> im Superlativ.
>
> **R1**

A 2 Schreiben Sie den Satz aus der Zeichnung in die Übersicht.

Nebensatz			Hauptsatz		
Nebensatzklammer					
Je später	....	.... ,	desto	....**2**....	.... !
„je" + Adjektiv			„desto" + Adjektiv		

> **R2**
>
> Direkt hinter „je" und „desto" steht immer ein .... im Komparativ.
>
> Im Hauptsatz steht das .... nach dem Adjektiv.
>
> **R2**

> Sätze mit „je ... desto" sind oft Kurzsätze ohne Verb:
> Je schneller, desto besser. Je später der Abend, desto schöner die Gäste.

⇨ 7.3 Komparation der Adjektive, S. 119

Satzverbindungen

Ü 1 Was passt zusammen?

1. Je länger ich abends wach bin,   _D_   A desto schneller bin ich abends müde.
2. Je früher ich aufstehe, ...   B desto fauler werde ich.
3. Je weniger Sport ich mache, ...   C desto schöner die Gäste.
4. Je später der Abend, ...   D desto müder bin ich morgens.

Ü 2 Ergänzen Sie die Adjektive.

1. Je _länger_ (lang) ich über den Tag nachdenke, desto .... (schön) wird er.
2. Je .... (alt) ich werde, desto .... (oft) denke ich an die Schulzeit.
3. Je .... (lang) Tanja in Berlin ist, desto .... (gut) gefällt es ihr.
4. Je .... (wenig) Kaffee ich trinke, desto .... (ruhig) werde ich.

Ü 3 Verbinden Sie die Sätze.

1. Tina geht abends spät ins Bett. Das Aufstehen ist schwer für sie.
2. Der Wecker klingelt oft. Tina wird wütend.
3. Es ist morgens lange dunkel. Tina bleibt gern im Bett liegen.
4. Tina hat es eilig. Die Straßenbahn fährt langsam.

1. Je später Tina abends ins Bett geht, desto ...

Ü 4 Schreiben Sie Sätze mit „je ... desto".

Rockkonzert teuer – Konzert oft kurz

Auto schnell – Fahrer unsportlich

du still sein – viel hören können

früh eine Reise buchen – Auswahl groß sein

Urlaub lang dauern – erholsam sein

man steht früh auf – der Tag ist lang

1. Je teurer ein Rockkonzert ist, desto ...

13.2.2 Relativsatz

Hallo liebe Klassenkollegen,

geht es Euch auch so? Immer öfter denken wir an unsere Zeit in der Schule. Es gibt so viel, was wir nicht (mehr) wissen …

– Wie hieß noch mal der Junge, der neben Elke saß?
– Was macht das Mädchen, das Fußballprofi werden wollte?
– Wie sieht heute unsere Freundin Petra aus, die früher so lange Haare hatte?
– Sind die Jungs (Felix und Max), die immer so lustig waren, wirklich Komiker geworden?
– Und Steffi, deren Eltern immer so tolle Geburtstagsfeste für sie gemacht haben, was macht sie?
– …

Wenn Ihr Antworten auf diese Fragen wollt, dann kommt alle zum Klassentreffen,
*am **Samstag, den 29. Juni, im Biergarten „Zum Ochsen"** neben unserer Schule!*

☺

Bis bald
Thorsten und Monika

Relativsätze geben Informationen oder Erklärungen zu einem Substantiv:
Der Junge   (welcher?)   Der Junge, der neben mir saß.

Relativpronomen „der, das, die"

A 1   Ergänzen Sie die Relativpronomen aus dem Text.

Bezugswort	Relativpronomen
Der Junge,	.... neben Elke saß.
Das Mädchen,	.... Fußballprofi werden wollte.
Die Freundin,	.... so lange Haare hatte.
Die Jungs,	.... immer so lustig waren.

 R1   Das Relativpronomen hat das gleiche Genus (der, das, die) und den gleichen Numerus (Singular/Plural) wie das .... , auf das es sich bezieht.   **R1**

⇨ 5.5 Relativpronomen, S. 103

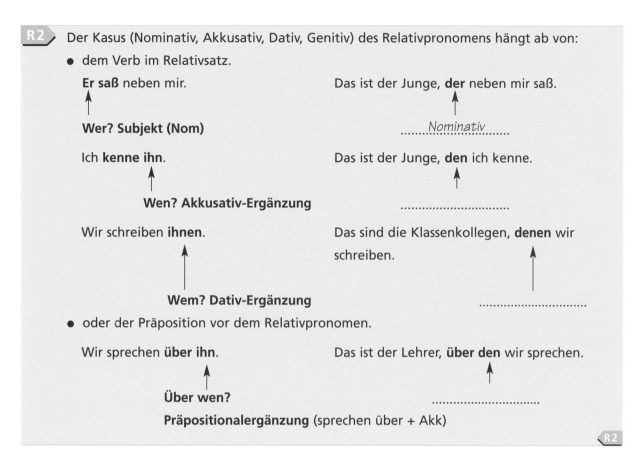

R2 Der Kasus (Nominativ, Akkusativ, Dativ, Genitiv) des Relativpronomens hängt ab von:

● dem Verb im Relativsatz.

Er saß neben mir.   Das ist der Junge, **der** neben mir saß.

↑   ↑

Wer? Subjekt (Nom)   ....*Nominativ*............

Ich **kenne ihn**.   Das ist der Junge, **den** ich kenne.

↑   ↑

Wen? Akkusativ-Ergänzung   ....

Wir schreiben **ihnen**.   Das sind die Klassenkollegen, **denen** wir

↑   schreiben.   ↑

Wem? Dativ-Ergänzung   ....

● oder der Präposition vor dem Relativpronomen.

Wir sprechen **über ihn**.   Das ist der Lehrer, **über den** wir sprechen.

↑   ↑

Über wen?   ....

Präpositionalergänzung (sprechen über + Akk)

R2

	maskulin	neutrum	feminin	Plural
Nominativ	der	das	die	die
Akkusativ	den	das	die	die
Dativ	dem	dem	der	denen
Genitiv	dessen	dessen	deren	deren

Relativpronomen „was" und „wo"

A 2 Worauf bezieht sich „was" und worauf bezieht sich „wo"? Vergleichen Sie die Markierungen.

Es gibt so viel , **was** wir nicht (mehr) wissen.   Das ist alles , **was** ich dir sagen wollte.

Ich wollte dir sagen , **was** wir gestern gemacht   Das ist die Bar , **wo** wir uns kennengelernt

haben.   haben.

R3

Das Relativpronomen „ .... " bezieht sich auf Pronomen oder ganze Sätze

und ist unveränderlich. Das Relativpronomen „ .... " bezieht sich auf Ortsangaben. R3

13 ─────────────── Satzverbindungen ───────────────

A2 > **Ü 1** Thorsten und Monika sehen sich alte Klassenfotos an. Was passt?

1. Das ist doch das Mädchen,   *C*   A der in Mathe immer so gut war.

2. Und das ist Peter, ...   B die ihren Hund mal mitgebracht hat.

3. Und schau mal, da ist Gabi, ...   C das in der 6. Klasse neu bei uns war.

4. Das sind Max und Fritz, ...   D die immer zusammen waren.

A2 > **Ü 2** Ergänzen Sie das Relativpronomen.

● Sag mal, wer ist denn das hier?

○ Das? Das ist doch Thomas, *der* .... (1) mit Petra befreundet war.

● Ach ja. Und das ist Petra, ... (2) im Unterricht immer geredet hat.

○ Genau. Erinnerst du dich noch an Mathe? Petra hat den Lehrer immer geärgert.

● Ja! Das war der Lehrer, ... (3) Petra nicht gemocht hat. Petra hat die ganze Zeit nicht

    aufgepasst, aber dann hat sie immer alles gewusst. Wie hieß noch mal der Lehrer?

○ Metz war sein Name.

● Das war doch der, ... (4) mit der Physiklehrerin verheiratet war.

○ Ja, die beiden, ... (5) zusammen im Wohnmobil auf dem Schulparkplatz gewohnt haben.

B1 > **Ü 3** Schreiben Sie Relativsätze.

1. Thomas = Junge, war in Petra verliebt
2. Petra = Mädchen, hat immer viel geredet
3. Herr Behrendt = Deutschlehrer, haben wir auf der Klassenfahrt geärgert
4. Herr Weber = Musiklehrer, hatte mal kurz einen Bart
5. Frau Bischof = Chemielehrerin, wir haben sie zu Hause angerufen
6. Herr Grimm und Frau Schmidt = Lehrer, wir waren mit ihnen in Frankreich

> *1. Thomas ist der Junge, der in Petra verliebt war.*

aus www.nichtlustig.de © CARLSEN Verlag GmbH, Hamburg 2006

Satzverbindungen

Ü 4 Thorsten und Monika bekommen eine E-Mail von Petra. Ergänzen Sie die Relativpronomen. **B1**

was • das • die • die • _den_ • den • wo

Hallo Lukas, hallo Sandra,

das ist ja toll, mit dem Klassentreffen. Aber leider kann ich nicht
kommen. Ich bin Ende Juni mit jemandem, _den_ (1) Ihr kennt, im Urlaub.
Ich war letztes Jahr in dem Lokal, ... (2) wir als Schüler immer
waren. Dort arbeitet sogar immer noch der Koch, ... (3) wir von
früher kennen. Und plötzlich sehe ich da ein Gesicht, an .... (4)
ich mich sofort erinnert habe. Es war Thomas. Wir haben uns sehr gut
unterhalten und über die Leute, ... (5) in unserer Klasse waren,
geredet. Thomas und ich fahren jetzt zusammen in Urlaub. Wir können
also beide nicht zum Klassentreffen kommen. Ja, das war es, ...
(6) ich Euch schreiben wollte! Grüßt bitte alle, ... (7) sich an
uns erinnern.   ☺

Petra (und Thomas)

Ü 5 Thorstens Frau ist mit zum Klassentreffen gekommen. Sie stellt viele Fragen. Schreiben Sie **B1**
Relativsätze.

1. ● Wer ist denn die Frau mit der grünen Jeans?
   ○ Das ist **Heidi – sie** war beim Schüleraustausch nach Amerika dabei.
2. ● Und wer ist die Frau neben der Tür?
   ○ Die Frau von **Stefan** – ich war **mit ihm** oft beim Sport.
3. ● Und wer ist Stefan?
   ○ **Der Mann** mit den langen Haaren – **Er** steht gerade beim Kellner.
4. ● Und wer sind die beiden älteren Leute da hinten?
   ○ Na so was, das sind die Lehrer **Herr und Frau Metz** – ich habe dir viel **von ihnen** erzählt.

1. Das ist Heidi, die beim Schüleraustausch ...   2. Das ist die Frau von Stefan, ...

Ü 6 Welches Relativpronomen passt? Wie heißt das Lösungswort? **B1**

Ist das der Schüler, (1) Sie angerufen hat? ....

Gut, das ist also der Schüler, über (2) Sie sich beschweren. ....

Sind das die Fotos, (3) Sie im Unterricht gemacht haben? ....

Ist das alles, (4) Sie dazu sagen können? ....

Das ist typisch für Lehrer, (5) der Unterricht keinen Spaß macht. ....

Lösungswort: ....

13.2.3 Nebensatz mit „ob" oder W-Wort

○ Hast du eine Idee, was wir am Wochenende machen können?

● Ich weiß nicht, ob du Museen magst.

○ Ja, gern. Was gibt es denn da?

● Wir können in die Nationalgalerie gehen. Aber ich muss erst nachsehen, wann sie aufmacht. Oder wir fahren an die Ostsee.

○ An die Ostsee?! Ja, super, das machen wir. Ich wollte schon immer wissen, wie es dort ist!

● Sollen wir Lukas fragen, ob er auch mitkommen will?

○ Ja, klar. Frag ihn auch, ob er seinen Hund mitbringt.

A 1a Ergänzen Sie „ob" oder ein W-Wort aus dem Text.

1. Hast du schon eine Idee, ...*was*..... wir am Wochenende machen können?

2. Ich muss erst nachsehen, ... die Nationalgalerie aufmacht.

3. Frag Lukas auch, ... er seinen Hund mitbringt.

A 1b Welche Frage passt? Kreuzen Sie an.

1. Weißt du schon, **was** du machen willst?

   ☐ Willst du etwas machen?

   ☐ Was willst du machen?

2. Frag ihn, **ob** er seinen Hund mitbringt.

   ☐ Bringt er seinen Hund mit?

   ☐ Warum bringt er seinen Hund mit?

3. Ich sehe nach, **wann** das Museum aufmacht.

   ☐ Wann macht das Museum auf?

   ☐ Macht das Museum auf?

Ja-/Nein-Frage   (Kommst) du heute?

Nebensatz mit „ob"   Ich frage dich, ...

W-Frage   <u>Wann</u> kommst du heute?

Nebensatz mit W-Wort   Ich frage dich, ...

> **Nebensätze mit „ob" oder W-Wort** stehen nach Verben und Ausdrücken des Sagens, Fragens, Wissens oder Zweifelns wie:
> (nicht) wissen, (nach)fragen, sich (nicht) erinnern, (nicht) wissen wollen, erzählen, erleben, beschreiben, schreiben, überlegen, nicht sicher sein, eine/keine Idee haben …

⇨ 6 Fragewörter, S. 108

Ü 1 Lisa telefoniert mit Lukas. Die Wochenendplanung ist nicht so einfach.
Lukas hat viele Fragen.

B1

○ Hallo Lukas, hier ist Lisa. Maribel und ich wollen am Wochenende nach Rügen fahren. Kommst du mit? Wir fahren mit dem Zug.

● Ja. Weißt du schon, _welchen Zug wir nehmen können_ ? (1. Welchen Zug können wir nehmen?)

○ Ja, wir können den Zug um 8.30 Uhr nehmen. Nimmst du Toby mit?

● Ich habe keine Ahnung, ... ? (2. Darf ich Toby im Zug mitnehmen?)

○ Natürlich darfst du ihn mitnehmen.

● Und weißt du auch, ... ? (3. Was kostet das Ticket für Toby?)

○ Nein, das weiß ich nicht.

● Na gut, das sehe ich ja dann. Sag mir jetzt bitte nur noch, ... (4. Wann treffen wir uns?)

○ Um zehn nach acht am Bahnhofskiosk.

Ü 2 Lukas ist am Bahnhof und kennt sich nicht aus. Stellen Sie die Fragen höflich.

B1

1. Wie viel Uhr ist es?
2. Wo kann ich Tickets kaufen?
3. Kann ich am Automaten mit Karte zahlen?
4. Gibt es auch Fahrkarten für Hunde?
5. Wo ist der Bahnhofskiosk?
6. Von welchem Gleis fährt der Zug um 8.30 Uhr Richtung Stralsund?

> 1. Können Sie mir bitte sagen, wie viel Uhr es ist?

13.3 Was man mit Nebensätzen machen kann

Etwas aufzählen	Ich lese **sowohl** Bücher **als auch** Zeitungen gerne.
	⇨ 13.1.1 Konjunktoren, S. 175
Alternativen angeben	Ich lese **entweder** Bücher **oder** Zeitungen.
	⇨ 13.1.1 Konjunktoren, S. 175
Eine Meinung / Äußerung wieder-geben	Er ist der Meinung, **dass** wir uns beeilen müssen.
Eine Meinung äußern	Ich denke, dass wir noch Zeit haben.
	⇨ 13.2.1.1 Nebensatz mit „dass", S. 183
Eine Bedingung ausdrücken	Ich fahre nach München, **wenn** ich Urlaub bekomme.
	⇨ 13.2.1.2 Nebensatz mit „wenn", S. 186
Zeitbezüge und Zeitangaben ausdrücken	**Seit** ich hier bin, spreche ich nur deutsch.
	Immer **wenn** ich zum Bäcker gehe, spreche ich deutsch.
	⇨ 13.2.1.3 Temporaler Nebensatz, S. 188
Gründe angeben	Ich kaufe etwas zu trinken, **weil** ich Durst habe.
	⇨ 13.2.1.4 Kausaler Nebensatz, S. 190
	Ich kaufe etwas zu trinken, **denn** ich habe Durst.
	⇨ 13.1.1 Konjunktoren, S. 175
Gegensätze, Unerwartetes angeben	Ich komme zu dem Fest, **aber** ich habe wenig Zeit.
	⇨ 13.1.1 Konjunktoren, S. 175
	Ich komme zu dem Fest, **obwohl** ich wenig Zeit habe.
	⇨ 13.2.1.4 Konzessiver Nebensatz, S. 190
	Ich habe wenig Zeit, **trotzdem** komm ich zu dem Fest.
	⇨ 13.1.2 Verbindungsadverbien, S. 178
Ziel oder Zweck angeben	Sie macht Sport, **um** fit **zu** sein.
	⇨ Nebensatz mit „damit", „um ... zu" (final), S. 192
Folgen oder Konsequenzen angeben	Ich stelle zwei Wecker, **sodass** ich nicht verschlafe.
	⇨ Nebensatz mit „sodass" (konsekutiv), S. 192
Dinge vergleichen / aufeinander beziehen	Je später der Abend, **desto** netter die Leute.
	⇨ 3.2.1.6 Nebensatz mit „je ... desto" (Komparativ), S. 194
Etwas genauer beschreiben	Das Haus, **das wir uns angesehen haben**, ist schön.
	⇨ 13.2.2 Relativsatz, S. 196
Fragen höflich formulieren, aufgreifen	Können Sie mir sagen, **wie spät es ist?**
	⇨ 13.2.3 Nebensatz mit „ob" oder W-Wort, S. 200
Eine Reihenfolge angeben	Ich fahre nach Hause, **dann** esse ich etwas.
	⇨ 13.1.2 Verbindungsadverbien, S. 178
Eine Notwendigkeit angeben	Ich muss einkaufen, **sonst** kann ich nichts kochen.
	⇨ 13.1.2 Verbindungsadverbien, S. 178

Ü 1 Ergänzen Sie das passende Einleitewort.

B1

der • wenn • dass • bevor • ~~ob~~ • bis • ob • denen • bis • ob

Ich weiß noch nicht, _ob_ (1) ich dieses Jahr im Dezember wieder Urlaub bekomme. Aber

ich hofft sehr, _____ (2) es klappt. Es dauert noch zwei Wochen, _____ (3) mir mein

Chef Bescheid geben kann. Er ist es, _____ (4) meinen Urlaubsantrag unterschreiben muss.

_____ (5) ich Urlaub bekomme, möchte ich Ski fahren gehen. Ich würde gerne wieder mit

Freunden, mit _____ (6) ich auch letztes Jahr Ski fahren war, Urlaub machen. Wir überlegen

noch, _____ (7) wir in ein Hotel gehen sollen, oder _____ (8) wir ein Appartement

mieten sollen. Darüber müssen wir uns erst noch einigen, _____ (9) wir richtig suchen

können. Und auch zwei andere Freunde müssen noch warten, _____ (10) ihr Chef die

Urlaubsanträge unterschrieben hat.

Ü 2 Schreiben Sie Sätze.

B1

1. Ich fahre nicht gern Auto – weil – man steht oft im Stau
2. Sie sagt – dass – sie fährt gern mit dem Zug
3. Sie ist früh aufgestanden – trotzdem – sie hat den Zug verpasst
4. Er spricht viel Deutsch – seit – er ist in Berlin
5. Wir gehen heute ins Kino – sowohl … als auch – wir gehen heute indisch essen
6. Er kauft ein Handy – damit – er kann seinen Freunden in Kasachstan SMS schicken
7. Mit diesem Handy kann man telefonieren – nicht nur … sondern auch – man kann damit Fotos machen
8. Ich gehe ins Internet – um … zu – die Wettervorhersage ansehen
9. Ich warte lange auf dich – je … desto – ich mache mir viele Sorgen
10. Er hat noch einen wichtigen Termin – dann – er ruft Sie an.

> 1. Ich fahre nicht gern Auto, weil man oft im Stau steht.

Ü 3 Verbinden Sie die Sätze mit den angegebenen Wörtern.

B1

1. Grund (deswegen, denn, weil): Ich habe jetzt keine Zeit. Ich rufe dich morgen zurück.
2. Zeitspanne (seit): Ich warte hier. Es ist niemand gekommen.
3. Zeitspanne (bis): Ich warte hier. Es kommt jemand.
4. Aufzählung (und; sowohl … als auch): Ich bin müde. Ich bin durstig.
5. Gegensatz (aber, obwohl, trotzdem): Ich komme mit. Ich habe wenig Zeit.

> 1. Ich habe jetzt keine Zeit, deswegen rufe ich dich morgen zurück. Ich rufe dich morgen zurück, denn … /
>   Weil ich jetzt keine Zeit habe, … .

B1 Ü 4 Wie können Sie es noch sagen? Finden Sie Alternativen.

1. Ich komme zu deiner Feier, obwohl ich nur wenig Zeit habe.
2. Ich habe eine Frage: „Gibt es hier eine Toilette?"
3. Ich kann heute nicht kommen, weil ich krank bin.
4. Ich stelle mir zwei Wecker, damit ich nicht verschlafe.
5. Ich schicke Ihnen die Informationen. Sie hatten Interesse an den Informationen.

> 1. Ich habe nur wenig Zeit, trotzdem ... .

B1 Ü 5 Verbinden Sie die Sätze.

Sehr geehrter Herr Jakobsen,

wir freuen uns sehr über Ihr Interesse an unseren Produkten. Sehr gerne schicken wir Ihnen unseren Katalog. Sie finden in dem Katalog aktuelle Angebote. Sie finden im Katalog auch unser gesamtes Sortiment. Wir haben jetzt auch ganz neu Badezimmermöbel. Wir freuen uns, Ihnen exklusive Möbel für Ihr Badezimmer zu präsentieren.
Wir hatten einen Wasserschaden in unserer Lampenabteilung. Wir können Ihnen auf alle unsere Lampen einen Rabatt von 15 % garantieren. Bestellen Sie die Ware bis zum 15. Juli.
Sie haben Fragen? Rufen Sie uns bitte an.

Mit freundlichen Grüßen

T. Gromer

Thomas Gromer – Leiter Produktmanagement

> Sehr geehrter Herr Jakobsen,
>
> wir freuen uns sehr über Ihr Interesse an unseren Produkten und schicken Ihnen sehr gerne unseren Katalog.

Redewiedergabe

Was hat er denn? Ist es schlimm?

Er hat eine Erkältung. Und er hat ein bisschen Fieber. Das ist nicht so schlimm. Geben Sie ihm viel zu trinken und von diesen Tabletten drei Mal täglich eine. Wenn es in drei Tagen nicht besser ist, kommen Sie bitte wieder.

```
Hallo Lisa,

Toby ist krank, ich war heute mit ihm bei der Tierärztin. Ich habe sie
gefragt, was er hat und ob es schlimm ist. Sie hat gesagt, Toby hat eine
Erkältung. Dann meinte sie, dass er ein bisschen Fieber hat. Aber sie
hat auch gesagt, es sei nicht so schlimm. Ich soll ihm viel zu trinken
geben und ihm drei Mal täglich eine Tablette geben. Am Schluss hat sie
gesagt, dass ich wiederkommen soll, wenn es in drei Tagen nicht
besser ist.
```

A 1 Vergleichen Sie die Sprechblasen mit der E-Mail und ergänzen Sie die Beispiele aus der E-Mail.

direkte Rede	**indirekte Rede**
Lukas: „Was hat er?"	Lukas hat gefragt, _was_ Toby .... **redeeinleitender Satz + Nebensatz mit W-Wort**
Lukas: „Ist es schlimm?"	Lukas hat gefragt, ... es schlimm .... **redeeinleitender Satz + Nebensatz mit „ob"**
Ärztin: „Er hat eine Erkältung."	Die Ärztin hat gesagt, Toby .... eine Erkältung. **redeeinleitender Satz + Satz im Indikativ**
Ärztin: „Er hat Fieber."	Sie hat gesagt, ... er Fieber .... **redeeinleitender Satz + Nebensatz mit „dass"**
Ärztin: „Geben Sie ihm viel zu trinken."	Sie hat gesagt, ich .... ihm viel zu trinken .... **redeeinleitender Satz + Satz mit Modalverb „sollen"**
Ärztin: „Es ist nicht schlimm."	Sie hat gesagt, es .... nicht schlimm. **redeeinleitender Satz + Satz mit Verb im Konjunktiv**

R1 Die indirekte Rede beginnt mit einem **redeeinleitenden Satz**: Er / Sie hat gesagt / gemeint ...

Aussagesätze in der direkten Rede bleiben in der indirekten Rede **Aussagesätze** oder werden zu **Nebensätzen mit „ .... ".**

W-Fragen in der direkten Rede werden in der indirekten Rede zu **Nebensätzen mit** ....

Ja-/Nein-Fragen in der direkten Rede werden in der indirekten Rede zu **Nebensätzen mit „ .... ".**

R1

14 ——————— Redewiedergabe ———————

A 2 Suchen Sie die Entsprechungen der markierten Wörter in der indirekten Rede rechts.

Pronomen in der Redewiedergabe

Die Ärztin sagt zu Lukas:
„Kommen Sie bitte zu mir."

Sie hat gesagt, er soll zu ihr kommen.

Die Ärztin sagt zu Lukas:
„Ihr Hund ist krank."

Sie hat gesagt, dass sein Hund krank ist.

Zeitangaben in der Redewiedergabe

Redewiedergabe am gleichen Tag:
Sie hat gesagt, er soll morgen wiederkommen.

Die Ärztin sagt zu Lukas:
„Kommen Sie morgen wieder."

Redewiedergabe ein paar Tage später:
Sie hat gesagt, er soll am nächsten Tag wiederkommen.

Ortsangaben in der Redewiedergabe

Die Ärztin sagt zu Lukas:
„Bleiben Sie mit Ihrem Hund gleich hier."

Sie hat gesagt, er soll mit seinem Hund gleich
da bleiben.

---

gestern → am Tag davor
heute → an diesem Tag / am gleichen Tag
morgen → am nächsten Tag / am darauf folgenden Tag
übermorgen → am übernächsten Tag

R2 In der indirekten Rede gibt es oft einen Perspektivenwechsel. Oft ändern sich

– die Personalpronomen:
Lukas: „Ich gehe zum Tierarzt."

Lukas sagt, ... geht zum Tierarzt.

– die Possessivartikel:
Lukas: „Mein Hund ist krank."

Lukas sagt, dass .... Hund krank ist.

– Zeitbezüge:
Lukas: „Ich gehe morgen
zum Tierarzt."

Lukas hat gesagt, er geht .... Tag
zum Tierarzt.

– Ortsangaben:
Lukas: „Toby, bleib hier!"

Lukas hat zu Toby gesagt, er soll .... bleiben.

R2

⇨ 13.2.3 Nebensatz mit „ob" oder W-Wort, S. 200
13.2.1.1 Nebensatz mit „dass", S. 183
Modalverb „sollen", S. 51

Konjunktiv in der indirekten Rede

Für die Redewiedergabe verwendet man in der gesprochenen Sprache und in E-Mails den Indikativ.

In schriftlichen Texten, z.B. in der Zeitung, und in den Nachrichten findet man häufig den Konjunktiv. Mit dem Konjunktiv in der indirekten Rede distanziert man sich deutlicher von der Äußerung eines anderen.

Ich denke wirklich, dass man die Steuern erhöhen muss.

*Der Bürgermeister sagte, er **denke**, dass man die Steuern erhöhen **müsse**.*

Konjunktiv I in der indirekten Rede
Bei den meisten Verben wird nur die 3. Person Singular im Konjunktiv I verwendet, sonst verwendet man in der indirekten Rede meistens den Konjunktiv II:
Er hat gesagt, er **mache** das gern. Sie hat gesagt, sie **habe** genug Zeit dafür. Sie denkt, das **sei** ein guter Vorschlag.

Bei den Modalverben und bei „sein" verwendet man auch die 1. Person Singular im Konjunktiv I:
ich solle, ich müsse, ich könne …; ich sei

⇨ 2.3.2 Konjunktiv II, S. 38

A2 **Ü 1** Welche redeeinleitenden Sätze passen zu A und welche zu B? Ordnen Sie zu.

1. Lisa erzählt, …
2. Lisa sagt, …
3. Lisa fragt, …
4. Lisa erklärt, …
5. Lisa meint, …
6. Lisa möchte wissen, …

A … dass Toby krank ist.

1, ...

B … wie es Toby geht.

1, ...

A2 **Ü 2** Ergänzen Sie die passenden Pronomen in der indirekten Rede.

1. Ramón fragt Maribel: „Hast du am Nachmittag Zeit?"

   Ramón fragt Maribel, ob *sie* .... am Nachmittag Zeit hat.

2. Maribel und Ramón fragen Nina: „Willst du mit uns ins Kino gehen?"

   Maribel und Ramón fragen Nina, ob .... mit .... ins Kino gehen will.

3. Nina antwortet: „Ich gehe gern mit euch ins Kino."

   Nina antwortet, dass .... gern mit .... ins Kino geht.

4. Maribel fragt die Kartenverkäuferin: „Können Sie mir drei Karten geben?"

   Maribel fragt die Kartenverkäuferin, ob .... drei Karten geben kann.

A2 **Ü 3** Lukas ist krank. Schreiben Sie die Sätze in der indirekten Rede mit Nebensätzen mit „dass", „ob" oder W-Wort. Verwenden Sie die redeeinleitenden Sätze aus Ü1.

1. Ich habe Kopfschmerzen!
2. Mir geht es nicht gut.
3. Kannst du mir einen Tee machen, Lisa?
4. Ich muss zum Arzt gehen.
5. Ich kann nicht in die Arbeit gehen.
6. Wie spät ist es?
7. Wo ist Toby?

1. Lukas sagt, dass er Kopfschmerzen hat.

Redewiedergabe

Ü 4 Zeit- und Ortsangaben in der Redewiedergabe. Ergänzen Sie.

1. Ahmed: „Kommst du heute zu mir?"

   Ahmed hat Hans gefragt, ob er _am selben Tag_ zu ihm kommt.

2. Krankenschwester: „Wie ging es Ihnen gestern?"

   Die Krankenschwester hat Herrn B. gefragt, wie es ihm .... ging.

3. Chef: „Ich rufe morgen wieder an."

   Der Chef hat zu Frau Butz gesagt, dass er .... wieder anruft.

4. Lehrer: „Übermorgen gehen wir ins Museum."

   Der Lehrer hat den Schülern erklärt, dass sie .... ins Museum gehen.

5. Kellner: „Nehmen Sie bitte hier Platz."

   Der Kellner hat zu Herrn K. gesagt, dass er bitte .... Platz nehmen soll.

Ü 5 Alina hat ein Vorstellungsgespräch. Alle sagen ihr, was sie tun soll. Geben Sie die Tipps mit dem Modalverb „sollen" wieder.

1. Mutter: „Zieh etwas Schönes an." 2. Vater: „Komm nicht zu spät zu dem Termin." 3. Bruder: „Trink keinen Kaffee am Morgen." 4. Schwester: „Geh heute früh ins Bett." 5. Freundin: „Ruf mich sofort nach dem Gespräch an." 6. Oma: „Stell selber auch Fragen." 7. Opa: „Sei einfach ganz natürlich!"

> 1. Die Mutter sagt Alina, sie soll etwas Schönes anziehen.

Ü 6 Lesen Sie den Zeitungstext. Was hat der Professor gesagt? Schreiben Sie in direkter Rede.

Winterzeit – Schnupfenzeit
Im Winter haben wir wieder alle mit Schnupfen, Husten und Heiserkeit zu kämpfen. Wir haben deswegen Herrn Prof. Noke befragt, was man dagegen tun kann. Herr Noke meint, man müsse auch bei schlechtem Wetter täglich draußen spazieren gehen. Ohne tägliche Bewegung und direktes Tageslicht hätten wir wenig Chancen, gesund zu bleiben. Er wisse, dass viele Leute bei schlechtem Wetter lieber zu Hause blieben, aber mit der richtigen Kleidung gäbe es keine Ausreden. Auch die Ernährung sei sehr wichtig: viel Obst und Gemüse, aber auch viel Flüssigkeit. Besonders gut seien heiße Tees. Er selbst gehe einmal in der Woche in die Sauna. Das würde ihm sehr helfen.

> Professor Noke gibt folgende Ratschläge: „Man muss auch bei schlechtem Wetter täglich draußen spazieren gehen. Ohne …

Wortbildung

15.1 Abgeleitete Substantive
Infinitiv als Substantiv

Endlich! Rennen und Springen ohne Leine –
das Spazierengehen im Park macht Toby
Spaß. Da darf er frei laufen.
Da gibt es auch andere Hunde zum Spielen.
Vom vielen Rennen wird Toby hungrig.

A 1 Suchen Sie die Wörter „rennen", „springen", „spazieren gehen", „spielen" im Text.
Was fällt Ihnen auf? Markieren Sie.

 Der Infinitiv kann zu einem Substantiv werden. Das Artikelwort ist immer „das".

Oft verwendet man Ausdrücke mit „bei" (beim Spazierengehen) oder „zu" (zum Spielen).

Substantive mit Suffixen

Im Park ist viel los. Kinder spielen, Hunde rennen, ein Jogger läuft seine Runden. In einer Ecke wird
Schach gespielt. Der eine Spieler ist still und konzentriert, aber der andere unterhält sich mit den
Zuschauern. Radfahrer gibt es keine, denn Radfahren ist verboten.

A 2a Suchen Sie die Wörter „joggen", „spielen", „zuschauen", „Rad fahren" im Text.
Markieren Sie.

A 2b Ergänzen Sie die passenden Substantive.

joggen	*der Jogger*	*die Joggerin*
spielen	....	....
zuschauen	....	....
Rad fahren	....	....
Verb	männliche Person: Endung **-er**	weibliche Person: Endung **-er-in**

R2 Mit Verbstamm + ... bezeichnet man männliche Personen. An diese Substantivform hängt man die Endung .... an für die Bezeichnung weiblicher Personen.

Substantive vom Verb mit **-er** können einen Umlaut haben: kaufen – der Käufer.
Manche Substantive bezeichnen nicht eine Person, sondern eine Sache:
kleben – der Kleber, staubsaugen – der Staubsauger

A 3a Substantive mit Suffix: Markieren Sie.

-chen • -er • -er • -er • -er • -heit • -heit • -in • -in • -keit • -lein • -ler • -schaft • -schaft • -ung

Ach Kindchen, das kannst du doch nicht machen. • Benno wollte schon als Kind Programmierer werden. • Bernd war ein großer Sportler, aber seit seinem Unfall kann er keinen Sport mehr machen. • Carola ist eine ausgezeichnete Köchin. • Das ist ein Foto unserer Mannschaft mit dem neuen Trainer. • Diese schöne Zeichnung hat Theresa gemacht. • Ein kleines Häuslein mit Garten, das war der Traum von Josip. • Hyssein fährt nur langsam mit dem Auto, Sicherheit ist ihm wichtig. • Ich wünsche mir, dass unsere Freundschaft noch lange hält. • In unserer Familie gibt es keine Musiker, aber alle hören gern Musik. • Karins Vater war Polizist, und Karin wollte schon als Kind Polizistin werden. • Tommy will sein Auto verkaufen. Er sucht einen Käufer • Die Oma freut sich über jede Kleinigkeit, die sie von den Enkeln bekommt. • Wir wünschen Ihnen im neuen Jahr Gesundheit und alles Gute!

A 3b Ergänzen Sie die Beispiele aus der Sätzen in der Übersicht.

Substantive mit Suffixen: Übersicht

Substantive maskulin: „der"   andere Beispiele

-er	zeichnen	**der** Zeichn**er**	....
	die Physik	**der** Physik**er**	....
	das Ausland	**der** Ausländ**er**	....
-ler	die Wissenschaft	**der** Wissenschaft**ler**	....

Substantive neutrum: „das"

| -chen | der Baum | **das** Bäum**chen** | *Kindchen* |
| -lein | die Katze | **das** Kätz**lein** | .... |

Substantive feminin: „die"

-in	der Lehrer	**die** Lehrer**in**	....
	der Arzt	**die** Ärzt**in**	....
-ung	untersuchen	**die** Untersuch**ung**	....
-schaft	der Freund	**die** Freund**schaft**	....
	verwandt	**die** Verwandt**schaft**	....
-heit	klug	**die** Klug**heit**	....
-keit	fröhlich	**die** Fröhlich**keit**	....

Das Suffix bestimmt das Genus. Substantive mit Suffix können einen Umlaut haben.

A2 **Ü 1** Was ist er, was ist sie? Schreiben Sie Substantive für Personen.

1. Wer Bilder malt, ist ein _Maler_ .
2. Wer fährt, ist ein ....
3. Wer etwas erzählt, ist ein ....
4. Wer Brot backt, ist ein ....

5. Wer tanzt, ist eine _Tänzerin_ .
6. Wer lehrt, ist ein**e** ....
7. Wer zuschaut, ist ein**e** ....
8. Wer wählen geht, ist ein**e** ....

A2 **Ü 2** „-chen" und „-lein", machen alles klein. Notieren Sie.

1. das kleine Haus – _das Häuschen_
2. der kleine Hund – ....
3. das kleine Glas – ....

4. der kleine Bach – _das Bächlein_
5. das kleine Buch – ....
6. das kleine Tier – ....

B1 **Ü 3** Infinitiv als Substantiv: Ergänzen Sie.

1. Antonio <u>kocht</u> sehr gern. Aber er hat nicht oft Zeit zu**m** _Kochen_ .
2. Herbert <u>joggt</u> jeden Tag. Er entspannt sich gut bei ....
3. Eleni <u>liest</u> gern. Sie geht Bücher kaufen, denn sie hat nichts mehr zu ....
4. Mahmut <u>arbeitet</u> als Fahrer. Er braucht seinen Führerschein zu ....
5. Alex kann nicht gut <u>schwimmen</u>. Deshalb hat er bei .... Angst.

B1 **Ü 4a** Markieren Sie das Suffix.
Ü 4b Ergänzen Sie das Artikelwort.

1. Der Abend war sehr schön, _die_ Stimmung gut.
2. Ich war enttäuscht, ein.......... Freundschaft war zu Ende.
3. Wer hat dieses Bild gemalt? Wie heißt d.......... Künstler.
4. D.......... Schauspielerin Hanna Schygulla lebt in Paris.
5. Ich komme gern zum Fest, wenn ich d.......... Möglichkeit habe.
6. „Keine Angst", sagte d.......... Ärztin, d.......... Untersuchung tut nicht weh.
7. „Tut mir leid, das war ein.......... Dummheit von mir. Ich bitte um Entschuldigung."
8. Hast du schon d.......... Neuigkeit gehört? Maria hat einen Job gefunden.

Wortbildung _____ 15

15.2 Zusammengesetzte Substantive

┌─────────────────────────────┐
│ **7. Stock – Unfallstation** │
│   │
│ **Chefärztin:**   │
│   Dr. Rademacker   │
│ **Fachärzte:**   │
│   Dr. Helenova, Dr. Paulaner │
│ **Stationsleiterin:**   │
│   Fr. Schumer   │
└─────────────────────────────┘

Herr Bahr ist Kranken|pfleger. Er arbeitet in einem großen Krankenhaus in Berlin, auf der Unfallstation.

Auf der Station liegen viele Schwerverletzte. Manche brauchen einen Rollstuhl oder eine Gehhilfe.

Die Chefärztin bespricht die Therapiepläne für die Patienten mit den Fachärzten. Die Stationsleiterin macht den Dienstplan für das Pflegepersonal. Heute hat Herr Bahr Frühdienst.

A 1 Teilen Sie die unterstrichenen Wörter in zwei Teile.

> **R1**
> Zusammengesetzte Substantive bestehen aus mindestens .... Teilen.
> Der letzte Teil, das Grundwort, ist immer ein Substantiv.   ◄ R1

A 2a Ergänzen Sie den bestimmten Artikel.

die Kranken	der Pfleger	.... Kranken	pfleger
der Unfall	die Station	.... Unfall	station
pflegen / die Pflege	das Personal	.... Pflege	personal
		Bestimmungswort	Grundwort

A 2b Welche Wortart ist das Bestimmungswort? Unterstreichen Sie es in der Umschreibung. Notieren Sie in der rechten Spalte die Wortart.

	Umschreibung	Bestimmungswort
1. der Kranken|pfleger	der Pfleger für die Kranken	*Substantiv*
2. die Unfall|station	die Station für die Opfer eines Unfalls	....
3. der Roll|stuhl	der Stuhl, den man rollen kann	*Verb*
4. die Geh|hilfe	eine Hilfe, um gehen zu können	....
5. der Früh|dienst	der frühe Dienst	....
6. der/die Schwer|verletzte	eine Person, die schwer verletzt ist	....

> Zwischen den beiden Wörtern kann ein **-s-** (Fugenelement) stehen: die Station**s**leiterin

> **R2** Das Genus (maskulin, feminin, neutrum) eines zusammengesetzten Substantivs wird vom
> .... bestimmt. Das Bestimmungswort muss kein Substantiv sein.   ◄ R2

A2 Ü 1a Teilen Sie die zusammengesetzten Substantive. Notieren Sie beide Teile.

Ü 1b Welche Bedeutung passt? Kreuzen Sie an.

1. der Stadtplan *die Stadt, der Plan* ☒ der Plan von einer Stadt
   ☐ ein Plan, um eine Stadt zu bauen

2. das Schwimmbad .... ☐ ein Bad, wo man schwimmen kann
   ☐ ein Bad, das schwimmt

3. das Märchenbuch .... ☐ ein Buch mit vielen Märchen
   ☐ ein Buch über Märchen

4. die Plastiktüte .... ☐ eine Tüte voll mit Plastik
   ☐ eine Tüte aus Plastik

5. die Altstadt .... ☐ der alte Teil der Stadt
   ☐ eine sehr alte Stadt

B1 Ü 2 Bilden Sie zusammengesetzte Substantive. Sie können ein Wörterbuch zu Hilfe nehmen.

1. eine Maschine zum Schreiben *die Schreibmaschine*
2. der Löffel zum Kochen ....
3. ein Buch zum Malen ....
4. eine Maschine, die Wäsche wäscht ....
5. das Zimmer, in dem man schläft ....
6. Schuhe, mit denen man läuft ....

B1 Ü 3 Was ist das? Notieren Sie das Wort. Sie können ein Wörterbuch zu Hilfe nehmen.

1. 🖐 + 👞 *die Handschuhe*   5. ☀ + N + 🕶 ....

2. 🏠 + 🚪 ....   6. 🌳 + 🏠 ....

3. 🍎 + 🍰 ....   7. 👜 + N + 💡 ....

4. 🦷 + 🧹 ....   8. 🚗 + 📻 ....

16.1 Pronomen, Artikelwörter und Verbindungsadverbien

Der Autodiebstahl

Um 8.30 Uhr hatte Herr Schuster eine wichtige Besprechung und jetzt war es schon kurz vor acht. Er riss die Tür zur Tiefgarage auf, rannte nach links und blieb plötzlich stehen. „Das gibt es doch nicht!", dachte er. „Wo ist mein Auto?!" Es war weg, einfach verschwunden. Er sah sich um. Auf dem Parkplatz, der links neben seinem war, stand das Auto seiner Nachbarin, Frau Bastani, auf dem Parkplatz von Herrn Huber lagen die alten Autoreifen und die Lampe hinten an der Wand war immer noch kaputt. Alles war wie immer, nur sein Auto war weg.

A 1a   Worauf beziehen sich die markierten Wörter? Machen Sie Pfeile im Text.

A 1b   Ordnen Sie die markierten Wörter aus dem Text in der Tabelle zu.

Pronomen	Artikelwörter
er,	mein (Auto),

R1

Textzusammenhang wird sehr oft mit .... und ....
erzeugt. Vor allem Personalpronomen, Relativpronomen und Possessivpronomen ebenso wie Possessivartikel machen die Bezüge im Text deutlich.   **R1**

⇨ 5 Pronomen, S. 94
4 Artikelwörter, S. 83

A 2   Markieren Sie den unbestimmten Artikel, den bestimmten Artikel und den Demonstrativartikel.

Da kam Frau Bastani und grüßte ihn freundlich. Er reagierte überhaupt nicht und sie verstand sofort, dass er ein Problem hatte. „Soll ich Sie irgendwohin mitnehmen?", fragte sie. „Ehrlich gesagt, ja. Mein Auto ist weg und ich habe gleich einen wichtigen Termin." „Ah, das ist also das Problem! Steigen Sie ein, ich fahre Sie hin. Wo ist denn dieser Termin?"

R2

Man verwendet den .... Artikel bei Substantiven, die unbekannt oder neu im Text sind. Den .... Artikel oder den .... verwendet man bei Substantiven, die allgemein bekannt sind, schon vorher im Text genannt wurden oder durch den Kontext klar sind.   **R2**

⇨ 4.1 Bestimmter und unbestimmter Artikel, S. 83

A 3 Markieren Sie die Verbindungsadverbien „dann", „deswegen" und „sonst".

Im Auto erzählte er ihr, was passiert ist. Sie dachte eine Weile nach, dann sagte sie: „Ich habe da gestern in der Tiefgarage einen Mann gesehen, den ich hier noch nie gesehen habe. Er hat sich alles genau angesehen. Ich habe nicht weiter darüber nachgedacht, aber der Mann war irgendwie komisch, deswegen fällt es mir jetzt wieder ein." „Wie sah der Mann denn aus?" „Ich glaube er war so um die Vierzig und er hatte einen hellen Mantel an, sonst weiß ich nichts mehr."

> **R** Auch .... verknüpfen Sätze zu einem Text. Sie stellen Bezüge her, die die Reihenfolge, Gründe, Widersprüche oder Bedingungen betreffen. **R**

 13.1.2 Verbindungsadverbien, S. 178

Auch „wo(r)-" und „da(r)-" + Präposition erzeugen Textzusammenhang:
… und habe nicht weiter **darüber** (= über die Begegnung mit dem fremden Mann) nachgedacht.
Ebenso sind alle Konjunktoren und Subjunktoren wichtig, um Textzusammenhang zu schaffen:
Er rennt nach links. Er bleibt stehen. → Er rennt nach links **und** bleibt stehen.
Mein Auto ist weg. Ich ärgere mich. → Ich ärgere mich, **weil** mein Auto weg ist.

 6.2 „wo(r)-" + Präposition, S. 110
13.1.1 Konjunktoren, S. 175
13.2.1 Nebensätze mit Subjunktoren, S. 183

B 1 **Ü 1** Streichen Sie die falschen Wörter.

Herr Schuster war verzweifelt. „Was soll ich denn jetzt machen?", fragte er / sie (1). „Ich habe jetzt gleich diese / ihre (2) wichtige Besprechung und danach ein Gespräch mit meinem / seinem (3) Chef. Was soll er / ich (4) nur tun?" Frau Bastani antwortete ohne nachzudenken: „Sie / Er (5) müssen zur Polizei gehen. Sie müssen den / einen (6) Autodiebstahl sofort melden, dann / deswegen (7) kann die Polizei dein / Ihr (8) Auto suchen. Aber das müssen Sie schnell machen, sonst / darum (9) ist das Auto vielleicht schon weit weg und es / er (10) wird nie gefunden." „Ja.", antwortete sie / er (11) müde. „Sie haben recht. Ich muss zur Polizei gehen und eine Anzeige machen." „Wenn Sie möchten, können wir in der Mittagspause zusammen hingehen, darüber / dann (12) kann ich Sie abholen und ich kann der Polizei gleich den Mann beschreiben, der / den (13) ich gesehen habe." „Haben Sie denn dafür wirklich Zeit?" „Ja, natürlich, das ist kein Problem."

16.2 Zeit- und Ortsangaben

Protokoll der Zeugenaussage – Herr Schuster
Betreff: gestohlenes Auto (Pkw)

Herr Schuster betritt am Morgen des 8. Februar um kurz vor acht die Tiefgarage, um mit seinem Auto zur Arbeit zu fahren. Dort bemerkt er anfangs den Diebstahl des Autos gar nicht. Erst als er direkt vor seinem Parkplatz steht, sieht er, dass sein Auto verschwunden ist. Er überlegt für kurze Zeit, ob er vor dem falschen Parkplatz steht. Kurz darauf kommt seine Nachbarin, Frau Bastani, in die Tiefgarage. Sie berichtet ihm, dass sie hier am Vorabend einen fremden Mann gesehen hat. Frau Bastani fährt Herrn Schuster in die Arbeit und beide beschließen, gemeinsam mittags zur Polizei zu gehen um Anzeige zu erstatten.
Der Pkw von Herrn Schuster ist fünf Jahre alt, ein dunkelgrüner

A 1   Markieren Sie im Text alle Wörter, die Zeitangaben oder Zeitbezüge ausdrücken und unterstreichen Sie alle Wörter, die Orte angeben.

Zeitbezüge machen in einem Text die Abfolge deutlich und schaffen so Textzusammenhang:
- Temporaladverbien (jetzt, morgen, …)
- temporales Verbindungsadverb (zuerst, dann)
- andere Zeitangaben (am selben Abend, in diesem Moment, …)

Ortsangaben schaffen Textzusammenhang, indem sie die Ereignisse räumlich situieren:
- Lokaladverbien (hier, dort, …)
- Ortsangaben (in der Garage, …)

⇨ 9.1 Temporaladverbien, S. 147
9.2 Lokaladverbien, S. 149

Ü 1   Frau Bastani erzählt. Bringen Sie die Textteile in die richtige Reihenfolge.

B 1

.... Anfangs hatte ich mir nichts dabei gedacht, dass hier ein fremder Mann war, der sich alles genau ansah.

_1_........ Ich bin wie jeden morgen in die Tiefgarage gegangen.

.... Aber dann habe ich gesehen, dass sein Auto nicht da war.

.... Aber nachdem nun das Auto verschwunden ist, finde ich diesem Mann sehr verdächtig.

.... Dort habe ich Herr Schuster gesehen.

.... Ich habe in also gefragt, ob ich ihm helfen kann.

.... Zuerst dachte ich, er ist wütend auf mich, weil er mich nicht gegrüßt hat.

.... Auf dem Weg in die Arbeit habe ich ihm von dem Mann erzählt, den ich am Vorabend in der Garage gesehen habe.

B 1 ❯ **Ü 2** Welche Orte bezeichnen
die markierten Wörter?
Notieren Sie: „Hofstraße", „Passauer Straße"
oder „Arbeit".

Herr Schuster wohnt seit über sieben Jahren in der Hofstraße 5.

Seit er dort (1) wohnt, ist noch nie etwas gestohlen worden.   *Hofstraße* ....

Deswegen kann er es gar nicht fassen, dass sein Auto hier (2) gestohlen   ....

wurde. Er arbeitet in einer großen Firma mit über 900 Mitarbeitern.

Hier (3) ist schon oft etwas verschwunden: Geldbörsen, Uhren oder auch   ....

ganze Computer. Dass in diesen Räumen (4) immer wieder Dinge   ....

gestohlen werden, ist bekannt und jeder passt gut auf seine Sachen auf.

Auch an seinem früheren Wohnort, in der Passauer Straße, gab es manchmal

Ärger. Aus der Waschküche verschwanden dort (5) Kleidungsstücke   ....

und auch im Innenhof (6) sind schon Fahrräder gestohlen   ....

worden. Aber hier (7) in der Tiefgarage?   ....

B 1 ❯ **Ü 3** Ergänzen Sie den Text.

> jetzt • dort • zuerst • ~~immer~~ • nach drei Wochen • lange • dort • dann • dann

Vor vielen Jahren hat mir einmal jemand mein Fahrrad gestohlen. Ich hatte das Fahrrad wie

immer .... (1) vor der Haustür abgestellt und es auch abgesperrt. Aber nur mit einem kleinen

Schloss. Ich hatte mein Fahrrad seit Jahren nachts .... (2) stehen lassen. Und ....

(3) ging das gut. Aber .... (4) ist es doch passiert und an einem Morgen war das Fahrrad

weg. .... (5) war ich sehr wütend. Aber .... (6) habe ich mich über mich selbst

geärgert, weil ich so faul war und mein Fahrrad nie in den Keller gestellt habe. Bei der Polizei

habe ich am nächsten Tag eine Anzeige erstattet.

.... (7) habe ich dann endlich einen Brief von der Polizei bekommen:

Sie hatten mein Fahrrad am anderen Ende der Stadt gefunden. Es lag .... (8) im

Straßengraben und ich konnte es abholen. .... (9) stelle ich mein Fahrrad immer in den

Keller.

16.3 Wortschatz

Autobesitzer findet sein Fahrzeug wieder

Ein ungewöhnliches Ende fand ein Autodiebstahl in Frankfurt. Letzten Dienstag hatte Markus S. auf der Polizei den Raub seines Pkws gemeldet. Das Fahrzeug wurde nach Aussagen des Opfers aus seiner Tiefgarage in einer Wohngegend gestohlen. Nachdem eine Nachbarin von einem Mann berichtete, den sie am Vorabend in der Garage gesehen hatte, konzentrierten sich die Ermittlungen auf einen männlichen Dieb um die vierzig. Am Freitagnachmittag ging Markus S. zu Fuß zum nahe gelegenen Supermarkt. Beim Verlassen des Geschäfts sah er dann sein Auto, es stand auf dem Kundenparkplatz. Er hatte es dort einfach vergessen!

Der Mann, der zunächst verdächtigt wurde, ist übrigens der zukünftige Nachbar des „Bestohlenen", Herr R. Er hatte sich am Abend vor dem „Diebstahl" die Tiefgarage seiner neuen Wohnung angesehen.

A 1a Markieren Sie im Text alle Wörter für: das Auto, den Autobesitzer und „den Dieb".

A 1b Ergänzen Sie in der Übersicht weitere Beispiele aus dem Text.

Auto: *Pkw,* ....

Autobesitzer: *Markus S.,* ....

„Dieb":   ....

Um ständige Wiederholungen zu vermeiden, verwendet man im Text oft

- Synonyme (Auto – Pkw)
- Umschreibungen (Autodieb – der Mann, der zunächst verdächtigt wurde)
- Oberbegriffe (Fahrzeug)
- bei Personen und Tieren: Namen (Markus S.)

Ü 1   Welche Wörter können in einem Text das Gleiche bedeuten?   ◁ **B 1**

1.	_D_	das Auto	A der Laden
2.	......	der Käufer	B der Räuber
3.	......	der Computer	C der Bestohlene
4.	......	der Polizist	D das Fahrzeug
5.	......	das Opfer	E der Rechner
6.	......	das Geschäft	F der Kunde
7.	......	der Dieb	G der Beamte

B1 > **Ü 2a** Ordnen Sie die Wörter und Ausdrücke den Oberbegriffen zu.

Vierbeiner • Mann • Auto • Gebäude • Hund • Nachbar • Pkw • Leute • Person • BMW
Beamter • Polizist • nach Hause • Wohnung • Haustier • Verfolger • Fahrer

Tier	Fahrzeug	Wohnort	Mensch

B1 > **Ü 2b** Welche Begriffe passen? Oft sind mehrere Begriffe richtig, streichen Sie die falschen Begriffe durch.

Betrunkener Fahrer unbekannt!

Jedes Jahr wieder zur Faschingszeit hat die Polizei viel zu tun. Immer wieder fahren viele Leute / Menschen / ~~Autos~~ (1) nach einer langen und fröhlichen Faschingsfeier mit dem eigenen Auto / Wohnort / Fahrzeug (2) zu ihrem Pkw / nach Hause / zu ihrer Wohnung (3). Und das, obwohl sie auf den Feiern Alkohol getrunken haben. So auch letzten Samstag, als zwei Polizisten in der Nähe von Innsbruck ein dunkler BMW / Pkw / Hund (4) auffiel. Das Gebäude / Fahrzeug / Auto (5) war viel zu schnell und fuhr in der Mitte der Straße. Als die Vierbeiner / Polizisten / Beamten (6) das Fahrzeug stoppen wollten, gab der Fahrer / Polizist / Hund (7) Gas und flüchtete. Dem Fahrer des dunklen BMWs gelang es, die Verfolger / Polizisten / Haustiere (8) für kurze Zeit abzuhängen, indem er in eine Seitenstraße einbog, als ihn die Polizisten gerade überholen wollten. Wenige Minuten später fanden die Polizisten den Wagen, er stand ordentlich geparkt am Straßenrand.

Die Beamten gingen zum Auto und waren nicht wenig überrascht, als sie vier erwachsene Männer / Haustiere / Personen (9) auf dem Rücksitz sahen und auf dem Fahrersitz einen Hund. Der Vierbeiner / Hund / Beamte (10) begrüßte die Polizisten mit einem freundlichen „Wuff!" und die offensichtlich angetrunkenen „Mitfahrer" behaupteten, der Fahrer / Beamte / Nachbar (11) sei verschwunden. Natürlich sei von ihnen niemand mit dem Auto gefahren, sie hätten ja zu viel getrunken.

Lösungen

1	**Bausteine der Sprache**	S. 9

1.1 Wort – Satz – Text

A 1 **Infinitiv:** **Präsens** (3. Person Sg): **Präteritum** (3. Person Sg): **Perfekt** (3. Person Sg):
schließen   schließt   schloss   hat geschlossen

A 2 Helmut Kirchmair ist Elektriker. Herr Kirchmair arbeitet in einer großen Firma in Bochum. Die Firma S. 10 baut elektrische Anlagen. Herr Kirchmair hat zwei Söhne. Die Söhne heißen Simon und Clemens. Die Mutter von Simon und Clemens heißt Anna. Anna ist Krankenschwester.

Helmut Kirchmair ist Elektriker. Er arbeitet in einer Firma in Bochum. Die Firma baut elektrische Anlagen. Herr Kirchmair hat zwei Söhne, die Simon und Clemens heißen. Ihre Mutter heißt Anna und ist Krankenschwester.

Ü 1a auf – Präposition, Foto – Substantiv, sehen – Verb, heute – Adverb, weil – Subjunktor (Konjunktion), S. 11 er – Personalpronomen

Ü 1b Heute ist ein schöner Tag. Klaudia Simoni   sein, schön, der Tag
bringt ihre Kinder zum Kindergarten. Weil die   bringen, das Kind, der Kindergarten
Sonne scheint, fährt sie mit dem Fahrrad. Peter   die Sonne, scheinen, fahren, das Fahrrad
und Paul sitzen in ihrem neuen Anhänger.   sitzen, neu, der Anhänger

Ü 2 **K**laudia | **S**imoni | arbeitet | in | einem | **B**üro. | **I**hr | **C**hef | ist | **A**rchitekt. | **I**n | der | **F**irma | arbeiten | fünf | **P**ersonen. | **F**rau | **S**imoni | telefoniert | und | schreibt | **M**ails | und | **B**riefe. | **S**ie | arbeitet | jeden | **T**ag | von | neun | bis | eins. | **N**ach | der | **A**rbeit | fährt | sie | zum | **K**indergarten. | **S**ie | holt | dort | ihre | **K**inder | ab.

Ü 3 **a** 1. Peter hat einen neuen Helm. 2. Er hat ihn zu seinem Geburtstag von der Oma bekommen. 3. Sie hat seine Lieblingsfarbe gewählt: rot!
b 1. Max ist 12 Jahre alt. 2. Er hat eine kleine Schwester. 3. Er spielt nicht gern mit ihr. 4. Denn sie ist erst 5 Jahre alt.

1.2 Aussage – Frage – Aufforderung

A **Aussagen:** Eva Klinger. Ich arbeite. Ich habe in drei Tagen eine Prüfung. Ich muss noch so viel lernen. S. 12 Nein, tut mir leid, ich habe keine Zeit. Ja, ich komme aber etwas später. Karin und ich gehen noch weg. In die Kneipe am Karlsplatz. Wir sind in ca. einer Stunde dort. Das macht doch nichts. Dann sehen wir uns später im „Alex". Bis bald. Ja, genau.
Fragen: Wohin geht ihr denn? Welche meinst du? Das „Alex"? Was machst du? Wie lange musst du noch arbeiten? Kommst du mit? Kennst du die nicht?
Aufforderung: Komm doch mit! Hör doch bald mit dem Lernen auf!

R1 Aussagesatz: Das konjugierte Verb steht an **Position 2**. S. 13

R2 W-Frage: Das konjugierte Verb steht an **Position 2**.

R3 Ja-/Nein-Frage: Das konjugierte Verb steht an **Position 1**.

R4 Aufforderungssatz: Das konjugierte Verb steht an **Position 1**.

Ü 1a 1. Warte bitte! 2. Wohin gehst du? 3. Ich gehe noch einkaufen. 4. Möchtest du mitkommen? S. 14 5. Hast du Zeit? 6. Nein, ich habe noch einen Termin. 7. Was machst du? 8. Ich muss zum Zahnarzt gehen. 9. Wo ist denn die Praxis von deinem Zahnarzt? 10. Die liegt gleich da vorne, fünf Minuten von hier. 11. Geh doch mit mir bis zur Praxis. 12. Ja, das mache ich.

Aussagesatz	W-Frage	Ja-/Nein-Frage	Aufforderungssatz
3, 6, 8, 10, 12	2, 7, 9	4, 5	1, 11

Ü 1b

Warte	- - -	bitte!
Wohin	gehst	du?
Ich	gehe	noch einkaufen.
Möchtest	du	mitkommen?
Hast	du	Zeit?

Ü 2
1. Eva Klinger ist Studentin. 2. Wann hat sie eine Prüfung? 3. Kennt sie die Kneipe am Karlsplatz? 4. Komm auch in die Kneipe! 5. Die Freunde sind in einer Stunde dort. 6. Wie lange arbeitet Eva am Abend? 7. Hör bald auf! 8. Hast du keine Zeit ?

2 Verben

2.1 Kongruenz Verb – Subjekt

S. 15 A
ich wohne – du wohnst – Sie wohnen – er liegt – es steht – sie heißt – wir gehen – ihr bleibt – Sie bleiben – sie wohnen

S. 16 Ü 1
1. Wie heißt du? 2. Ich heiße Lisa Bahr. Ich wohne in Berlin. 3. Kommt ihr aus Berlin? 4. Nein, wir kommen aus Bonn. 5. Was machen deine Eltern? 6. Meine Mutter ist ist Biologin und mein Vater arbeitet als Krankenpfleger. 7. Hast du noch Geschwister? 8. Ja, ich habe einen Bruder, wir machen viel gemeinsam.

Ü 2
1. wohnt 2. Er 3. heißt 4. Sie 5. wohnen 6. heißen 7. Sie

Ü 3
1. heiße 2. komme 3. kommst 4. komme 5. lebe 6. machst 7. Arbeitest 8. studiere 9. finde 10. studierst

Ü 4
1. ist 2. heißen 3. heiße 4. wohne 5. machen 6. arbeite 7. gefällt 8. habe

2.2.1 Präsens

S. 18 A 1a
ist – Wirst – bin – sein – habe – Hast – wird – haben – werden – bist

A 1b
ich: bin – habe, **du:** bist – hast – wirst, **er/es/sie:** ist – wird, **wir:** haben

S. 19 Ü 1a
1. C; 2. D; 3. A; 4. B

Ü 1b
Beispiel: Mein Name ist Nena. Ich bin 46 Jahre alt. Ich bin Sängerin (von Beruf). Ich bin ledig.

Ü 2
1. bin 2. bin 3. habe 4. ist 5. haben 6. sind 7. sind 8. ist 9. sind 10. haben

Ü 3
1. Isabella ist Schülerin. 2. Sie wird am 1. April sieben Jahre alt. 3. Ich habe am … Geburtstag. 4. Dann werde ich … Jahre alt. 5. Heute ist das Wetter schlecht. 6. Morgen wird es besser.

S. 20 A 2a
klingelt – hasst – liegt – bleibt – holt – geht – duscht – macht – rennt – wartet – sitzen – reden – gehen

A 2b
er/es/sie geht – sie gehen

A 3a
Als Lisa zur Haltestelle kommt, fährt der Bus gerade. Sie wartet nicht auf den nächsten, denn dann kommt sie zu spät. Deshalb läuft sie zur Schule.
In der großen Pause isst sie ein Brot und trinkt schnell einen Tee aus dem Automaten. Sie spricht noch kurz mit ihrem Biolehrer, dann läuft sie zu Yvonne und Clara. Die drei Freundinnen treffen sich nach der Schule und fahren gemeinsam in die Stadt. Am Abend nimmt Lisa den Bus nach Hause.

A 3b
er/es/sie fährt – isst, sie fahren

Lösungen

Ü 4   1. <u>Familie Bahr</u> wohn**t** 2. <u>Herr Bahr</u> arbeite**t** 3. <u>Er</u> komm**t** 4. <u>Herr und Frau Bahr und die beiden Kinder Lisa und Felix</u> leb**en** 5. <u>Wir</u> leb**en** 6. Lisa sag**t** 7. <u>ich</u> find**e** 8. <u>ich</u> geh**e**   S. 21

Ü 5   1. schläft 2. macht 3. isst 4. ist 5. erzählt 6. spricht 7. trifft 8. fährt

Ü 6a   1. Wie heißt du? 2. Wo wohnst du? 3. Woher kommst du? 4. Was machst du?

Ü 6b   **Beispiele:** 1. Ich heiße Klara Lunardi. 2. Ich wohne in der Ampfererstraße in Innsbruck. 3. Ich komme aus Argentinien. 4. Ich bin Verkäuferin.

Ü 7   1. lebt 2. wohnt 3. studiert 4. arbeitet 5. heißt 6. macht

Ü 8   **Beispiele:** 1. (3, 5, 1) Susanna kommt aus der Schweiz. Sie spielt Gitarre. 2. (1, 2, 6) Ich komme aus Italien und spiele Schlagzeug. 3. (4, 5, 4) Wir kommen aus der Schweiz. Wir spielen Saxophon. 4. (5, 1, 2) Ihr kommt aus Deutschland und spielt Klavier. 5. (6, 6, 3) Eva und Mario kommen aus Spanien. Sie spielen Trompete. 6. (2, 5, 5) Du kommst aus der Schweiz. Du spielst Bass.   S. 22

Ü 9   **Beispiele:** 1. Welche Musik hören Annemarie und Helmut Kirchberger? 2. Was macht Christina? 3. Wo wohnt Familie Newton? 4. Woher kommt Martin? 5. Welche Sprachen sprecht ihr? 6. Welche Sprachen lernt Christina?

Ü 10   Das ist jetzt: 1, 3, 7, (8); Das ist immer so: 2, (5), 8; Das kommt später: 4, 5, 6

2.2.2   Perfekt

A 1   S. 23

Aussagesatz	Ich	bin	nach Hause	gegangen.
	Da	habe	ich auf dich	gewartet.
W-Frage	Was	hast	du gestern Abend	gemacht?
	Was	hat	er da	gesagt?
		Hilfsverb		Partizip II

R1   Perfekt-Formen haben zwei Teile: ein Hilfsverb und das Partizip II. Die Formen vom Hilfsverb „sein" oder „haben" stehen im Aussagesatz und in der W-Frage an Position **2**, am Satzende steht das **Partizip II**.

R2   In der Ja-/Nein-Frage steht das Hilfsverb an Position **1**, am Satzende steht das **Partizip II**.

A 2
Infinitiv	**Perfekt-Form**
machen	du hast gemacht
sagen	er hat gesagt
warten	ich habe gewartet

   S. 24

R3   Regelmäßige Verben bilden das Partizip II mit **ge-** + Verbstamm + **-(e)t**

A 3   getroffen – gefunden – gesehen – gegessen – gesprochen – gegangen

Infinitiv	**Präsens**	**Partizip II**	**Infinitiv**	**Präsens**	**Partizip II**
treffen	sie trifft	getroffen	essen	sie isst	gegessen
finden	sie findet	gefunden	sprechen	sie spricht	gesprochen
sehen	sie sieht	gesehen	gehen	sie geht	gegangen

R4   Bei den unregelmäßigen Verben kann sich im Partizip II der Verbstamm ändern: treffen – getroffen, gehen – gegangen.
Unregelmäßige Verben bilden das Partizip II mit **ge-** + Perfekt-Stamm + **-en**.

A 4   gewusst – gedacht – gebracht – gekannt

R5 | Wenige unregelmäßige Verben haben eine Mischform im Partizip II:
Der Verbstamm ändert sich, die Endung ist regelmäßig: ge- + Perfektstamm + **-t**.

S. 25 | Ü 1 | 1. gebraucht 2. gefragt 3. gesucht 4. gewartet 5. gehört 6. gelebt

Ü 2 | 1. gekauft 2. gemacht 3. geredet 4. geputzt 5. gelernt 6. gesurft 7. gebadet
Lösungswort: p e r f e k t

Ü 3 | 1. gegeben – geben 2. geholfen – helfen 3. gehalten – halten 4. gelegen – liegen 5. gelesen – lesen
6. gerufen – rufen

Ü 4a | 1. gebunden 2. geblieben 3. geflossen 4. geschwommen 5. gesprungen 6. gebracht

Ü 4b | 1. gebunden – gefunden 2. geblieben – geschrieben 3. geflossen – geschlossen 4. geschwommen –
genommen 5. gesprungen – gesungen 6. gebracht – gedacht

S. 26 | A 5 | ist … gekommen – hat … getroffen – sind … gegangen – haben … geredet und getanzt – sind …
geblieben – ist … geworden – hat … genommen – ist … gefahren – ist … passiert – hat … geschlafen

Perfekt mit „haben": treffen, reden, tanzen, nehmen, schlafen
Perfekt mit „sein": kommen, gehen, bleiben, werden, fahren, passieren

R6 | Perfekt mit „haben": die meisten Verben
Perfekt mit „**sein**": Verben, die eine Bewegung zu einem Ziel ausdrücken: „Er ist nach Berlin gekommen."; Verben, die eine Veränderung ausdrücken: „Es ist spät geworden."; (!) „bleiben", „passieren", „sein": „Ich bin noch länger geblieben."

A 6

Sandra	ist	am Wochenende nach Berlin	gekommen.
Dort	hat	sie ihre Freundin Lisa	getroffen.
Die beiden	sind	in eine Disco	gegangen.
Sie	haben	viel	geredet und getanzt.
Sie	sind	lange in der Disco	geblieben.
	Hilfsverb		Partizip II

S. 27 | Ü 5 | 1. ist 2. hat 3. ist 4. sind 5. haben 6. hat 7. haben 8. sind

Ü 6 | Um 9 Uhr hat Peter Eva zum Arzt gebracht. – Peter ist um 10 Uhr zum Friseur gegangen. – Um
12 Uhr hat er mit Eva gegessen. – Bis 17 Uhr hat Peter gearbeitet. – Nach der Arbeit hat er Tennis
gespielt. – Um 19.30 Uhr ist er mit Eva ins Theater gegangen.

Ü 7 | 1. Zuerst ist Max zu spät zur Arbeit gekommen. 2. Dann hat der Computer nicht funktioniert.
3. Deshalb hat er den Computerservice gerufen. / Er hat deshalb den Computerservice gerufen.
4. Inzwischen ist er in eine Besprechung gegangen. / Er ist inzwischen in eine Besprechung gegangen. 5. Am Abend hat er lange gearbeitet. / Er hat am Abend lange gearbeitet. 6. Schließlich hat er
einen Kaffee geholt. 7. Auf der Treppe ist er gestürzt. / Er ist auf der Treppe gestürzt. 8. Dabei hat
er sich am Knie verletzt. / Er hat sich dabei am Knie verletzt. 9. Ein Kollege hat den Notarzt gerufen.
10. Der Notarzt hat Max ins Krankenhaus gebracht.

2.2.3. Präteritum

S. 28 | A 1a | hatte – hat – war – wurden – hatten – waren – hatte – ist – war – hatten – waren – war – habe

A 1b | ich war – er/es/sie war – wir waren – wir hatten – sie waren – sie hatten – sie wurden

Lösungen

Ü 1   1. war 2. hatten 3. war 4. hatten 5. hatte 6. waren 7. waren   S. 29

Ü 2   1. warst 2. war 2. warst 4. hatte 5. hattest 6. war 7. wart 8. hatten 9. hattet 10. war

Ü 3   1. Letzte Woche hatte ich Urlaub. 2. Wir waren in Norwegen. 3. Zuerst hatten wir schönes Wetter.
       4. Dann wurde das Wetter schlecht. 5. Es wurde sehr kalt. 6. Am nächsten Morgen war alles weiß.
       7. Wir hatten auch im Zelt Schnee. 8. Leider wurde ich dann krank.

A 2   **Unregelmäßige Verben**   S. 30

Singular	ich	kam	- - -	Plural	wir	kam-en	-en
	du	kam-st	-st		ihr	kam-t	-t
	er/es/sie	kam	- - -		sie	kam-en	-en
					Sie	kam-en	-en

R 1   Regelmäßige Verben haben im Präteritum das Signal -t- und eine Endung.

R 2   Unregelmäßige Verben haben einen Präteritum-Stamm. Bei „ich" und „er/es/sie" haben sie keine
       Endung.

A 3   **holen – (ich) holte:** schauen, (haben), kaufen, warten, öffnen, telefonieren, sagen
       kommen – (ich) kam: sitzen, bleiben, (sein), geben, trinken, aussehen, gehen, fressen, hineinsprin-
       gen, beschreiben, kommen, bekommen

Ü 4   1. begann 2. nahm 3. schlief 4. klingelte 5. zog 6. sprach 7. lachten   S. 31

Ü 5   1. wurde 2. schenkte 3. spielte 4. gewann 5. trainierte 6. begann 7. verließ 8. gab 9. dauerte
       10. feierte 11. heirateten

Ü 6   1. Ich fuhr mit Freunden nach Italien. 2. Dort wohnten wir in einer Pension. / Wir wohnten dort in
       einer Pension. 3. Jeden Tag lag ich am Strand. / Ich lag jeden Tag am Strand. 4. Abends gingen wir in
       ein Restaurant. / Wir gingen abends in ein Restaurant. 5. Ein Mal besuchten wir ein Museum. / Wir
       besuchten ein Mal ein Museum.

2.2.4   Plusquamperfekt

A 1a   Ein Abend mit Pannen. Lisa erzählt:
        „Lukas hatte den ganzen Tag nicht angerufen, deshalb bin ich mit einer Freundin   S. 32
        weggegangen. Als ich weggegangen war, kam Lukas.
        Eine Stunde lang hatte er noch auf mich gewartet, dann ist er nach Hause gegangen. Ich kam erst
        zurück, nachdem er das Haus verlassen hatte. Und jetzt ist er sauer!"

A 1b

		Satzklammer Hauptsatz	
Lukas	hatte	den ganzen Tag nicht	angerufen.
Eine Stunde lang	hatte	er noch auf mich	gewartet.
	Hilfsverb Präteritum		Partizip II

		Nebensatz-Klammer		
	Als	ich	weggegangen war,	kam Lukas.
Ich kam erst zurück,	nachdem	er das Haus	verlassen hatte.	
Hauptsatz			Partizip II + Hilfsverb Präteritum	Hauptsatz

R Das Plusquamperfekt bildet man mit dem **Präteritum** von „sein" und „haben" und dem **Partizip II**.

S. 33 Ü 1 1. hatte … gesehen 2. hatte … geschlossen 3 war … geworden 4. gefahren waren 5. hatte … gelernt 6. hatte … gekocht

Ü 2 1. Ich hatte am Abend die Koffer gepackt. 2. Ich hatte die Papiere in die Tasche gesteckt. / Die Papiere hatte ich in die Tasche gesteckt. 3. Ich war früh am Morgen zum Flughafen gefahren. / Früh am Morgen war ich zum Flughafen gefahren. 4. Ich hatte am Schalter das Ticket gezeigt. / Am Schalter hatte ich das Ticket gezeigt. 5. Ich hatte mich im Datum geirrt.

Ü 3 1. habe 2. war 3. hatten 4. war 5. habe 6. waren/sind

2.2.5 **Futur I**

S. 34 A 1 1. ▢ 2. ✕ 3. ✕ 4. ✕ 5. ▢

A 2

Die (Vase)	werden	Sie mir	ersetzen.
Die Vase	wird	gleich	**zerbrechen**.
Die Vase	**wird**	gleich am Boden	**liegen**.
	Hilfsverb „werden"		Infinitiv

R Das Futur I bildet man mit „**werden**" + **Infinitiv**.

A 3a 1. C; 2. D; 3. A; 4. B

S. 35 A 3b Vermutung: 3; Prognose: 1; Pläne/Absichten: 2. 4.

Ü 1 1. werde – rauchen 2. wird – leben 3. werden – arbeiten 4. werden – streiten 5. wird – machen 6. werden – aufräumen

Ü 2a 1. C; 2. D; 3. A; 4. E; 5. B

Ü 2b 1.C Sie wird den Weg nicht finden. 2.D Sie wird eine Lehre als Köchin beginnen. 3.A Ganz einfach: Ich werde dich am Bahnhof abholen. 4.E Er wird mit dem Auto fahren und im Stau stecken. 5.B Wir werden zu Hause bleiben und die Tage genießen.

Ü 3 1. Das Telefon wird keinen Erfolg haben. 2. Es wird keine Flugmaschinen geben. 3. Im Film wird man nie Stimmen hören. 4. Das Radio wird keinen Gewinn bringen. 5. Die Menschen werden das Wetter verändern. 6. Niemand wird die Musik von diesen Beatles mögen.

2.3 **Weitere wichtige Verbformen**

S. 36 **2.3.1** **Imperativ**

A 1a 1. B; 2. A; 3. D; 4. C

A 1b

Mach	- - -	schneller!	
Wartet	- - -	auf mich!	
Helfen	Sie	bitte	mit!
konjugiertes Verb			

R1 In Aufforderungssätzen steht das Verb auf Position **1**.

R2 Aufforderung „**du**": du machst → Mach! (ohne Pronomen)
Aufforderung „**ihr**": ihr macht → Macht! (ohne Pronomen)
Aufforderung „**Sie**": Sie machen → Machen Sie! (immer mit Pronomen „Sie")

Ü 1   1. Hören Sie! 2. Lesen Sie! 3. Sprechen Sie. 4. Schreiben Sie! 5. Markieren Sie! 6. Notieren Sie.   S. 37

Ü 2   1. Beeilt euch, bitte. 2. Seid (bitte) leise. / (Bitte) Seid leise! 3. Wartet noch einen Moment. 4. Schaut immer links und rechts. 5. Passt auf, dass ihr nichts kaputt macht.

Ü 3   1. nehmen Sie 2. warte 3. macht 4. hol 5. vergessen Sie 6. sprich 7. schlaft 8. lauf

Ü 4   1. nimm 2. Bleib 3. Fahr 4. Geh 5. Lass 6. nehmt 7. Steigt … aus 8. Geht 9. Achtet

2.3.2   Konjunktiv II

A 1a   Wenn ich wie ein Vogel fliegen könnte …   S. 38
fliegen könnte – würde … ansehen – würde … fliegen – würde … genießen – würde … machen – wäre – hätten – käme – würde … sehen – ginge

A 1b

Konjunktiv II: „würde" + Infinitiv		
Ich	würde	mir die ganze Welt	ansehen.
Ich	würde	nach Australien	fliegen.
	Hilfsverb		Infinitiv

	Konjunktiv II	Präteritum
können	ich könnte	ich konnte
sein	ich wäre	ich war
haben	wir hätten	wir hatten
kommen	ich käme	ich kam
gehen	ich ginge	ich ging

R1   Die regelmäßigen Verben bilden den Konjunktiv II mit **„würde"** + Infinitiv.   S. 39

R2   „sein", „haben", „werden", die Modalverben und die unregelmäßigen Verben haben eine eigene Konjunktiv II-Form. Man bildet sie mit der Form des **Präteritum** (+ Umlaut bei a, o, u ➤ ä, ö, ü) + Endung. Bei den unregelmäßigen Verben verwendet man im Konjunktiv II meistens „würde" + Infinitiv.

A 2a

	Präteritum		Konjunktiv II		Endung
ich	war	kam	wäre	käme	-e
du	warst	kamst	wärst	käm(e)st	-(e)st
er/es/sie	war	kam	wäre	käme	-e
wir	waren	kamen	wären	kämen	-en
ihr	wart	kamt	wärt	käm(e)t	-(e)t
sie	waren	kamen	wären	kämen	-en
Sie	waren	kamen	wären	kämen	-en

A 2b   ich würde – du würdest – er/es/sie würde – wir würden – ihr würdet – sie würden – Sie würden

A 3   1. Hypothetisches, nicht Wirkliches ausdrücken: „wenn"-Satz mit irrealer Bedingung – b; Irrealer   S. 40
Wunsch – d; Irrealer Vergleich – e; 2. Eine Bitte besonders höflich ausdrücken – g; 3. Einen Vorschlag machen, einen Rat geben – i, k

Ü 1a, b   1. du kannst, du konntest, du könntest, - - - 2. ich habe, ich hatte, ich hätte, - - - 3. er will, er wollte,   S. 41
er wollte, - - - 4. sie geht, sie ging, sie ginge 5. es ist, es war, es wäre, - - - 6. wir kommen, wir kamen, wir kämen 7. ihr wisst, ihr wusstet, ihr wüsstet 8. Sie müssen, Sie mussten, Sie müssten, - - -

Lösungen

Ü 2   1. Ich wäre glücklich, wenn du mehr Zeit hättest. 2. Wir würden uns freuen, wenn Sie uns besuchen (würden). 3. Ich fände es schön, wenn du kommen könntest. 4. Wir wären sehr froh, wenn ihr uns helfen würdet. 5. Ich wäre dir sehr dankbar, wenn du das für mich machen würdest.

Ü 3a   1. E, A, J; 2. F; 3. D, B; 4. H, J, I, B; 5. B; 6. C, G

Ü 3b   Beispiele: 1. – E: Wenn ich jetzt eine Woche Ferien hätte, würde ich bestimmt nicht lernen.
       1. – A: ..., würde ich mit dem Hund spazieren gehen. 1. – J: ..., müsste ich nicht viel arbeiten.
       2. – F: Wenn ich noch mal 10 Jahre alt wäre, müsste ich jeden Tag in die Schule gehen. 3. – D: Wenn ich sehr gut singen könnte, würde ich viele CDs produzieren. 3 – B: ..., würde ich viele andere Staaten besuchen. 4. – H: Wenn Max sehr viel Geld hätte, würde er ein großes Haus am Meer kaufen. 4. – J: ..., müsste er nicht viel arbeiten. 4. – A: ..., würde er eine lange, große Reise machen. 4. – B: ..., würde er viele andere Staaten besuchen. 5. – B: Wenn Gabi in ihrem Land Präsidentin wäre, würde sie viele andere Staaten besuchen. 6. – C: Wenn Katzen sprechen könnten, würden sie von ihren Abenteuern erzählen. 6. – G: ..., würden wir mehr über sie wissen.

S. 42 Ü 4   1. C; 2. E; 3. A; 4. B; 5. D

Ü 5   1. Wenn mir die Kinder doch helfen würden! 2. Wenn Jan nur da wäre! 3. Wenn meine Mutter das doch sehen könnte. 4. Wenn ich doch Geld bei mir hätte! 5. Wenn ich doch bei diesem Fest wäre.

Ü 6   1. Aber sie wäre lieber Model. 2. Aber er würde lieber mehr verdienen. 3. Aber sie hätten lieber Kinder. 4. Aber er würde lieber in der Firma arbeiten. 5. Aber sie würde lieber reisen.

Ü 7   1. Maia tut (so), als ob sie kein Geld hätte. 2. Georg tut (so), als ob er 30 wäre. 3. Rita tut (so), als ob sie alles wüsste / wissen würde. 4. Lia tut (so), als ob sie allein wohnen würde.

S. 43 Ü 8   1. Könntest du mir bitte einen Stift geben? 2. Könnten Sie bitte das Fenster schließen? 3. Könntet ihr mir bitte helfen, es ist so schwer. 4. Könnte ich mal kurz telefonieren. 5. Könnten Sie mir sagen, wie spät es ist? 6. Könnte ich einen Kaffee haben/bekommen, bitte.

Ü 9   1. Ich hätte gern mehr Brot. Könnte ich bitte mehr Brot haben? 2. Ich wüsste gern, wie spät es ist. Könnten Sie mir sagen, wie spät es ist? 3. Ich hätte gern ein Glas Wasser. Könnte ich ein Glas Wasser haben? 4. Könnten Sie mir den Weg zum Bahnhof zeigen/erklären?

Ü 10   1. würde 2. sollten 3. solltest 4. wäre 5. solltet 6. würde

Ü 11   1. Du solltest viel Tee trinken. 2. Sie sollten öfter das Fenster aufmachen. 3. Ihr solltet auf die „Wiesn" gehen. 4. Sie sollten unbedingt hingehen. 5. Du solltest dort keinen Kuchen essen.

2.3.3   Passiv

S. 44 A 1a   1. A; 2. B; 3. B; 4. A; 5. B; 6. A
       In Text **A** ist die Person wichtig: Was macht Elmar? → Wir verwenden das Aktiv.
       In Text **B** sind die Vorgänge und Abläufe in der Firma wichtig: Was wird in der Firma gemacht? → Wir verwenden das Passiv.

A 1b   ist – werden … gemacht – wird … geschnitten – wird … gebracht – werden … zusammengebaut – werden … gestrichen – wird … eingesetzt.

In der kleinen Halle	**werden**	Fenster	**gemacht.**
Zuerst	**wird**	das Holz	**geschnitten.**
Dann	**wird**	es mit Maschinen in die richtige Form	**gebracht.**
	Hilfsverb „werden"		Partizip II

R 1   Das Passiv wird mit dem Hilfsverb **„werden"** und dem **Partizip II** gebildet.

S. 45 R 2   Der Akkusativ im Aktiv-Satz wird zum **Nominativ** im Passiv-Satz. Das Subjekt aus dem Aktiv-Satz wird meistens nicht genannt.

S. 45

A 2

Die Feuerwehr	war	um 16.32 Uhr	alarmiert worden.	**Plusquamperfekt**
Gleich danach	ist	der Notarzt	gerufen worden.	**Perfekt**
Das Feuer	wurde	schnell	gelöscht	**Präteritum**
Jetzt	wird	die Ursache	untersucht.	**Präsens**

Ü 1a, b 1. In unserer Firma **werden** Möbel **produziert**. 2. In diesem Raum **wird** das Holz **gelagert**. 3. In der Maschinenhalle **werden** die ersten Arbeiten **gemacht**. 4. Die Teile **werden** dann von den Tischlern **zusammengesetzt**. 5. Die fertigen Möbel **werden** zu den Kunden **gebracht**. 6. Der Schrank **wird** genau **eingebaut**.

S. 46

Ü 2 1. worden 2. geworden 3. geworden 4. worden 5. worden 6. worden

Ü 3a 1. Womit wurden früher die Häuser geheizt? 2. Von wem wurde Amerika entdeckt? 3. Wo wurde zum ersten Mal ein Film öffentlich gezeigt? 4. Wann wurde das elektrische Licht erfunden? 5. Wer wurde von Charles Darwin nach England gebracht? 6. In welcher Stadt wurde die Titanic gebaut?

S. 47

Ü 3b

1	2	3	4	5	6
S	P	I	T	Z	E

Ü 4 1. An Weihnachten schmückt man einen Tannenbaum. 2. Man legt die Geschenke unter den Baum. / Die Geschenke legt man unter den Baum. 3. Dann zündet man die Lichter am Baum an. 4. In vielen Familien singt man auch Weihnachtslieder. 5. Dann kann man endlich die Geschenke auspacken.

Ü 5 1. Er lässt sich die Haare schneiden. 2. Sie lässt sich untersuchen. 3. Sie lässt die Wäsche bügeln. 4. Sie lässt ihn nicht installieren. 5. Es lässt sich nicht mehr reparieren. 6. Das lässt sich nicht ändern. 7. Das lässt sich nicht sagen.

2.4 Besondere Verben

2.4.1 Modalverben

A 1a, b <u>wollen</u> … machen – <u>muss</u> … einkaufen und aufräumen – <u>kann</u> … genießen – <u>möchte</u> … lesen und sitzen.
<u>will</u> … besuchen und spielen – <u>darf</u> … gehen – <u>soll</u> … bleiben und lernen

S. 48

A 1c

W-Frage	Was	**wollen**	Sie am Wochenende	**machen**?
Aussage	Am Samstag	**muss**	ich	**einkaufen** und **aufräumen**.
	Aber am Sonntag	**kann**	ich den Tag	**genießen**.
	Am liebsten	**möchte**	ich nur	**lesen** und auf dem Sofa **sitzen**.
		Modalverb		Infinitiv

R1 In Sätzen mit Modalverben steht am Satzende der **Infinitiv**.

A 2 Folgende Formen unterscheiden sich:

	wollen	können	Endung	machen
ich	will	kann	- - -	mach-e
du	will-st	kann-st	-st	mach-st
er/es/sie	will	kann	- - -	mach-t

S. 49

R2 Die Modalverben (außer „sollen") haben eine eigene Form im Singular. Die Formen „ich" und „er/es/sie" haben keine **Endung**.

A 3a konnte – wolltest – durfte – Konnten – mussten – wollten – solltet

Lösungen

A 3b

ich	konnte	wir	mussten
du	wolltest	ihr	solltet
er/es/sie	durfte	sie	wollten
		Sie	konnten

R3   Die Modalverben bilden das Präteritum mit einem Präteritum-Stamm + -t- + Endung.

S. 50   A 4a   1. A; 2. F; 3. B; 4. E; 5. C; 6. D

A 4b

„Es ist (nicht) möglich." (Un-)Möglichkeit **(nicht) können**	„Ich bin (nicht) fähig." (Un-)Fähigkeit **(nicht) können**	„Es ist (nicht) erlaubt." Erlaubnis/Verbot **(nicht) können, (nicht) dürfen**

A 5a   1. D; 2. A; 3. B; 4. C

A 5b

„Ich habe einen Wunsch." (Wunsch) **möcht-**	„Ich habe etwas vor." „Ich entscheide mich." (Plan/Absicht) **wollen**

S. 51   A 6

„ICH weiß, dass es (nicht) notwendig ist. **müssen**	EINE ANDERE PERSON sagt, dass es (nicht) gut oder (nicht) notwendig ist. **sollen**

Ü 1   1. Kannst 2. kann 3. Können 4. kann 5. können 6. könnt 7. können 8. kann

Ü 2   1. möchten 2. möchten 3. möchte 4. möchte 5. möchten

S. 52   Ü 3a   1. sie / zum Arzt / gehen / müssen 2. sie / fast nicht / sprechen / können 3. sie / beim Arzt / lange / warten / müssen 4. „Frau Beer, Sie / nicht / arbeiten / dürfen " 5. „Sie / 3 Tage / im Bett / bleiben / müssen " 6. „Sie / wenig / sprechen / sollen"

Ü 3b   1. Sie muss zum Arzt gehen. 2. Sie kann fast nicht sprechen. 3. Sie muss beim Arzt lange warten. / Beim Arzt muss sie lange warten. 4. „Frau Beer, Sie dürfen nicht arbeiten." 5. „Sie müssen drei Tage im Bett bleiben." 6. „Sie sollen wenig sprechen."

Ü 4   1. ich musste 2. du wolltest 3. er (Herr Michels) konnte 4. sie (Frau Berg) durfte 5. wir wollten 6. Solltet ihr 7. sie (Lars und Eva) wollten 8. Konnten Sie

Ü 5   1. wollten 2. konnten 3. wollte 4. wollte (musste) 5. konnte (durfte)

Ü 6   1. darf 2. Kann 3. kann 4. können 5. müsst 6. Müssen 7. können/dürfen

S. 53   Ü 7   1. Man darf nicht telefonieren. / Hier darf man nicht telefonieren. 2. Man kann/darf über die Straße gehen. / Jetzt kann/darf man über die Straße gehen. 3. Man darf kein Eis essen. / Hier darf man kein Eis essen. 4. Man darf/kann hier spielen. / Hier darf/kann man spielen. / Hier dürfen/können Kinder spielen. 5. Man muss stehen bleiben. / Jetzt muss man stehen bleiben.

Ü 8   1. Der Lehrer hat gesagt, wir sollen pünktlich sein. 2. Der Chef hat gesagt, ich soll Kaffee machen. 3. Fred hat angerufen, ihr sollt nicht warten. 4. Wenn man Husten hat, soll man viel Tee trinken. 5. Wenn man müde ist, soll man nicht Auto fahren.

Ü 9   1. Man kann viel sehen und unternehmen. 2. Man darf nach 10 Uhr nicht kochen. 3. Denn ich möchte später gerne hier studieren. 4. Ich muss drei Mal umsteigen. 5. Ich möchte (muss) am Schluss die Prüfung machen.

Lösungen

2.4.2   **Verben mit Präfix**

A 1a   … Was hast du vor? – … genießen und mich ausruhen. – Wir besuchen … – holt mich gleich ab   S. 54
… fahren wir los. – Wann kommt ihr zurück?
Können wir jetzt einsteigen? – … meine Tasche mitnehmen. – Das fängt ja gut an. Ich verstehe
das nicht. Du vergisst immer alles.

A 1b, c   abholen – anfangen – ausruhen – genießen – besuchen – einsteigen – losfahren – mitnehmen –
vergessen – verstehen – vorhaben – zurückkommen

A 2

Aussage-satz	Mein Freund	**holt**	mich gleich	**ab.**
	Dann	**fahren**	wir	**los.**
W-Frage	Was	**hast**	du	**vor?**
	Wann	**kommt**	ihr	**zurück?**
		konjugiertes Verb		Präfix

R1   Im Aussagesatz und in der W-Frage steht das konjugierte Verb in Position **2**, das betonte **Präfix** steht
am Ende.

R2   In der Ja-/Nein-Frage und in der Aufforderung steht das konjugierte Verb in Position **1**, das betonte   S. 55
Präfix steht am Ende.

R3   Die folgenden Präfixe sind immer betont. Verben mit diesen Präfixen sind **trennbar**.

A 4   Wir besuchen meine Schwester. Was vergisst Herr Kosic? Verstehen Sie mich? Vergiss das nicht,
bitte!

R4   Die folgenden Präfixe sind nie betont. Verben mit diesen Präfixen sind **nicht trennbar**.

Ü 1a   ankommen – anmachen – ausmachen – bedeuten – bezahlen – einkaufen – einladen – entschuldigen   S. 56
– erklären – gefallen – unterschreiben – vergessen – verkaufen – verstehen – versuchen – wiederholen – zerreißen – zuhören

Ü 1b   **Trennbare Verben:** ankommen – anmachen – ausmachen – einkaufen – einladen – zuhören
Nicht trennbare Verben: bedeuten – bezahlen – entschuldigen – erklären – gefallen – unterschreiben
– vergessen – verkaufen – verstehen – versuchen – wiederholen – zerreißen

Ü 2a   aufstehen ● aussehen ● anziehen ● entscheiden ● verdienen ● bestellen

Ü 2b   1. verdient … - - - 2. siehst – aus 3. anziehen 4. entscheidet … - - - 5. aufstehe 6. bestelle … - - -

Ü 3   1. Bitte komm her! 2. Bitte beeilt euch! 3. Bitte kommen Sie mit! 4. Bitte klopfen Sie an! 5. Bitte
räum auf! 6. Bitte bewegt euch!

Ü 4   1. ging … weg 2. fuhr … ab 3. stieg … ein 4. stieg … um 5. kam … an 6. stieg … aus

A 5   bin … gegangen – habe … vergessen – ist … weggelaufen – habe … begonnen – habe … versucht –   S. 57
habe … geglaubt – habe … verloren – habe … angerufen – hat … aufgeschrieben – bin … zurückgegangen – angekommen bin – hat … gewartet

A 6

weg/laufen			
an/rufen			
auf/schreiben			

Toby	ist		**weggelaufen**
Lukas	hat	die Polizei	**angerufen.**
Der Polizist	hat	die Daten	**aufgeschrieben.**
	Hilfsverb		Partizip II

Lösungen

A 7 **Verb (ohne Präfix):** schreiben – geschrieben, gehen – gegangen, kommen – gekommen
trennbares Verb: aufschreiben – aufgeschrieben, zurückgehen – zurückgegangen, ankommen – angekommen

R5 Trennbare Verben: Beim Partizip II steht **-ge-** zwischen **Präfix** und Verb.

S. 58 A 8

vergessen	Lukas	hat	die Leine	**vergessen.**
versuchen	Eine Stunde lang	hat	er alles	**versucht.**
		Hilfsverb		Partizip II

A 9 1. D; 2. C; 3. A; 4. B

Ü 5a Der Sprachkurs hat am Montag wieder angefangen. Alle haben Geschichten von ihrem Urlaub erzählt. Andrine hat ihre Verwandten in Norwegen besucht. Da hat es ihr sehr gut gefallen. Antoine ist gerade erst aus Marseille zurückgekommen. Er hat viel eingekauft und nach Berlin mitgenommen. In Berlin hat er seine Kollegen eingeladen und sie haben Käse und Wein genossen. Silvia ist nicht weggefahren, sie ist in ein neues Zimmer umgezogen. Milo hat sich für eine Flugreise nach Kreta entschieden. Leider hat er verschlafen und das Flugzeug ist ohne ihn abgeflogen.

Ü 5b **Trennbare Verben:** anfangen, zurückkommen, einkaufen, mitnehmen, einladen, wegfahren, umziehen, abfliegen
Nicht trennbare Verben: erzählen, besuchen, gefallen, genießen, entscheiden, verschlafen

Ü 6 1. abgefahren 2. angekommen 3. ausgestiegen 4. eingekauft 5. umgezogen 6. weggegangen

S. 59 Ü 7 1. bestellt 2. bekommen 3. unterschrieben 4. ausgepackt 5. angerufen 6. entschuldigt 7. erhalten

Ü 8 1. Ich habe es auch nicht verstanden. 2. Leider nein, ich habe es vergessen. 3. Ich bin heute zu spät aufgestanden. 4. Wir sind noch kurz ausgegangen. 5. Wir haben doch erst begonnen. 6. Er hat mir sehr gut gefallen.

Ü 9 **1. gehen:** aufgehen – aufgegangen, vergehen – vergangen, ausgehen – ausgegangen
2. stehen: aufstehen – aufgestanden, entstehen – entstanden, verstehen – verstanden
3. kommen: bekommen – bekommen, mitkommen – mitgekommen, nachkommen – nachgekommen

2.4.3 Reflexive Verben

S. 60 A 1a **kämmen:** 1, 3; **sich kämmen:** 2, 4

A 1b

Nominativ	ich	du	er/es/sie	wir	ihr	sie	Sie
Akkusativ	mich	dich	**sich**	uns	euch	sich	sich
Dativ	mir	dir	sich	uns	euch	sich	sich

R1 Das Reflexivpronomen bezieht sich immer auf das Subjekt. In der 3. Person heißt es immer „**sich**". Alle anderen Formen sind gleich wie das Personalpronomen.

A 2 **Ich kämme die Puppe/mich:** 2, 3, 5, 6
Ich putze mir die Zähne: 1, 4, 7, 8

S. 61 R2 Wenn das Verb eine Ergänzung im Akkusativ hat, steht das Reflexivpronomen im **Dativ**.

Lösungen

Ü 1   1. sich 2. mich 3. euch 4. sich 5. sich 6. mich

Ü 2   1. freuen sich 2. interessiert sich 3. erholen uns 4. unterhalte ... mich 5. sich ... ausruhen

Ü 3   1. Beeilt euch! 2. Setzen Sie sich! 3. Ruh dich aus! 4. Entscheide dich! 5. Entspannen Sie sich!
6. Verabschiedet euch!

Ü 4   1. uns 2. mir 3. sich 4. mich 5. sich 6. mir 7. mir 8. mich

Ü 5   1. uns (einander) 2. sich (einander) 3. sich (einander) 4. sich (einander) 5. sich (einander)

Ü 6   1. Unterhalten Sie sich mit Kolleginnen und Kollegen auf Deutsch. 2. Setzen Sie sich an den Computer und arbeiten Sie mit Lernprogrammen. 3. Stellen Sie sich vor, was Sie in einer bestimmten Situation sagen wollen. 4. Merken Sie sich schwierige Wörter mit einem Beispiel. 5. Sehen Sie sich deutschsprachige Filme an.

Ü 7   1. Bettina und Angelika sprechen oft miteinander. 2. Rupert und Lili haben sich auf der Party ineinander verliebt. 3. Mein Freund und ich sind immer füreinander da. 4. Lionel und Sarah sind sehr glücklich miteinander. 5. Freundin und ich denken jeden Tag aneinander. 6. Herr und Frau Sommer telefonieren oft miteinander.

2.5   Verben und Ergänzungen

2.5.1   Verben + Ergänzungen

Ü 1a   Es ist Sonntag. Und es regnet. Viele Leute schlafen noch, aber nicht Herr Zetin. Der Wecker klingelt und Herr Zetin steht auf. Er hat heute Dienst. Herr Zetin arbeitet als Taxifahrer. Um 6 Uhr holt er das Auto. Heute gibt es nur wenige Kunden.

Ü 1b   **ohne Ergänzung:** regnen, schlafen, klingeln, aufstehen, arbeiten
Ergänzung im Nominativ: sein
Ergänzung im Akkusativ: haben, holen, geben

Ü 2   1. Dat ; 2. Nom; 3. Akk; 4. Dat und Akk; 5. Präp und Akk; 6. Präp und Akk; 7. Präp und Dat; 8. Präp und Dat

Ü 3   1. Karen macht eine Party. 2. Sie lädt ihre Freunde ein. 3. Die Gäste bringen ihr Blumen. 4. Karen wohnt in einem alten Haus. 5. Sie zeigt es ihnen.

Ü 4   1. C; 2. E; 3. A; 4. D; 5. B

2.5.2   Verben mit Infinitiv

A 1a   bleibe ... stehen – gehen Fußball spielen – fahre ... einkaufen – lernt ...Ski fahren – Hilfst du mir kochen? – lasse ... reparieren – hört es ... donnern – sehe ... kommen

A 1b   gehen, fahren, bleiben; lernen; sehen, hören, lassen; helfen

A 2   **lassen = etwas erlauben:** 1, 6   **lassen = etwas nicht selbst tun:** 2, 4   **sich lassen = man kann:** 3, 5

A 3   zu lachen – aufzupassen – zu helfen – zu arbeiten – aufzuräumen – zu waschen – zu verstehen – weiterzumachen

R1   Bei trennbaren Verben steht „zu" zwischen Präfix und **Infinitiv.** Vergiss nicht, dein Zimmer aufzuräumen! Ich versuche zuzuhören.

A 4

Verben	Adjektive + „sein"	Substantiv + „haben"
aufhören, versuchen, (nicht) vergessen, denken (an)	es ist wichtig, es ist (nicht) schwer	(keine) Zeit haben, (keine) Lust haben

R2   Wenn die handelnde Person in Hauptsatz und Nebensatz gleich ist, verwendet man meistens „zu" + **Infinitiv** statt einem „dass"-Satz.

S. 69   Ü 1   1. helfe 2. lassen 3. geht 4. bleiben 5. lernen

Ü 2   1. Sie lässt sich die Haare schneiden. 2. Er lässt sich untersuchen. 3. Er lässt das Auto reparieren. 4. Er lässt die Wohnung putzen.

Ü 3   1. zu helfen 2. zu kommen 3. aufzustehen 4. anzurufen 5. zu genießen

Ü 4   1. - - - 2. - - - 3. zu 4. zu 5. - - - 6. zu

Ü 5   Infinitiv mit „zu" möglich: 3, 4   Infinitiv mit „zu" nicht möglich: 1, 2, 5

2.6   Was man mit Verbformen machen kann

S. 71   Ü 1   1. ist ... abgefahren / fuhr ... ab 2. war 3. hat ... gekauft / kaufte ... - - - 4. hat ... vergessen / vergaß ... - - - 5. wollte ... anrufen 6. hat ... funktioniert / funktionierte ... - - - 7. wollte ... sehen 8. hat ... erzählt / erzählte ... - - - 9. musste ... aussteigen

Ü 2   1. geht ... - - - 2. war ... - - - 3. habe ... geschlafen 4. Wirst ... - - - 5. weiß ... - - - 6. habe ... gefühlt (fühlte ... - - -) 7. machst ... - - -

Ü 3   1. ist ... - - - 2. gibt ... - - - 3. ist ... wichtig 4. zerstört worden war (zerstört wurde) 5. stand 6. ist ... errichtet worden / wurde ... errichtet 7. hoffen

S. 72   Ü 4   Der Vater war zum Markt gefahren und hatte einen Christbaum geholt. Die Mutter hatte die Wohnung sauber gemacht, der Vater (hatte) den Baum aufgestellt. Meine große Schwester und ich hatten ihn geschmückt. / Meine große Schwester und ich schmückten ihn. Und dann hatten wir in der Küche gewartet / Und dann warteten wir in der Küche, bis die Glocke läutete. Jetzt war es soweit. Wir sahen im dunklen Wohnzimmer den hell leuchtenden Baum. Wir sangen ein paar Lieder, zuletzt „Stihille Nacht", und dann öffneten wir endlich die Päckchen. Wir zeigten, uns, was das Christkind gebracht hatte.
Und nächstes Jahr wird es wieder genau so sein. Der Vater wird zum Markt fahren und einen Christbaum holen.

Ü 5   1. Seid 2. können/könnten ... übersetzen 3. Gehen 4. musst weitermachen 5. musst ... aufstehen 6. Können/Könnten ... schließen 7. passt ... auf

Ü 6   1. Ich werde viel schwimmen. 2. Sie wird noch arbeiten. 3. Es soll schön werden. 4. Brasilien wird gewinnen. 5. Er wird krank sein.

S. 73   Ü 7   1a Kann ich mal kurz telefonieren, bitte. 1b Könnte ich mal kurz telefonieren, bitte. 2a Kann ich bitte einen Capuccino haben. / Ich möchte einen Capuccino. / Einen Capuccino, bitte. 2b Könnte ich einen Capuccino haben. / Ich hätte gern einen Capuccino. 3a Kannst du mir helfen, bitte. / Hilf mir, bitte. 3b Könnten Sie mir helfen, bitte. / Könntest du mir helfen, bitte. 4a Kann ich bitte das Brot haben. / Das Brot, bitte. / Könnt ihr mir das Brot rüber geben? / 4b Könnte ich bitte das Brot haben / Könnten Sie mir das Brot geben.

Ü 8   1. lief 2. erzählten 3. fragte 4. würden ... machen 5. wären 6. sagte 7. würde ... machen 8. war (bin) 9. wurde gefragt 10. machen würde 11. antwortete 12. Sehen 13. war 14. hatte 15. habe ... gefunden (fand ... - - -) 16. sollte 17. machen 18. wäre

Lösungen

3   **Substantive**

3.1   **Genus der Substantive**

R   Substantive haben ein Genus: maskulin, neutrum oder feminin   S. 74
       Man erkennt das Genus am Artikel: **der** = maskulin, **das** = neutrum, **die** = feminin.

Ü 1a   S. 75

Ü 1b   der Tisch, der Stuhl,   das Telefon, das Bett, das Haus   die Wohnung, die Straße, die Uhr, die Tür

Ü 2   1. **der** Monat – **der** Mann – <u>**das** Meer</u> – **der** Mantel
       2. **die** Schule – <u>**der** Schlüssel</u> – **die** Sprache – **die** Stunde
       3. **das** Kino – <u>**der** Käse</u> – **das** Kind – **das** Kilogramm
       4. <u>**der** Name</u> – **die** Nase – **die** Nummer – **die** Natur
       5. **der** Salat – **der** Schrank – **der** Schlüssel – <u>**die** Sonne</u>

Ü 3   1. **die** Freiheit   5. **die** Reinigung   9. **der** Liebling
       2. **das** Mäuschen   6. **die** Kleinigkeit   10. **die** Zeitung
       3. **die** Bäckerei   7. **das** Büchlein   11. **die** Herrschaft
       4. **die** Station   8. **die** Kollegin   12. **der** Journalismus

3.2   **Pluralformen der Substantive**

Ü 1   1. der **Mann** – die Männer 2. die **Adresse** – die Adressen 3. das **Hotel** – die Hotels 4. das **Haus** –   S. 77
       die Häuser 5. die **Frau** – die Frauen 6. der **Tisch** – die Tische 7. der **Student** – die Studenten
       8. die **Lehrerin** – die Lehrerinnen

Ü 2   1. die Abfälle 2. die Teller 3. die Füße, 4. die Kinos 5. die Koffer 6. die Augen 7. die Ohren
       8. die Kinder

Ü 3   Singular: der Apfel, der Ball, die Gabel, das Buch, die Ärztin
       Plural: die Mütter, die Messer, die Autos, die Mädchen, die Löffel

Ü 4   Ich sehe fünf Tomaten, sieben Karotten, zwei Brote, vier Äpfel, sechs Kartoffeln, zwei Salate, fünf
       Eier, zwei Messer, zwei Flaschen, drei Kochbücher, zwei Fische, drei Fotos und eine Kamera.

3.3   **Kasus: Deklination von Artikel und Substantiv**

R   Im Genitiv Singular haben Substantive maskulin und neutrum die Endung **-s** (oder **-es** wie   S. 79
       „des Hun<u>d</u>es", „des Tag<u>e</u>s", „des Haus<u>e</u>s"). Im Dativ Plural haben die Substantive die Endung **-n**
       (Ausnahme: Substantive mit der Plural-Endung **-s**: „den Auto**s**"). In allen anderen Kasus haben
       Substantive keine Kasus-Endung.

Lösungen

S. 80 Ü 1 1. Geschenk 2. Buchladen 3. Mann 4. Ampel 5. Post 6. Buchladen

Ü 2 1. Lisa ist im Buchladen. 2. Sie sucht ein Buch von Martin Suter, aber sie hat den Titel vergessen. 3. Sie fragt eine Verkäuferin. 4. Sie erzählt der Verkäuferin die Geschichte von einem Mann, der alles vergisst. 5. Die Verkäuferin weiß sofort, welches Buch Lisa sucht. 6. „Das Buch heißt ‚Small World'. Es steht hier, bei den Taschenbüchern."

Ü 3 1. Siehst du die Frau mit dem Hund? 2. Sie zeigt dem Hund die Kleider! 3. Der Mann mit dem Hut kauft 30 Paar Socken! 4. Die Frau an der Kasse singt ein Lied! 5. Der Mann und die Frau bei den Mänteln streiten sich!

Ü 4 1. Können Sie mir bitte noch die Adresse des Hotels geben? 2. Haben Sie die Schlüssel des Büros? 3. Ich brauche noch die Telefonnummer der Versicherung. 4. Holgers Motorrad ist kaputt. 5. Kannst du mir noch mal den Namen deiner Autowerkstatt sagen?

S. 81 A Akkusativ/Dativ/Genitiv: Kollege**n**

Ü 5 1. Nachbarn 2. Kollegen 3. Journalist 4. Namen 5. Bundespräsidenten

Ü 6 1. Idee, Tierpark, Hund**e** 2. Affe**n**, Giraffe, Elefant**en**, 3. Hund**e**, Besucher

3.4 **Was man mit Substantiven machen kann**

S. 82 Ü 1 1. Maus 2. Schlüssel 3. Kugelschreiber 4. U-Bahn 5. Tasche

Ü 2 1. **4** die Maus 2. **1** der Brille / **2** der Schlüssel 3. **1** der Schule **3** den Bäcker. 4. **1** der Brief

Ü 3 1. maskulin, Plural, Dativ – Affe 2. maskulin, Plural, Nominativ – Vater 3. maskulin, Singular, Genitiv – Mann 4. maskulin, Singular, Genitiv – Nachbar 5. neutrum, Plural, Dativ – Kind

4 **Artikelwörter**

4.1 **Bestimmter und unbestimmter Artikel**

S. 83 A 1 Wo ist hier (eine) Bushaltestelle? Fährt der Bus in die Stadt?
Ich möchte (ein) Buch kaufen. Hier ist das neue Buch.
Verkaufen Sie auch Skischuhe? Wo hast du die Skischuhe hingestellt?
Haben Sie (eine) E-Mail-Adresse? Hier ist die E-Mail-Adresse von Paul.
Jedes Land hat (eine) Hauptstadt. Die Hauptstadt von Deutschland ist Berlin.

R Man verwendet den **unbestimmten** Artikel bei Substantiven, die unbekannt oder im Text neu sind. Man verwendet den **bestimmten** Artikel bei Substantiven, die allgemein bekannt sind oder schon vorher im Text genannt wurden.

S. 84 A 2 **Bestimmter Artikel:** Nominativ neutrum: d**as** Buch – Nominativ feminin: d**ie** Hauptstadt – Akkusativ Plural: d**ie** Skischuhe
Unbestimmter Artikel: Akkusativ neutrum: ein Buch – Akkusativ feminin: ein**e** Hauptstadt

S. 85 Ü 1 1. ein 2. ein 3. das 4. ☐ 5. das 6. eine 7. ☐ 8. die

Ü 2 1. ☐ 2. ☐ 3. ein 4. eine 5. die 6. den 7. die 8. ☐ 9. eine 10. ein 11. einen 12. eine

Ü 3 1. ein Tier, ☐ Milch 2. eine Pflanze, einen Teil, Der Teil, der Erde 3. ein Gebäude, dem Gebäude, die Kasse, ☐ Eintrittskarten, einen Film

4.2   Negationsartikel

R   Mit dem Negationsartikel „**kein**" werden Substantive verneint.   S. 86

A   **Negationsartikel**

	maskulin	neutrum	feminin	Plural
Nominativ	ein Hund	ein Pferd	ein**e** Katze	
	kein Hund	kein Pferd	kein**e** Katze	kein**e** Tiere
Akkusativ	ein**en** Hund	ein Pferd	ein**e** Katze	
	kein**en** Hund	kein Pferd	kein**e** Katze	kein**e** Tiere
Dativ	ein**em** Hund	ein**em** Pferd	ein**er** Katze	
	kein**em** Hund	kein**em** Pferd	kein**er** Katze	kein**en** Tieren
Genitiv	ein**es** Hundes	ein**es** Pferdes	ein**er** Katze	
	kein**es** Hundes	kein**es** Pferdes	kein**er** Katze	kein**er** Tiere

Ü 1   1. Nein, das ist kein Löffel, das ist eine Gabel. 2. Nein, das ist keine Schere, das ist ein Kugel-   S. 87
schreiber. 3. Nein, das ist kein Buch, das ist ein Brief. 4. Nein, das ist keine Kette, das ist eine Uhr.
5. Nein, das ist kein Bus, das ist ein Auto. 6. Nein, das sind keine Bonbons, das sind Blumen.

Ü 2   1. keine Lust 2. keine Zeit 3. kein Geld 4. keine Ahnung 5. keine Fragen 6. keinen Hunger

Ü 3   1. kein Hund, keine Katze und auch kein Pferd. → M**aus** 2. kein Löffel → **M**esser 3. kein CD-Player →
Radio 4. kein Tee → **K**affee; Lösungswort: Musik

4.3   Possessivartikel

A 1   unbestimmter Artikel   eine E-Mail-Freundschaft, ein Bild, eine Antwort   S. 88
bestimmter Artikel   dem Sofa
Possessivartikel   deine Adresse, meiner Lehrerin, meiner Familie, meine Schwester,
meine Eltern, meinem Vater, unsere Katze, ihr Name

A 2   **ich:** meine Katze   **wir:** unsere Katze   **du:** deine Adresse   ihr: eure Adresse
er: seine Schwester   sie: ihre Katze   es: seine Schwester   sie: ihre Mutter
Sie: Ihre Adresse

A 3   Nominativ feminin: mein**e** Katze – Nominativ Plural: mein**e** Eltern – Akkusativ maskulin: mein**en**   S. 89
Vater – Akkusativ feminin: mein**e** Katze – Dativ maskulin: mein**em** Vater – Dativ neutrum: mein**em**
Sofa – Dativ feminin: mein**er** Katze – Genitiv maskulin: mein**es** Vaters – Genitiv neutrum: mein**es**
Sofas – Genitiv feminin: mein**er** Katze

Ü 1   1. meine Katze 2. deine Tasche 3. sein Hund 4. sein Hund 5. ihre Schlüssel 6. unser Haus 7. euer
Telefon 8. ihre Schlüssel 9. Ihre Tasche

Ü 2a   1. E; 2. F; 3. D; 4. B; 5. C; 6. A   S. 90

Ü 2b   1. Der Arzt: Das ist seine Praxis. 2. Die Lehrerin: Das sind ihre Schülerinnen. 3. Der Bäcker: Das ist
sein Brot. 4. Lukas: Das ist sein Hund Toby. 5. Der Bauer: Das ist seine Kuh. 6. Die Millionärin: Das ist
ihr Geld.

Ü 3   1. mein 2. meine 3. mein 4. meine 5. meine 6. meine 7. mein

Ü 4   1. meine 2. deinen 3. eure 4. Ihre 5. unsere

Ü 5   1. Felix nimmt seinen CD-Player, seine CDs und seine Sonnenbrille mit. 2. Lisa fährt nicht ohne ihre
Handtasche, ihr Handy und ihren Wecker. 3. Rosi packt ihr Handtuch, ihre Joggingschuhe und ihre
Sonnencreme ein. 4. Thomas fährt nur mit seiner Sportzeitschrift, seinem Kissen und seinem
Fotoapparat weg.

Lösungen

	4.4	**Weitere Artikelwörter**
S. 91	A	**nach etwas fragen: „was für ein", „welcher, welches, welche" – Interrogativartikel**
	R1	Mit **„was für ein?"** fragt man nach neuen oder unbekannten Dingen oder Personen oder nach der Art von Dingen oder Personen.
	R2	Mit **„welcher, welches, welche?"** fragt man nach bekannten Dingen oder Personen oder man wählt etwas aus einer bestimmten Menge aus. **etwas genau bestimmen:** „dieser, dieses, diese" – Demonstrativartikel **etwas unbestimmt benennen:** „jeder, jedes, jede", „irgendein", „einige", „manche" – Indefinitartikel
S. 92	Ü 1	1. B; 2. C; 3. A; 4. D
	Ü 2	1. diesem 2. welche 3. einige 4. jeden 5. manchen 6. diese 7. irgendein
	Ü 3	1. jedes 2. Dieses 3. irgendeine 4. welche 5. welche 6. manche 7. alle 8. jedes
	4.5	**Was man mit Artikelwörtern machen kann**
S. 93	Ü 1	1. Manchen 2. jedes 3. alle 4. irgendwelche 5. welche 6. diese 7. keine 8. ein 9. jedes
	5	**Pronomen**
	5.1	**Personalpronomen**
S. 94	A 1	ich : Lukas; er: Toby; sie: Lisa; wir: Lukas, Toby, Lisa, Felix und Thomas
	A 2a	Ich sehe dich. – Wir möchten Sie ... einladen. – Hast du ihn, ...? – Gib mir .... – ... hilf ihr bitte! – ... kennst du sie? – Wir besuchen euch ... – ... wie geht es dir? – Kannst du mich hören? – Schmeckt Ihnen ....?

A 2b

Nominativ	ich	du	er	es	sie	wir	ihr	sie	Sie
Akkusativ	**mich**	**dich**	**ihn**	ihn	**sie**	uns	**euch**	sie	**Sie**
Dativ	**mir**	**dir**	ihm	ihm	**ihr**	uns	euch	ihnen	**Ihnen**

S. 95	Ü 1	1. Sie 2. Er 3. Sie 4. ihr 5. Sie
	Ü 2	1. Sie 2. Sie 3. ich 4. Sie 5. ich 6. sie 7. ich 8. Sie 9. Ich 10. Sie
	Ü 3	1. ihr 2. ihn 3. sie 4. ihnen 5. Dir
	Ü 4	1. euch, Wir 2. euch 3. ihn 4. ihnen 5. ihr, mich 6. sie
	5.2	**Possessivpronomen**
S. 96	A 1a	der Fisch: Das ist meiner! – das Bild: Das ist meins! / Hast du meins? – die Kamera: Das ist meine! – die Fische: Das sind meine!

A 1b

	maskulin	neutrum	feminin	Plural
Nominativ	mein**er**	mein(e)**s**	meine	meine
Akkusativ	mein**en**	mein(e)**s**	meine	meine
Dativ	mein**em**	mein**em**	mein**er**	mein**en**

S. 97	Ü 1	der Ball – Meiner! die Puppe – Meine! das Auto – Meins!/Meines! die Hose – Meine! die Brille – Meine! die Socken – Meine! der Hut – Meiner! die Karten – Meine! das Buch – Meins!/Meines!
	Ü 2	1. meine 2. ihre 3. dein(e)s 4. unser(e)s 5. eure 6. ihrer 7. Ihr(e)s 8. sein(e)s 9. deiner 10. seine
	Ü 3	1. deiner, meiner 2. mein(e)s 3. Ihrem 4. meiner 5. mein(e)s
	Ü 4	1. dein(e)s 2. meinem 3. eure 4. deinem 5. deine

Lösungen

5.3 **Indefinitpronomen**
„einer", „keiner", „was für einer?", „irgendeiner", „jeder", „mancher", „einige" und „viele"

A 1 Ich habe keinen Stift dabei. Hast du einen? – Nein, ich habe auch keinen! S. 98

A 2 Diese Indefinitpronomen unterscheiden sich vom unbestimmten Artikel bzw. Negationsartikel:

Nominativ	maskulin	Hier ist ein/kein Geldautomat.	Hier ist einer/keiner.
	neutrum	Hier ist ein/kein Hotel.	Hier ist eins/keins.
Akkusativ	neutrum	Ich habe ein/kein Fahrrad.	Ich habe eins/keins.

R Drei Singular-Formen der Indefinitpronomen „einer", „keiner", „irgendeiner" und „was für einer" haben andere Endungen als der Indefinitartikel.

Nominativ maskulin	Ist das einer?	Akkusativ neutrum	Hast du **einen**?
neutrum	Ist das **eins/eines**?		

A 3 1. D; 2. C; 3. A; 4. B S. 99

A 4 **Personen:** jemand, alle, niemand – **Gegenstände / Dinge:** alles, nichts, etwas

Ü 1 1. keinen 2. keine 3. keine 4. keins 5. keinen

Ü 2 1. ein(e)s, kein(e)s 2. was für einen 3. einer 4. kein(e)s 5. was für ein(e)s S. 100

Ü 3 1. alle 2. jemand 3. alle 4. jeder 5. niemand 6. jeder 7. jemand 8. alles

Ü 4 1. Hier arbeitet man auch samstags. 2. In diesem Atelier kann man dem Künstler bei der Arbeit zusehen. 3. Dort kann man das Gepäck abgeben. 4. Hier spricht man englisch, deutsch und spanisch. 5. Mit diesem Gerät kann man ganz einfach Gemüse hacken.

Ü 5 1. nichts 2. etwas, etwas 3. einige, viele

5.4 **Reflexivpronomen**

A S. 101

Nominativ	ich	du	er	es	sie	wir	ihr	sie		Sie
Akkusativ	mich	dich	**sich**			**uns**	**euch**	**sich**		sich
Dativ	**mir**	**dir**	sich			uns	euch	sich		sich

R Das Reflexivpronomen hat die gleichen Formen wie das Personalpronomen. Nur in der 3. Person und der höflichen Anrede heißt es immer „**sich**".

Ü 1 1. E; 2. F; 3. B; 4. A; 5. D; 6. C S. 102

Ü 2 1. uns 2. mich 3. uns 4. dich 5. uns 6. mich 7. uns 8. mich

Ü 3 1. Zieh dir bitte die Schuhe an! 2. Ich kann mir die Regel nicht merken. / Die Regel kann ich mir nicht merken. 3. Gestern habe ich mich in den Finger geschnitten. / Ich habe mich gestern in den Finger geschnitten. 4. Freust du dich auch auf das Theaterstück?

Ü 4 1. dich 2. mir 3. dich 4. mich 5. dich 6. mich 7. mich 8. dir

5.5 **Relativpronomen**

Ü 1 1. das 2. die 3. der 4. das 5. den S. 103

Ü 2 1. dem 2. dem 3. die 4. dem 5. wo

Lösungen

5.6 **Pro-Form „es"**

S. 104 A 1b „es" bei Wetterverben: 1, 13, 15
„es" bei Verben, die mit unbestimmten Subjekt oder Objekt stehen können
Geräusche: 4, 12, Zeitangaben: 3, 8
Wendungen mit „es": 2, 5, 6, 7, 9, 10, 11, 14, 15

S. 105 Ü 1 In Hamburg regnet es. In München schneit es und in Berlin ist es sonnig. In Stuttgart ist es neblig und in Köln ist es heute heiter.

Ü 2 1. – 2. es 3. es 4. Es 5. – 6. es

Ü 3 1. Ich komme nur mit zum Radfahren, wenn es nicht regnet. 2. Kommst du noch mit einen Kaffee trinken, oder hast du es eilig? 3. Ist der Herd aus? Hier riecht es verbrannt. 4. Du bist ja ganz blass. Geht es / Geht's dir nicht gut? 5. Ich habe meine Uhr vergessen, kannst du mir sagen, wie spät es ist?

Ü 4 1. Dass wir uns gesehen haben, ist lange her. 2. Nur wenige Leute waren in der Vorstellung. 3. Mit dem Zug nach Köln zu fahren, dauert vier Stunden. 4. Jetzt ist alles vorbereitet. 5. Für Sie singt heute Annett Louisan.

5.7 **Was man mit Pronomen machen kann**

S. 106 Ü 1 1. deine, keine 2. meinen 3. Ihr(e)s, kein(e)s 4. keinen 5. meiner 6. uns(e)re, keine

S. 107 Ü 2 1. sich 2. sich 3. sich 4. Sie 5. ihn 6 sich 7 sich

Ü 3 1. ihm 2. Niemand 3. sie 4. er 5. Alles 6. etwas, jemand 7. ihn 8. Der 9. nichts

Ü 4 1. es 2. die 3. sich 4. sich 5. Sie 6. sie 7. was

6 **Fragewörter**

6.1 **W-Wörter**

S. 108 A 1a 1. Wo 2. Wohin 3. Wann 4. Wer 5. Was 6. Wie 7. Warum 8. Woher

A 1b,c

Personen	Sache	Ort	Zeit	Grund	Art und Weise
4	5	1, 2, 8	3	7	6
wer	was	wo, wohin, woher	wann	warum	wie

A 2 ? ? ?

Wo bist du? **Woher kommst du?** **Wohin gehst du?**

S. 109 Ü 1 1. wer 2. wo 3. was 4. Wann 5. Wie 6. Wie 7. Warum

Ü 2 1. Wer ist das? 2. Wem gehört die Jacke? 3. Wen rufst du / rufen Sie (nachher) an? 4. Wer kommt (heute) zu Besuch?

Ü 3 1. Wohin 2. Warum 3. Wann 4. Wo 5. Warum

6.2 **„wo(r)-" + Präposition**

S. 110 A 1a Worüber – Auf wen – Worauf

A 1b **Frage nach Dingen:** sich **über** den Besuch freuen → **Worüber** freust du dich?
auf den Kuchen stolz sein → **Worauf** bist du stolz?
Frage nach Personen: auf eine Freundin warten → **Auf wen** warten wir?

Lösungen

S. 111
S. 112
S. 113

R1 In Sätzen mit Verben oder Ausdrücken mit Präpositionen fragt man
- nach **Dingen** mit „wo(r)-" + Präposition
- nach **Personen** mit der Präposition + „wen?" oder „wem?".

A 2a Worauf wartest du?   Woran denkst du?   Wozu brauchst du das?
Worüber lachst du?   Wonach suchst du?   Womit willst du das reparieren?

A 2b **„wor-" + Präposition:** worauf, worüber, woran; **„wo-" + Präposition:** wonach, wozu, womit

R2 Präposition mit einem Vokal oder Umlaut am Anfang (auf, über, …) → **„wor-"** + Präposition.

Ü 1 1. B; 2. C; 3. D; 4. A

Ü 2 1. Worauf 2. Worüber 3. Womit 4. Woran 5. Wovon

Ü 3a,b 1. bitten um: Worum hast du den Kellner gebeten? – Um mehr Brot. 2. einladen zu: Wozu haben sie uns eingeladen? – Zu einem Gartenfest. 3. fragen nach: Wonach hat dich der Mann gefragt? – Nach der Toilette. 4. lachen über: Worüber lacht ihr? – Über einen Witz. 5. sich treffen mit: Mit wem triffst du dich heute? – Mit einer Schulfreundin.

Ü 4 1. Worüber freuen Sie sich? 2. Über wen ärgere ich mich? 3. Womit sind Sie gekommen? 4. Wovon woll(t)en Sie (mir) erzählen? 5. Wofür interessiere ich mich?

7 Adjektive

7.1 Adjektive bei Verben

A 1 ○ Lukas! Du <u>musst</u> schnell zu mir <u>kommen</u>. …
○ Der Computer spinnt! Ich <u>werde</u> noch verrückt.
● Keine Panik. Vielleicht <u>ist</u> es gar nicht so schlimm.
○ Stundenlang <u>schreibe</u> ich jetzt meine Arbeit und plötzlich <u>ist</u> der Bildschirm dunkel <u>geworden</u>.

R1 Adjektive haben keine Endung, wenn Sie zu einem **Verb** gehören.

A 2

Vielleicht	**ist**	es gar nicht so	**schlimm.**
Ich	werde	noch	**verrückt.**
Plötzlich	ist	der Bildschirm	dunkel **geworden.**
	„sein", „werden"		Adjektiv

R2 Die Verben „sein" und „werden" bilden mit dem **Adjektiv** eine Satzklammer.

Du	**musst**	schnell zu mir	kommen.
Stundenlang	schreibe	ich jetzt meine Arbeit.	

A 3 schnell – plötzlich – laut – erschrocken

Ü 1 1. Nein, sie ist klein. 2. Nein, es ist billig. 3. Nein, er ist kalt. 4. Nein, sie sind alt. 5. Nein, sie sind leicht.

Ü 2 1. wird – alt 2. wird hell 3. wird – schön 4. wird – gut 5. werden – gesund

Ü 3a 1. C; 2. E; 3. D; 4. A; 5. B

Ü 3b 1. Das Land ist groß. 2. Die Donau ist lang. 3. Garfield ist faul. 4. Dirk Nowitzky ist bekannt. 5. Wien und Graz sind schön.

Ü 4 1. Der Zug fährt pünktlich ab. 2. Die Freunde kommen spät an. 3. Helena arbeitet schnell. 4. Die Sängerin singt sehr schön. 5. Die Eltern kommen plötzlich zurück.

Lösungen

7.2   **Adjektive vor einem Substantiv**

S. 114   A 1a,b   Das ist <u>ein</u> neu**er** Mantel. <u>Der</u> neu**e** Mantel ist modern.
Das ist <u>ein</u> alt**es** Kleid. <u>Das</u> alt**e** Kleid ist schick.

R1   Wenn das Adjektiv vor einem **Substantiv** steht, hat es eine Endung. Die Endung hängt vom Artikelwort ab.

A 2a   **Adjektive nach bestimmtem Artikel:** 3. Die nett**e** Verkäuferin zeigt ihr einige Kleider. 4. Das blau**e** Kleid gefällt Theresa am besten. 6. Die hell**e** Bluse passt gut zu dem roten Rock. 7. Sie probiert den roten Rock und die hell**e** Bluse. 8. Die neuen Sachen stehen ihr gut, besonders die Farbe des lang**en** Rockes.

A 2b

	maskulin	neutrum	feminin	Plural
Nominativ	der lang**e** Rock	das neu**e** Kleid	die hell**e** Bluse	die neu**en** Kleider
Akkusativ	den lang**en** Rock			
Dativ	(mit) dem lang**en** Rock	(mit) dem neu**en** Kleid	(mit) der hell**en** Bluse	(mit) den neu**en** Kleidern
Genitiv	(die Farbe) des lang**en** Rockes	(die Farbe) des neu**en** Kleides	(die Farbe) der hell**en** Bluse	(die Farbe) der neu**en** Kleider

S. 115   R2   Der bestimmte Artikel „der/das/die" enthält immer das Kasus-Signal. Die Endungen der Adjektive sind -e oder -en.

A 3   **Adjektive nach unbestimmtem Artikel:** 1. Manfred geht in ein groß**es** Modehaus. 2. Er möchte einen neu**en** Mantel. 4. Er sieht eine warme, graue Jacke. 5. Der Verkäufer zeigt ihm auch ein schickes, blaues Hemd. 8. Er kauft dünne, schwarze Socken.

A 4

	maskulin	neutrum	feminin	Plural
Nominativ	ein neu**er** Mantel	ein schick**es** Hemd	eine warm**e** Jacke	☐ dünn**e** Socken
Akkusativ	einen neu**en** Mantel			
Dativ	(mit) einem neu**en** Mantel	(mit) einem schick**en** Hemd	(mit) einer warm**en** Jacke	(mit) ☐ dünn**en** Socken
Genitiv	(die Farbe) eines neu**en** Mantels	(die Farbe) eines schick**en** Hemdes	(die Farbe) einer warm**en** Jacke	(die Farbe) ☐ dünn**er** Socken

S. 116   A 5   **Adjektive nach Nullartikel:** 1. Schicker Wintermantel mit modischem Muster. Sonderpreis! 2. Rotes Kleid mit schmalem Gürtel, aus reiner Wolle. 49,99 € 3. Dunkle Bluse mit Karomuster, Größe 38–42, 39,99 € 4. Schwarze Stiefel aus bestem Leder, mit flachem Absatz. Nur 79,90 €

A 6

	maskulin	neutrum	feminin	Plural
Nominativ	neu**er** Mantel	alt**es** Kleid	warm**e** Jacke	dünn**e** Socken
Akkusativ	neu**en** Mantel			
Dativ	(mit) neu**em** Mantel	(mit) alt**em** Kleid	(mit) warm**er** Jacke	(mit) dünn**en** Socken
Genitiv	(trotz) neu**en** Mantels	(trotz) alt**en** Kleides	(trotz) warm**er** Jacke	(trotz) dünn**er** Socken

Lösungen

S. 117

Ü 1   1. altes 2. volle 3. bunter 4. graue 5. kleines 6. runder 7. neue

Ü 2   1. … das rote oder das schwarze 2. … der helle oder der dunkle 3. … die braunen oder die schwarzen 4. … die große oder die kleine 5. … der lange oder der kurze

Ü 3a,b   1. Ich sehe einen großen Baum. 2. Er steht auf einer grünen Wiese. 3. Der Baum hat hellgrüne Blätter. 4. Auf der Wiese gibt es bunte Blumen. 5. Auf der kleinen Wiese spielen Kinder. 6. Hinter der kleinen Wiese steht ein Haus. 7. Das Haus hat weiße Wände. 8. Und es hat ein rotes Dach. 9. In diesem kleinen Haus wohnt Simon. 10. Simon ist ein alter Mann.

Ü 4   1. frischen 2. kühles 3. kalten 4. süße 5. saure 6. rohes

S. 118

Ü 5   1. kalten – Heißer 2. saure – Süße 3. lange – Kurze 4. altes – neues 5. kleines – Große 6. dicke – Dünne 7. weite – Enge

Ü 6   1. kleinen 2. dunkler 3. dunklen 4. altes 5. schief 6. steile 7. kalten 8. schrecklich 9. seltsame 10. offenen 11. schwaches 12. kleinen 13. großer 14. tiefe 15. laut 16. schwarzen 17. reich

Ü 7   1. Ruhige 2. zentraler 3. großem 4. kleiner 5. sonnige 6. gutem
7. Kleines 8. großem 9. ruhiger 10. jungem 11. kleinem
12. Großes 13. kleinem 14. netten 15. altem

7.3   Komparation der Adjektive: Komparativ und Superlativ

S. 119

A 1a   näher – das beste Messer – leichter und bequemer – weiche Tomaten … – gut – harten Käse … – Ein besseres Messer – das schärfste Messer – die größte Sensation – das gute Stück – mehr bezahlen – Am besten …

A 1b, c   Sie schneiden leicht und bequem. Das **gute** Stück gehört Ihnen.
Sie schneiden **leichter** und **bequemer** als bisher. Ein **besseres** Messer werden Sie nicht finden. Damit schneiden Sie am leicht**esten** und am bequem**sten**. Hier gibt es das **beste** Messer, das Sie finden können.

R1   Vom Adjektiv kann man zwei Formen zur Komparation (oder Steigerung) bilden: **-er** ist das Merkmal des Komparativs, **-(e)st-** ist das Merkmal des **Superlativs**.

A 2   Haus B ist kleiner als Haus A. Haus B ist das kleinere Haus.
Das Haus C ist am kleinsten. Haus C ist das kleinste Haus.

R2   Der Superlativ heißt am … -sten, wenn das Adjektiv beim **Verb** steht. Das Adjektiv bei einem Substantiv hat im Komparativ und Superlativ eine Endung.

S. 120

A 3a   teurer – der schlechteste Urlaub – der kürzeste Tag – die kälteste Nacht – der intelligenteste Schüler – älter – näher – dunkler

A 3b   **klein**: - - -; **leicht**: schlecht, intelligent; **sauer**: teuer; **lang**: - - -; **hart**: alt, kurz, kalt; **hoch**: nah(e)

A 4

Haus A	ist	genauso groß	wie Haus B.
Haus A und B	sind	nicht so groß	wie Haus C.
Haus C	ist	größer	als Haus A und B.

R3   Einen Vergleich mit „genauso" oder „so" + Adjektiv in der Grundform setzt man mit **„wie"** fort. Einen Vergleich im Komparativ setzt man mit **„als"** fort.

S. 121

Ü 1   1. alt – älter – am ältesten 2. reich – reicher – am reichsten 3. scharf – schärfer – am schärfsten
4. teuer – teurer – am teuersten 5. lustig – lustiger – am lustigsten 6. leise – leiser – am leisesten
7. nah – näher – am nächsten 8. jung – jünger – am jüngsten 9. heiß – heißer – am heißesten
10. klug – klüger – am klügsten

Lösungen

Ü 2   1. schneller als 2. wärmer als 3. dunkler als 4. schöner als 5. höher als 6. länger als

Ü 3   1. so alt wie 2. älter als 3. besser als 4. (genau)so schön wie 5. schneller als 6. mehr als

Ü 4   1. Sprechen Sie bitte (ein bisschen) lauter. 2. Arbeite (doch) bitte (ein bisschen) schneller. 3. Sei (doch) bitte (ein bisschen) geduldiger. 4. Helft mir (doch) bitte (ein bisschen) mehr. 5. Geh (doch) bitte (ein bisschen) früher schlafen. 6. Fahren Sie (doch) bitte (ein bisschen) langsamer.

S. 122   Ü 5   1. älteste 2. teuerste 3. lustigste 4. heißeste 5. kälteste 6. besten 7. nächsten 8. kürzesten 9. härtesten 10. höchsten

Ü 6   1. Welcher Fußballer spielt am besten? 2. Welches Tier schläft am längsten? 3. Welche Sportlerin läuft am schnellsten? 4. Welches Instrument klingt am lautesten? 5. Welches Material ist am härtesten? 6. Welche Speise schmeckt am schärfsten?

Ü 7   1. Der Hund ist schneller als die Maus. Der Gepard ist am schnellsten. 2. Die Kirche ist höher als das Haus. Der Turm ist am höchsten. 3. Das Pferd ist größer als der Hund. Der Elefant ist am größten. 4. Freizeit ist besser als Arbeit. Urlaub ist am besten.

7.4 Partizipien als Adjektive

S. 123   A 1a   ein blühender Baum – singende Vögel – am gedeckten Tisch – Das bestellte Essen

A 1b   ein blühender Baum – blühend, singende Vögel – singend, am gedeckten Tisch – gedeckt, das bestellte Essen – bestellt

R1   Das Partizip I bildet man mit Infinitiv + Endung **-d**. Partizip I und Partizip II kann man als **Adjektive** verwenden.

A 2   1. – a 2. – b

A 3   1. – b 2. – a

S. 124   Ü 1   1. passende 2. blühende 3. lachenden 4. schmeckenden 5. spielenden

Ü 2   1. kochendes Wasser 2. ein schlafendes Kind 3. spielende Hunde 4. ein lachender Mann 5. meckernde Leute 6. fliegende Fische

Ü 3   1. gekennzeichneten 2. markierten 3. gesperrten 4. geschützten 5. mitgebrachten

Ü 4   1. gedeckten 2. brennende 3. geschnittenem 4. aussehende 5. gegrilltes 6. dampfender

7.5 Adjektive und Partizipien als Substantive

S, 125   A 1   das Neueste – Der Dumme – der neue Vorsitzende – keinen Besseren – Ein Kluger

R1   Adjektive und Partizipien kann man auch allein als Substantive verwenden. Dann schreibt man sie **groß**.

A 2   Das ist mein deutscher Freund Richard. – Richard ist Deutscher.
Die ankommenden Passagiere bitte zur Info kommen. – Die Ankommenden bitte zur Info.
Im Verein gibt es viele verletzte Spieler. – Wir haben im Moment viele Verletzte.

R2   Adjektive und Partizipien als Substantive haben die **gleichen** Endungen wie Adjektive vor einem Substantiv.

Lösungen

	maskulin	feminin	Plural
Nominativ	der Bekannte ein Bekannter	die Bekannte eine Bekannte	die Bekannten ☐ Bekannte
Akkusativ	den Bekannten einen Bekannten		
Dativ	dem Bekannten einem Bekannten	der Bekannten einer Bekannten	den Bekannten ☐ Bekannten
Genitiv	des Bekannten eines Bekannten		der Bekannten ☐ Bekannter

Ü 1   1. Deutsche 2. Kranke 3. Bekannten 4. Verwandter 5. Schuldigen   S. 126

Ü 2   1. Angestellter 2. Minderjährige 3. Reiche 4. Arbeitslose 5. Verwandten

Ü 3   1. Beste 2. Größte 3. Einfachste 4. Schlimmste 5. Netteste

Ü 4   1. Anwesenden 2. Verletzten 3. Betrunkene 4. Reisende 5. Verliebten

7.6   Adjektive + Ergänzung mit Präposition

Ü 1   1. C; 2. F; 3. A; 4. E; 5. B; 6. D   S. 127

Ü 2   1. mit 2. an 3. von 4. mit 5. zu 6. mit

Ü 3   1. auf ihn 2. auf sie 3. über die 4. für die 5. über die

7.7   Was man mit Adjektiven machen kann

Ü 1   1. ein roter und ein grauer Pullover 2. ein großes Loch 3. aus rotem Leder 4. drei weiße T-Shirts   S. 128
      5. schmutzig 6. im Urlaub gemachte Fotos

Ü 2   1. schnell 2. große 3. kleine 4. langsamer 5. große 6. kleiner 7. lauter 8. lange 9. fertig 10. großen   S. 129

Ü 3   1. als 2. so – wie 3. am 4. das 5. als 6. so – wie

Ü 4   1. Kleinen 2. alter 3. Grauhaarige 4. hellen 5. neuer 6. nett 7. Große 8. roten 9. Verwandte 10. Neues
      11. Wichtiges 12. länger

8   Präpositionen

R   Präpositionen stehen **vor** einem Substantiv (mit oder ohne Artikelwort) oder **vor** einem Pronomen.   S. 130
      Artikelwort oder Pronomen zeigen einen Kasus.

A   an dem ⇨ am, in dem ⇨ im, bei dem ⇨ beim, von dem ⇨ vom, zu dem ⇨ zum, zu der ⇨ zur,
      an das ⇨ ans, in das ⇨ ins, auf das ⇨ aufs, durch das ⇨ durchs, für das ⇨ fürs

Ü 1a, b   Michaeal fährt mit dem Bus zur Arbeit. | Er muss im Zentrum beim Theater aussteigen. | Auf dem   S. 131
      Weg von der Haltestelle zu seiner Arbeit kommt er bei einer Bäckerei vorbei. | Michael geht am
      Morgen meistens in die Bäckerei und kauft etwas zum Essen. | Denn er macht bei seiner Arbeit
      nur eine kurze Mittagspause. | In der Pause geht er nicht in die Kantine. | Er geht lieber ein paar
      Minuten spazieren. | Dann arbeitet er weiter bis vier Uhr. | Nach der Arbeit fährt er nach Hause.

Ü 2   1. beim 2. zur 3. zum 4. vom 5. Am 6. ans 7. im 8. ins 9. aufs

8.1 **Präpositionen mit Dativ oder Akkusativ (Wechselpräpositionen)**

S. 132 A 1a

A 1b 1. Ist er auf dem Schreibtisch? 2. Liegt er in der Schublade? 3. Hängt er vielleicht an der Wand! 4. Steckt er zwischen den Büchern? 5. Liegt er neben den CDs? 6. Such unter dem Bett! 7. Hängt er nicht über dem Computer? 8. Hast du vor der Tür geschaut? 9. Liegt er vielleicht hinter dem Regal?

R1 Die Präpositionen „in", „an", „auf", „neben", „zwischen", „über", „unter", „vor", „hinter" haben auf die Frage „wo?" den **Dativ** ●.

A 2 1. ist 2. liegt 3. steht 4. hängt 5. sitzt 6. steckt 7. bleibt

S. 133 A 3a

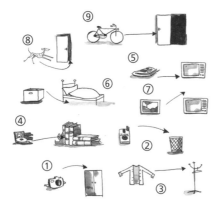

A 3b 1. Leg die Kamera auf den Schrank! 2. Wirf die Zigaretten in den Müll! 3. Häng die Jacke an die Garderobe! 4. Steck die CDs zwischen die Bücher! 5. Leg die Zeitung neben den Fernseher! 6. Schieb die Kiste unter das Bett! 7. Häng das Bild über den Fernseher! 8. Der Hund muss wieder vor die Tür! 9. Stell das Fahrrad hinter die Tür!

R2 Die Präpositionen „in", „an", „auf", „neben", „zwischen", „über", „unter", „vor", „hinter" haben auf die Frage „wohin?" den **Akkusativ** →.

A 4 1. legt 2. Setzen 3. stellt 4. hängt 5. steckt

S. 134 Ü 1a, b 1. Simon geht in die Schule. – Wohin? 2. Er sitzt neben <u>seinem</u> Freund Mustafa. – Wo? 3. Sie sitzen in <u>der</u> ersten Reihe. – Wo? 4. Die Lehrerin kommt in die Klasse. – Wohin? 5. Ina setzt sich auf ihren Platz. – Wohin? 6. Die Lehrerin steht vor <u>der</u> Tafel. – Wo? 7. Sie stellt ihre Tasche auf den Boden. – Wohin? 8. An <u>der</u> Wand hängen Bilder. – Wo? 9. Vor <u>dem</u> Fenster stehen ein paar Bäume. – Wo?

Ü 2 1. E; 2. F; 3. D; 4. A; 5. B; 6. C

Ü 3 1. In 2. Über 3. neben 4. Unter 5. auf 6. an 7. Auf 8. Zwischen 9. Hinter 10. Vor

Lösungen

Ü 4 1. an einem Fluss 2. Zwischen dem Fluss und den Häusern 3. hinter den Bäumen 4. auf den Bergen 5. vor den Häusern 6. Auf der Straße 7. An der Wand

Ü 5 1. vor das 2. neben das 3. in die 4. an die 5. auf das 6. über die

Ü 6 1. einem 2. einem 3. die 4. die 5. dem 6. der 7. die 8. dem

Ü 7 1. Eva legt die CD auf den Tisch. 2. Ein Auto steht vor der Tür. 3. Ali zieht aufs Land. 4. Die Kinder spielen im Haus. 5. Die Katze liegt auf dem Sofa. 6. Arno stellt die Ski in den Keller. 7. Lena steigt am Hauptplatz aus.

8.2 Präpositionen mit Dativ

A 1a, b **ab** der Rheinbrücke > Ort – **ab** nächster Woche > Zeit / **aus** Österreich, **aus** der Schweiz > Ort – **aus** der Küche > Ort – **aus** hellem Holz > andere / **außer** dir > andere / **bei** ihrer Schwester > Ort – **bei** der Arbeit > Ort/Zeit – **bei** schönem Wetter > Zeit/andere / **mit** seiner Frau > andere – **mit** dem Fahrrad > andere / **nach** der Arbeit > Zeit – **nach** dem Plan > andere – **nach** Schweden > Ort / **seit** 18 Jahren > Zeit / **von** 1994 > Zeit – **von** München > Ort – **von** mir > andere / **zur** Post > Ort – **zu** unseren Freunden > Ort – **zum** Geburtstag > andere

R Die Präpositionen „ab", „aus", „außer", „bei", „mit", „nach", „seit", „von", „zu" haben immer den **Dativ**.

Ü 1 1. zu 2. von (bei) 3. seit 4. mit 5. Nach 6. bei 7. Ab

Ü 2 1. Aus 2. aus 3. bei 4. seit 5. bei/in 6. Nach 7. mit 8. mit 9. nach 10. zur

Ü 3 1. von 2. mit 3. von 4. aus 5. aus 6. aus

Ü 4 1. Fahr mit der U-Bahn zum Karlsplatz! 2. Steig dort in die Linie 4 um! 3. Steig an der Friedensbrücke aus! 4. Geh dann über die Brücke! 5. Geh nach der Brücke rechts! 6. Geh bei der Ampel über die Straße! 7. Geh in den vierten Stock! 8. Läute an der Tür!

8.3 Präpositionen mit Akkusativ

A 1a, b **bis** Hamburg > Ort – **bis** Sonntag > Zeit / **durch** die Tür > Ort – **durch** den Stadtpark > Ort – **durch** das Feuer > andere / **für** mich > andere – **für** drei Wochen > Zeit – **für** dich > andere – **für** den Vorschlag > andere / **gegen** den Baum > Ort – **gegen** diese Politik > andere – **gegen** 10 Uhr > Zeit / **ohne** Brille > andere / **um** die Kurve > Ort – **um** den Ofen > Ort – **um** 8.25 > Zeit – **um** die 20 Euro > andere

R Die Präpositionen „bis", „durch", „für", „gegen", „ohne", „um", haben immer den **Akkusativ**.

Ü 1 1. entlang 2. bis 3. durch 4. durch 5. um 6. bis 7. ohne

Ü 2 1. bis 2. um 3. bis 4. gegen

Ü 3 1. für meinen Freund 2. für die Prüfung 3. ohne Zucker 4. ohne (den) Schlüssel 5. gegen die Tür

Ü 4 1. in der 2. am 3. um 4. Nach dem 5. mit dem 6. in 7. beim

8.4 Präpositionen mit Genitiv

A 1a 1. B; 2. D; 3. A; 4. C

A 1b A wegen hohen Fiebers – B während des Essens – C statt des Nachtisches – D trotz des schlechten Wetters

R Nach den Präpositionen „(an)statt", „trotz", „während", „wegen" steht in gesprochener Sprache meistens der **Dativ**, in geschriebener Sprache meistens der **Genitiv**.

Lösungen

Ü 1   1. D; 2. A; 3. B; 4. C

Ü 2   1. Trotz des Regens geht Frau Moser spazieren. 2. Trotz der Krankheit arbeitet Monika wie immer. / Während der Krankheit arbeitet Monika wie immer. 3. Wegen der Schmerzen geht Herr Kirch zum Arzt. 4. Während der Pause isst Max ein Brot. 5. Wegen des heißen Klimas muss man viel trinken. 6. Während des Fluges darf man nicht telefonieren.

S. 142 Ü 1   1. E; 2. D; 3. F; 4. A; 5. C; 6. B

Ü 2   1. in einer 2. mit ihrer 3. am 4. zur / in die 5. durch die 6. (bis) zur / in die 7. auf den 8. Auf dem 9. unter einen

S. 143 Ü 3   1. um 2. seit 3. mit 4. in 5. für 6. nach

Ü 4   1. J (F); 2. A; 3. L; 4. D (I); 5. G; 6. H; 7. K; 8. C (A, E)

Ü 5   1. ins 2. nach 3. von 4. über 5. von 6. auf einen 7. aus dem 8. im 9. unter/neben einem 10. im 11. ans 12. wegen 13. im 14. Nach

9   **Adverbien**

S. 144 A 1

Satzklammer			
Lukas und Toby	gehen	**gern**	spazieren.
Morgens	gehen	sie im Park	spazieren.
Er	rennt	**geradeaus.**	
		Mittelfeld	

R   Adverbien sind unveränderlich. Sie werden nicht dekliniert und – bis auf wenige Ausnahmen – nicht gesteigert. Im Satz stehen sie meistens im **Mittelfeld** oder auf Position **1**:
Sie gehen **morgens** im Park spazieren. **Morgens** gehen sie im Park spazieren.

S. 145 A 2

temporal (Wann? Wie lange?)	lokal (Wo? Wohin? Woher?)	kausal (Warum?)	modal (Wie?)
vorgestern, nie, dann, jetzt, gerade, morgen	dorthin, links, rechts	deswegen	leider

S. 146 Ü 1   Bald, da, schon, Gestern, heute, da, mittags

Ü 2   1. Heute kann ich nicht arbeiten. 2. Gerne kommen wir euch besuchen. 3. Morgen haben wir eine wichtige Besprechung. 4. Am liebsten isst er morgens ein Müsli. 5. Immer ist sie fröhlich.

Ü 3   1. Ich habe morgen leider einen Termin beim Zahnarzt. / Leider habe ich morgen einen Termin beim Zahnarzt. / Morgen habe ich leider einen Termin beim Zahnarzt.
2. Er geht gerne draußen spazieren. / Draußen geht er gerne spazieren. / Gerne geht er draußen spazieren. / Er geht draußen gerne spazieren.
3. Sie geht abends oft ins Kino. / Sie geht oft abends ins Kino. / Oft geht sie abends in Kino. / Abends geht sie oft ins Kino. / Ins Kino geht sie abends oft. / Ins Kino geht sie oft abends.
4. Er ist morgens immer müde. / Er ist immer morgens müde. / Morgens ist er immer müde. / Immer ist er morgens müde. / Müde ist er immer morgens. / Müde ist er morgens immer.
5. Sie geht dienstags oft allein schwimmen. / Sie geht oft dienstags allein schwimmen. / Dienstags geht sie oft allein schwimmen. / Schwimmen geht sie oft dienstags allein.
6. Ich habe heute lange gewartet. / Heute habe ich lange gewartet. / Lange habe ich heute gewartet. / Gewartet habe ich heute lange.

Lösungen

Ü 4   1. Das machen wir nicht gerne. / Wir machen das nicht gerne. 2. Der Koffer ist nicht hier oben. / Hier oben ist der Koffer nicht. 3. Sie werden morgen nicht kommen. / Morgen werden sie nicht kommen. 4. Er kann nachmittags nicht schlafen. / Nachmittags kann er nicht schlafen. 5. Sie hat früher nicht in Paris gewohnt. / In Paris hat sie früher nicht gewohnt. 6. Da vorne kannst du nicht links fahren. / Du kannst da vorne nicht links fahren.

9.1   Temporaladverbien

A 1   Zeitpunkt (wann?): jetzt, morgen, später, damals   Häufigkeit (wie oft?): oft, manchmal   S. 147
Reihenfolge (was, wann?): danach, zuerst   Wiederholung (immer wieder): mittags

A 2a

Vergangenheit		Gegenwart	Zukunft
lange her	vor kurzem	jetzt	

damals,   vorher, gestern   gerade, jetzt,   gleich, nachher,   morgen, bald
früher   heute   später

A 2b

immer   meistens   oft   manchmal   selten   nie

Ü 1   1. Sie steht morgens um 7.30 Uhr auf. 2. Nur sonntags kann sie länger schlafen. 3. Mittags geht sie   S. 148
in den Park und isst etwas. 4. Abends sieht sie oft fern. 5. Montags geht sie meistens mit einer
Freundin schwimmen.

Ü 2   1. Wir müssen uns bald wiedersehen. 2. Morgen geht sie zur Post. 3. Ich rufe dich später an. 4. Diese
Woche ist er abends zu Hause. 5. Heute komme ich später nach Hause.

Ü 3   1. selten 2. immer 3. oft 4. nie 5. manchmal **Lösungswort:** Sonne

Ü 4   1. jetzt/gerade 2. gerade/jetzt 3. Gleich 4. bald 5. morgen 6. jetzt/gerade 7. später/morgen 8. nachher/später 9. gestern

9.2   Lokaladverbien

A 1b
und
A 2

Wo?	Wohin?	Woher?
hier oben, hinten, rechts, unten, außen, überall geradeaus, links, dort, drau-ßen, drinnen, hinten, innen, unten, vorn(e), drüben, ent-lang	dahin geradeaus, nach oben, heim, hin, zurück, nach rechts, hier-hin, rauf, raus, rein, runter, nach links	von draußen, von links, von rechts, her, von drinnen, von hinten, von vorn(e)

S. 149

Ü 1   1. links 2. geradeaus 3. rechts 4. links   S. 150

Ü 2   1. Unten 2. rechts 3. unten 4. links 5. Oben 6. rechts 7. links   S. 151

Ü 3   1. Die Vase steht rechts auf dem Boden. / Rechts auf dem Boden steht die Vase. 2. Die Zeitschriften liegen vorne auf dem Tisch. / Vorne auf dem Tisch liegen die Zeitschriften. 3. Überall im Regal sind die Bücher. / Die Bücher sind überall im Regal. 4. (Die) Teller und (die) Gläser stehen hinten auf dem Tisch. / Hinten auf dem Tisch stehen (die) Teller und (die) Gläser. 5. Draußen ist der Hund. / Der Hund ist draußen. 6. Hinten rechts steht der Fernseher. / Der Fernseher steht hinten rechts.

Lösungen

Ü 4   1. nach draußen 2. nach oben 3. oben/drinnen 4. drinnen 5. nach draußen 6. von draußen 7. drinnen 8. nach draußen

9.3   **Was man mit Adverbien machen kann**

S. 153 Ü 1   1. Gusai ist krank. Deswegen konnte er gestern nicht zu der Feier kommen. 2. Wenn er gesund ist, geht er donnerstags wieder joggen. 3. Hoffentlich ist er bald wieder gesund. 4. Er fährt mit dem Bus dorthin.

Ü 2   Zuerst schneiden Sie die Zwiebeln und den Knoblauch. Dann/danach braten Sie die Zwiebeln und den Knoblauch in Öl an. Anschließend/danach/dann geben Sie die Tomatenstücke dazu und zuletzt würzen Sie alles.

Ü 3   1. abends 2. oft 3. Deswegen 4. gern 5. Heute 6. dorthin 7. dann 8. öfter

10   **Partikeln**

10.1   **Modalpartikeln**

S. 154 A 1a   1. mal 2. doch

A 1b   **Satz 1:** Toby ist ungeduldig. **Satz 2:** Lukas ist genervt.

A 2   **(höfliche) Aufforderung oder Frage:** mal, vielleicht; **Verstärkung einer Aussage mit Negation:** aber; **Überraschung:** aber, ja; **Vermutung:** wohl; **Verstärkung einer Frage, Vorwurf:** denn, mal; **Vorwurf, Rechtfertigung:** doch

S. 155 Ü 1   1. B; 2. C; 3. D; 4. A

Ü 2   1. mal 2. aber 3. doch 4. denn 5. ja/aber

Ü 3   1. mal 2. wohl 3. doch 4. ja/doch 5. vielleicht 6. wohl 7. mal

10.2   **Dialogpartikeln**

S. 156 A 1   Nein! – Ja! – Gern. – Na ja. – Okay. – Doch.

A 2a/b   **Bejahen, Zustimmen:** ja, gern, okay, sehr, gut, genau, super; **Zögern, Zweifeln:** na ja, **Verneinen, Widerspruch:** nein, doch

S. 157 Ü 1   1. E; 2. B; 3. D; 4. A; 5. F/(C); 6. C/(F)

Ü 2   1. Na ja 2. Nein 3. Gern 4. genau 5. Gut 6. Ja 7. sehr

Ü 3   1. Ja! / Sehr! ~~Doch!~~ 2. Doch! / ~~Ja!~~ / ~~Super!~~ 3. Okay! / ~~Doch!~~ / Gern! 4. Genau! / Gut! / ~~Doch!~~

11   **Negation**

11.1   **Negation mit „nicht" oder mit „kein"?**

S. 158 A 1   Ich habe keine Lust mitzukommen. – Sie kommt heute sicher nicht. – Wir können leider nicht schwimmen. – Ich habe keine Ahnung. – Ich esse kein Fleisch. – Ich habe gestern Abend nicht angerufen.

A 2

Sie	kommt	heute sicher nicht.	
Wir	**können**	**leider nicht**	schwimmen.
Ich	**habe**	**gestern Abend nicht**	**angerufen.**

Lösungen

A 3   1. C; 2. D; 3. A; 4. B

R3   Wenn „nicht" einen Satzteil verneint, steht es direkt **vor** diesem Satzteil.

Ü 1   1. Ich gehe heute nicht arbeiten. 2. Es regnet nicht. 3. Er hat keine Katze. 4. Das Wetter ist nicht S. 159
schön. 5. Ich habe keinen Durst.

Ü 2   1. nicht 2. keine 3. keine 4. nicht

Ü 3   Satzverneinung: 3, 4   Satzteilverneinung: 1, 2, 5

Ü 4   Nein, ich komme nicht mit. 2. Nein, ich mag heute nicht joggen. / Nein, heute mag ich nicht
joggen. / Nein, ich mag nicht joggen heute. 3. Nein, ich konnte nicht schlafen. 4. Nein, nicht ich
habe heute einen Vortrag, sondern mein Kollege.

11.2 Negationswörter

A 1   nichts – Nein – nichts – (gar) nicht – nie – niemand   S. 160

A 2

nichts	etwas/alles	nirgends	überall
niemand	jemand/alle	nicht mehr	noch
nie	immer	noch nicht	schon

Ü 1   1. nicht 2. nichts 3. nicht 4. nie 5. nicht   S. 161

Ü 2   1. Niemand hat es gesehen. 2. Er hat in der WG nie gekocht. 3. Ich habe dir nichts mitgebracht.
4. Dieses Buch findet man nirgends. 5. Sie hat nichts organisiert.

Ü 3   1. noch nicht 2. gar nichts 3. noch nicht 4. noch nie 5. gar nichts

Ü 4   1. Nein, ich kenne leider niemand, der sich gut mit DVD-Rekordern auskennt. 2. Nein, ich habe am
Wochenende gar nicht (viel) gearbeitet. 3. Nein, ich war noch nie in der Wüste. 4. Nein, da kannst
du nichts mehr machen. 5. Nein, hier kann man nirgends schwimmen (gehen). 6. Nein, ich kann
heute (leider) nicht mehr (zu dir) kommen.

11.3   Negation durch Wortbildung

A 1a   **un-:** unsicher, unwichtig, unbedeutend, Unfähigkeit, Unsicherheit; **miss-:** misslingen, missverstehen, S. 162
Missverständnis, missverständlich; **in-/im-:** intolerant, immobil, indirekt, Intoleranz; **-los:** kostenlos,
rücksichtslos, arbeitslos

A 1b

	Verb	Substantiv	Adjektiv
un-	- - -	Unsicherheit, Unfähigkeit	unbedeutend, unsicher, unwichtig
miss-	missverstehen, misslingen	Missverständnis	missverständlich
in-/im-	- - -	Intoleranz	intolerant, immobil, indirekt
-los	- - -	- - -	kostenlos, rücksichtslos, arbeitslos

Ü 1   1. typisch 2. trauen 3. sympathisch 4. kompetent

Ü 2   1. unsicher, das Unwetter, die Unruhe, unwichtig 2. der Misserfolg, missverstehen, missachten, miss-
glücken 3. die Intoleranz, indirekt, indiskret 4. arbeitslos, respektlos, sinnlos

11.4   Was man mit Negation machen kann

Ü 1   1. Ich hatte heute kein Glück. 2. Ich habe kein gutes Restaurant gefunden. 3. Dort konnte ich nichts S. 163
essen. 4. Die Bedienung hat mir die Speisekarte nicht gebracht. / Die Bedienung hat mir keine
Speisekarte gebracht. / Niemand / Keiner hat mir die Speisekarte gebracht. 5. Ich war sehr unzufrie-
den. 6. Ich bin nicht lange geblieben.

Ü 2   1. Das denke ich nicht. Ich finde unseren neuen Nachbarn unsympathisch. 2. Nein, er ist sehr unhöflich. 3. Ich finde ihn nicht hilfsbereit. 4. Er grüßt mich nie, wenn ich ihn sehe/treffe. / Er grüßt nie, wenn man ihn sieht/trifft. 5. Er fragt mich nicht/nie, wie es mir geht.

12   Satztypen und Verbstellung

12.1   Aussagesätze

S. 164   A 1a   Berlin <u>ist</u> die Hauptstadt von Deutschland. Die Stadt <u>hat</u> 3,5 Millionen Einwohner. Sie <u>ist</u> die zweitgrößte Stadt in der EU. Bis 1989 <u>teilte</u> die Mauer die Stadt in Ost- und Westberlin.
In Berlin <u>hat</u> das Finale der Fußball WM 2006 <u>stattgefunden</u>.

A 1b

Berlin	ist	die Hauptstadt von Deutschland.	
Die Stadt	**hat**	3,5 Millionen Einwohner.	
Sie	ist	die zweitgrößte Stadt der EU.	
Bis 1989	teilte	die Mauer die Stadt in Ost- und Westberlin.	
In Berlin	hat	**das Finale** der Fußball WM 2006	stattgefunden.

R1   Im Aussagesatz steht das konjugierte **Verb** an Position 2. Das Subjekt steht vor oder **nach** dem konjugierten Verb.

A 2

Die Mauer	teilte	die Stadt Berlin in zwei Teile.		**Was?**
Am 9. November 1989	wurde	die Berliner Mauer	geöffnet.	**Wann?**
Neugierig und glücklich	fuhren	viele Ostberliner in den Westen.		**Wie?**
In der ganzen Stadt	feierten	die Menschen.		**Wo?**

S. 165   Ü 1   1. Donnerstag 2. Weihnachten 3. Viele Leute 4. Die Geschäfte 5. man

Ü 2a   1. Ines und Ranko ⇩ einen Ausflug. 2. Sie ⇩ mit dem Auto nach Seebüll. 3. Ihr Freund Pavel ⇩ auch mit. 4. Ranko ⇩ den Weg nicht. 5. An einer Ampel ⇩ Ines einen Mann. 6. Der nette Mann ⇩ ihnen den Weg.

Ü 2b   1. Ines und Ranko machen einen Ausflug. 2. Sie fahren mit dem Auto nach Seebüll. 3. Ihr Freund Pavel kommt auch mit. 4. Ranko findet den Weg nicht. 5. An einer Ampel fragt Ines einen Mann. 6. Der nette Mann zeigt ihnen den Weg.

Ü 3   1. Als Kind hat Felix gern Fußball gespielt. 2. Mit sechs Jahren ist er in die Schule gegangen. 3. Dort hat er neue Freunde getroffen. 4. Zuerst hatte er eine nette Lehrerin. 5. Mit zehn ist er in eine andere Schule gekommen. 6. Da mussten die Schüler viel lernen.

Ü 4   1. Ich bin für ein langes Wochenende nach Berlin gefahren. 2. Die Geschichte von Berlin finde ich besonders interessant. / Die Geschichte von Berlin habe ich besonders interessant gefunden. 3. Zuerst habe ich das Mauermuseum besichtigt. 4. Dann bin ich zur Museumsinsel gegangen. 5. Von den langen Wegen wurde ich müde. / Von den langen Wegen bin ich müde geworden. 6. Am Nachmittag habe ich mit dem Bus eine Stadtrundfahrt gemacht.

12.2   Fragesätze

S. 166   A 1a, b   1. **Wann** sind Sie geboren? – Am 20.12.1984. 2. **Wo** wohnen Sie? – In der Grünerstraße. 3. **Was** ist dein Lieblingsessen? – Am liebsten esse ich Fisch. 4. **Hast** du schon gegessen? – Ja. Ich habe mir ein Sandwich gekauft. 5. **Holen** Sie mich am Bahnhof ab? – Nein, ich habe leider schon einen Termin. 6. **Sind** Sie ein Berliner? – Ja, ich bin in Berlin geboren.

R1   Die Fragen beginnen mit einem **W**-Wort (Fragewort). Man nennt Sie W-Fragen.

R2   Die Fragen beginnen mit dem konjugierten **Verb**. Man nennt sie Ja/Nein-Fragen.

Lösungen

A 2

Satzklammer			
Wann	**kannst**	du zu mir	**kommen?**
Mit welchem Bus	**fährst**	du zur Arbeit?	
Was für eine Farbe	hat	**dein Auto?**	
Wo und wie	**haben**	Sie so gut Deutsch	**gelernt?**
W-Wort	konjugiertes Verb		

R3   In den W-Fragen steht das konjugierte Verb an Position **2**. Auf Position 1 steht ein **W-Wort**.

A 3a   1. „Können Sie Auto fahren?" – „Ja."   3. „Können Sie nicht Auto fahren?" – „Doch."   S. 167
2. „Hast du Geld bei dir?" – „Nein."   4. „Hast du kein Geld bei dir?" – „Nein."

A 3b

Satzklammer		
Haben Sie	schon	gegessen?
Holen	Sie mich am Bahnhof	ab?
Können	Sie nicht	Auto fahren?
Hast	du kein Geld bei dir?	
konjugiertes Verb		Infinitiv, Partizip II, Präfix

R4   Ja-/Nein-Fragen bilden eine Satzklammer: Das konjugierte **Verb** steht an Position 1. Wenn die Ja-/Nein-Frage eine Negation enthält, dann verwendet man für eine positive Antwort „**doch**" (nicht „ja").

Ü 1a   1. Wie heißen Sie? 2. Wann sind Sie geboren? 3. Wo wohnen Sie? 4. Was sind Sie von Beruf? 5. Wo arbeiten Sie?

Ü 1b   Name – 1; Wohnort – 3; Geburtsdatum – 2; Beruf – 4; Arbeitgeber – 5

Ü 2   1. Entschuldigen Sie, wie komme ich zum Bahnhof? 2. Wo ist das Metropolkino? 3. Entschuldigung,   S. 168
welcher Bus fährt zum Stadtturm? 4. Bitte, wann fährt der Zug nach Kassel ab? 5. Wo kann ich/man parken?

Ü 3   1. Wo wart ihr? 2. Wie war die Reise? 3. Wie lange seid ihr gefahren? 4. Was habt ihr den ganzen Tag gemacht? 5. Was war am schönsten? 6. Wann seid Ihr zurückgekommen?

Ü 4a + b   1. Sind Sie zum ersten Mal in Bonn? – Nein, ich komme öfter her. 2. Bleiben Sie länger in Bonn? – Nein, leider nicht, nur zwei Tage. 3. Finden Sie die Stadt schön? – Ja, es ist ganz nett hier. 4. Haben Sie auch Familie? – Ja, einen Sohn und eine Tochter. 5. Schmeckt es Ihnen nicht? – Doch, es ist sehr gut. 6. Möchten Sie keine Nachspeise? – Nein, danke, ich bin satt.

Ü 5   **Beispiele:** 1. Was essen Sie gern? / Was essen Sie am liebsten? / Was ist ihre Lieblingsspeise? – Gemüse und Fisch, immer wieder. 2. Haben Sie Ihr Glück gefunden? / Haben Sie ein Lieblingslied? / Haben Sie ein Lieblingsbuch? – Nein, das suche ich noch. 3. Was möchten Sie am liebsten sein? / Was möchten Sie gar nicht sein? – Lehrer! 4. Gehen Sie oft ins Kino? / Lachen Sie gern? Machen Sie gern Reisen? – Ja, so oft wie möglich. 5. Was trinken Sie gern? / Was trinken Sie oft? – Tee, viel Tee, und keinen Kaffee. 6. Waren Sie noch nie in Berlin / Waren Sie noch nie hier? – Doch, ich war schon oft in Berlin.

12.3 Aufforderungssätze

S. 169 A 1

Satzklammer			
	Gib	dem Papagei frisches Wasser, Udo!	
Und ihr beiden,	**geht**	nicht zu spät	**schlafen!**
Und	**kümmert**	euch gut um die Katze!	
Frau Stern! Bitte	**räumen**	Sie die Küche	**auf!**
	Verb im Imperativ		Infinitiv oder Präfix

R 1 Im Aufforderungssatz steht das konjugierte **Verb** an Position **1**.

A 2 Du musst viel Tee trinken. Und nimm zweimal einen Löffel Hustensaft. Wenn es morgen nicht besser ist, gehst du zum Arzt.

Bei Erkältungen: Viel Tee trinken. Zweimal täglich einen Löffel Hustensaft nehmen. Wenn keine Besserung eintritt, zum Arzt gehen.

S. 170 Ü 1 1. Gehen Sie bitte weiter! 2. Schließ die Tür, bitte! 3. Bitte macht das Fenster auf! 4. Bitte vergessen Sie mein Buch nicht! 5. Wartet noch kurz, dann bin ich auch fertig! 6. Unterschreiben Sie bitte hier! 7. Das ist zu laut, hör bitte auf damit!

Ü 2 1. Zieh dich warm an! – Zieht euch warm an! 2. Setz eine Mütze auf! – Setzt eine Mütze auf! 3. Beweg dich viel! – Bewegt euch viel! 4. Geh täglich spazieren! – Geht täglich spazieren! 5. Trink viel Tee! – Trinkt viel Tee!

Ü 3 1. Waschen und putzen Sie das Gemüse. 2. Schneiden Sie die Zwiebel fein. 3. Braten Sie die Zwiebel kurz in Butter an. 4. Geben Sie das geschnittene Gemüse dazu. 5. Gießen sie ¹/₂ Liter klare Suppe auf. 6. Würzen Sie mit Salz, Pfeffer und Thymian.

Ü 4 1. Bitte hört damit auf! 2. Ruf mich am Abend an! 3. Wiederholen Sie das, bitte! 4. Gib mir mal bitte das Brot! 5. Holen Sie mich bitte vom Hotel ab! 6. Schicken Sie mir bitte eine E-Mail!

12.4 Was man mit Sätzen machen kann

S. 172 Ü 1 1. – ? 2. – ? 3. – . 4. – . 5. – ! 6. – . 7. – ? 8. – . 9. – ?

Ü 2 1. Sie müssen den Hund draußen lassen. 2. Lass den Hund vor der Tür! 3. Könnt ihr endlich herkommen? 4. Unterschreiben Sie bitte hier! 5. Mach die Arbeit endlich fertig! 6. Gehen wir jetzt essen? / Wir gehen jetzt essen! 7. Fahren Sie bitte langsamer! 8. Du musst morgen zum Arzt gehen.

Ü 3 1. Ich hole sie gleich. / Ich werde sie gleich holen. 2. Morgen bringe ich es mit. 3. Ich mache es gleich fertig. / Ich werde es gleich fertig machen. 4. Ich kaufe gleich ein. / Ich werde gleich einkaufen. 5. Ab morgen bin ich pünktlich.

Ü 4 1. Kommst du mit ins Kino? / Komm mit ins Kino! 2. Sollen wir gemeinsam gehen? 3. Wir können einen Spaziergang machen. / Wir könnten einen Spaziergang machen. 4. Sie könnten zu uns kommen. 5. Wollen wir nicht eine Pause machen? 6. Du musst den Zug um 23.30 nehmen.

13 Satzverbindungen

13.1 Hauptsatz und Hauptsatz

S. 173 A 1a haben – denken ... nach – hat – ist – kann ... verschicken – wollen ... schenken – macht – leiht ... aus – fragt – Sollen ... schenken – kaufen – bin – kann – ansehen

A 1b | **Hauptsatz 1 + Konjunktor + Hauptsatz 2** | S. 174

Hauptsatz 1		Hauptsatz 2
Lisa und Felix haben bald Geburtstag	und	ihre Eltern Rosi und Thomas denken über die Geschenke nach.
Lisa hat ein Handy,	aber	es ist sehr alt.
Sollen wir ihm eine Kamera mit Fotofilm schenken	oder	kaufen wir ihm eine Digitalkamera?
	Konjunktor	

Hauptsatz 1 + Hauptsatz 2 mit Verbindungsadverb

Hauptsatz 1			Hauptsatz 2
Mit ihrem Handy kann sie im Ausland keine SMS verschicken,	deswegen	wollen	ihre Eltern ihr ein neues Handy schenken.
Felix macht sehr gerne Fotos,	darum		leiht er sich oft die Kamera seines Vaters aus.
Ich bin für eine Digitalkamera,	dann	kann	er sich die Fotos am Computer ansehen.
	Verbindungs-adverb		

R | **Satzverbindung mit Konjunktor:** Der Konjunktor steht auf Position **0**. | **Satzverbindung mit Verbindungsadverb:** Das Verbindungsadverb steht auf Position **1**.

Ü 1a 1. will … schenken – dann – kann – … schicken 2. kann … ausleihen – trotzdem – möchte … schenken 3. kaufen – aber – darf … sein 4. Willst … mitkommen – oder – soll … einkaufen gehen 5. schau – dann – können … aussuchen

Ü 1b

Satzverbindung mit Konjunktor	Satzverbindung mit Verbindungsadverb
Satznummer: 3, 4	Satznummer: 1, 2, 5

13.1.1 **Konjunktoren**

A 1 1. **Aufzählung:** und 2. **Alternative:** oder 3. **Gegensatz:** aber 4. **Grund:** denn | S. 175

A 2a 1. D; 2. A; 3. C; 4. B | S. 176

A 2b **das eine und das andere:** sowohl … als auch / nicht nur … sondern auch – **das eine oder das andere:** entweder … oder – **das eine nicht und das andere auch nicht:** weder … noch

Ü 1 1. und 2. aber 3. und 4. oder | S. 177

Ü 2 1. Ich telefoniere nicht mit dem Handy, aber ich schreibe viele SMS. 2. Er braucht den Laptop in der Arbeit und seine Frau braucht ihn am Wochenende. 3. Sie gehen oft ins Internetcafé, denn sie schreiben E-Mails an ihre Freunde. 4. Er sieht gern mit Freunden Videos oder sie gehen ins Kino.

Ü 3 1. C; 2. E; 3. A; 4. B; 5. D

Ü 4 1. und 2. aber 3. oder 4. denn 5. sowohl … als auch 6. weder … noch

Lösungen

13.1.2   **Verbindungsadverbien**

A 1   **Widerspruch**: trotzdem; **Grund**: deshalb; **Reihenfolge**: dann; **Notwendigkeit**: sonst

S. 178 Ü 1   1. C; 2. B; 3. D; 4. A

S. 179 Ü 2   1. trotzdem 2. sonst 3. darum / deshalb 4. sonst 5. deshalb / darum 6. dann

Ü 3   1. Ich habe kein Handy, trotzdem bin ich gut erreichbar. 2. Ich habe kein Handy, darum kannst du mich im Zug nicht anrufen. 3. Ich habe kein Handy, sonst telefoniere ich zu viel. 4. Ich mache oft Sport, darum habe ich selten eine Erkältung. 5. Ich mache oft Sport, trotzdem fühle ich mich heute nicht fit. 6. Ich mach oft Sport, sonst bekomme ich schlechte Laune.

13.2   **Haupt- und Nebensatz**

S. 180 R 1   Nebensätze beginnen mit einem **Einleitewort**. Im Nebensatz steht das konjugierte Verb **am Ende**.

S. 181 A 1   **Reihenfolge: Haupt- und Nebensatz**

	Ich	hole	dich ab,	wenn ich es schaffe.
Wenn ich es schaffe,	hole	ich	dich ab.	

R 2   Nebensatz vor Hauptsatz: Im Hauptsatz steht das **Verb** an Position 1, direkt nach dem Komma.

A 2a   weil sie Maribel abholen will – dass er lieber zu Hause bleibt – das 30 Minuten Verspätung hat – dass du da bist – was ich dir mitgebracht habe – wenn du mal wieder kochen willst – dass ich nicht gerne koche

A 2b

mit Subjunktor (dass, weil, damit, wenn, …)	mit Relativpronomen (der, das, die)	mit W-Wort oder „ob" (wie, was, …)
Lisa fährt zum Flughafen, weil sie Maribel abholen will.	Am Flughafen wartet Lias auf das Flugzeug, das 30 Minuten Verspätung hat.	Rate mal, was ich dir mitgebracht habe?

S. 182 Ü 1   1. c; 2. c; 3. c; 4. c; 5. d

Ü 2   1. Ich hoffe (Hauptsatz), dass wir uns bald wieder sehen (Nebensatz). 2. Wenn ich Zeit habe (Nebensatz), rufe ich dich an (Hauptsatz). 3. Kommst du mit ins Kino (Hauptsatz), wenn du mit der Arbeit fertig bist (Nebensatz)? 4. Wie hieß der Film (Hauptsatz), den du dir gestern angesehen hast (Nebensatz)? 5. Weil ich krank bin (Nebensatz), kann ich leider nicht mitkommen (Hauptsatz).

Ü 3   1. Ich freue mich, weil ich heute nicht arbeiten muss. 2. Kannst du mich anrufen, wenn du zu Hause bist? 3. Dort ist die Frau, die mich mitgenommen hat. 4. Das ist sehr einfach, wenn du gut aufpasst. 5. Ich weiß nicht, ob ich dich später anrufen kann.

Ü 4   1. Wenn ich Kopfschmerzen habe, nehme ich eine Tablette. 2. Seit Maribel / sie in Deutschland Freunde hat, kommt sie gern nach Deutschland / dorthin. 3. Als er den Hund gefunden hat, hat sich Lukas sehr gefreut. / Als Lukas den Hund gefunden hat, hat er sich sehr gefreut. 4. Bis du wiederkommst, bleibe ich einfach hier sitzen. 5. Was das ist, weiß ich nicht.

13.2.1   **Nebensätze mit Subjunktoren**

13.2.1.1   **Nebensatz mit „dass"**

S. 183 A 1   Nebensätze mit „dass" stehen nach **Verben**: denken, sagen, hoffen, freuen, wissen, berichten, schreiben …; **Ausdrücken mit Adjektiven**: froh sein, sicher sein, glücklich sein, traurig sein …; **unpersönlichen Ausdrücken**: es ist wichtig, es gefällt mir …; **Substantiven + „haben"**: Angst haben, Sorge haben, Glück haben …

Lösungen

R   Handelnder im Hauptsatz = **Handelnder im Nebensatz** → Nebensatz mit „dass" oder „zu" + Infinitiv.

Ü 1   1. Ich freue mich, dass du uns besuchen kommst. 2. Auch Felix freut sich, dass du kommst. 3. Es tut mir leid, dass ich am Samstag arbeiten muss. 4. Aber Felix hat Zeit und er ist froh, dass er mit dir in ein Museum gehen kann. 5. Ich freue mich, dass wir am Samtstagabend zusammen essen gehen. 6. Ich bin sehr froh, dass wir uns endlich wieder sehen.   S. 184

Ü 2   1. Lisa denkt, dass Maribel gerne in ein Museum geht. 2. Felix meint, dass sie sich für Moderne Kunst interessiert. 3. Lisa ist sicher, dass sie auch das Naturkundemuseum sehen mag. 4. Felix sagt, dass sie auch auf die Weihnachtsmärkte gehen möchte. 5. Lisa glaubt, dass sie Glühwein mag. 6. Felix und Lise hoffen, dass Maribel deutsches Essen mag.

Ü 3   Beispiele   S. 185
1. Wir hoffen, dass die Besprechung interessant ist. 2. Ich bin der Meinung, dass der Termin wichtig ist. 3. Er ärgert sich, dass die U-Bahn nicht fährt. 4. Es ist schade, dass das Museum geschlossen hat. 5. Sie denkt nicht, dass alles teuer ist. 6. Es ist schön, dass dir das Essen schmeckt. 7. Ich freue mich, dass du Moderne Kunst magst. 8. Ich wundere mich, dass der Bus zu spät kommt.

Ü 4a   **Infinitiv mit „zu" möglich: 1, 3, 4 – Infinitiv mit „zu" nicht möglich: 2, 5**

Ü 4b   1. Lukas hofft, die U-Bahn nicht zu verpassen. 3. Er schafft es trotzdem, pünktlich zu kommen. 4. Er hat seinem Chef versprochen, das Protokoll zu schreiben.

Ü 5   1. Lukas erzählt, dass er am Tag davor / gestern eine wichtige Besprechung hatte. 2. Er berichtet, dass sein Chef auch dabei war. 3. Der Chef war der Meinung, dass der Termin für alle wichtig ist. 4. Lukas und seine Kollegen waren froh, dass sie wichtige Informationen bekommen haben. 5. Nach der Besprechung waren alle zufrieden und sie haben beschlossen, dass sie noch (zusammen) etwas essen gehen.

13.2.1.2   Konditionaler Nebensatz mit „wenn"

A 1   Sie möchte im Dezember nach Berlin kommen. Sie muss aber noch Urlaub bekommen.   S. 186

A 2   Wenn mein Chef mir Urlaub gibt (Bedingung), komme ich im Dezember nach Berlin (Folge). Maribel fährt zu Lisa (Folge), wenn sie frei hat. (Bedingung)

Ü 1   1. C; 2. D; 3. A; 4. B   S. 187

Ü 2   1. Ich fahre nach Berlin, wenn ich Urlaub bekomme. 2. Wenn ich in Berlin bin, gehe ich zum Potsdamer Platz. 3. Wenn das Wetter schlecht ist, gehe ich in ein Museum. 4. Wenn ich Zeit habe, koche ich am Abend für Lisa und Felix.

Ü 3a   1. Das Wetter ist schön. 2. Ich habe Kopfschmerzen. 3. Ich habe Zeit. 4. Ich bin traurig. 5. Sie hat heute frei.

Ü 3b   1. Wenn das Wetter schön ist, gehen wir spazieren. / Wir gehen spazieren, wenn das Wetter schön ist. 2. Wenn ich Kopfschmerzen habe, trinke ich viel Wasser. / Ich trinke viel Wasser, wenn ich Kopfschmerzen habe. 3. Ich hole dich ab, wenn ich Zeit habe. / Wenn ich Zeit habe, hole ich dich ab. 4. Wenn ich traurig bin, höre ich gute Musik. / Ich höre gute Musik, wenn ich traurig bin. 5. Wenn sie heute frei hat, liest sie ein Buch. / Sie liest ein Buch, wenn sie heute frei hat.

Ü 4   1. Wenn Peter viel Geld hätte, würde er eine Weltreise machen. 2. Wenn Sabine ein Auto hätte, würde sie in die Berge fahren. 3. Wenn Herr Ritter Urlaub hätte, würde er mehr Bücher lesen. 4. Wenn Frau Rademacher mehr Zeit hätte, würde sie öfter ins Kino gehen. 5. Wenn Herr und Frau Stadelmann weniger Arbeit hätten, würden sie mehr miteinander reden.

Lösungen

13.2.1.3 Temporaler Nebensatz

A   Zeitspanne mit Blick auf den Anfang → **seit**; Zeitspanne mit Blick auf das Ende → **bis**; Ein Moment/Ereignis in der Vergangenheit → **als**; Momente/Ereignisse/Zustände, die immer wieder passieren (früher, jetzt oder in Zukunft) → (immer) **wenn**; Ein Ereignis passiert vor einem andern → **bevor**; Ein Ereignis passiert nach einem anderen → **nachdem**; Zwei Ereignisse passieren gleichzeitig → **während**

Ü 1   1. Als 2. wenn 3. wenn 4. als

      Ü 2   Beispiele: 1. Wenn ich einen Zug verpasse, gehe ich zur Information. 2. Wenn ich den Weg nicht weiß, frage ich jemanden. 3. Wenn ich etwas nicht verstehe, frage ich nach. 4. Als ich zum ersten Mal im Ausland war, war ich sieben Jahre alt. 5. Als ich meine erste Flugreise machte / gemacht habe, hatte ich große Angst. 6. Als ich zum ersten Mal ein Hotel gesucht habe / hatte, war ich sehr nervös.

      Ü 3   1. Seit 2. bis 3. nachdem 4. bevor

      Ü 4   1. Als 2. Seit 3. wenn 4. Als 5. bevor 6. Während/Nachdem 7. Als/Nachdem

13.2.1.4 Kausaler und konzessiver Nebensatz

A 1/2   Einen Grund angeben; Satznummer: 1, 3; Subjunktor: **weil** oder **da**
            Einen Gegensatz, etwas Unerwartetes angeben, Satznummer: 2; Subjunktor: **obwohl**

Ü 1   1. Ich fahre gerne Zug, weil ich dann ein Buch lesen kann. 2. Ich fahre nicht so gerne Zug, weil ich immer warten muss. 3. Das stimmt, aber mit dem Auto bin ich auch nicht schneller, weil ich oft im Stau stehe. 4. Und Zug fahren ist oft lustig, weil man neue Leute kennenlernt.

      Ü 2   1. Da / Weil die S-Bahn am Freitagmorgen einen Unfall hatte, bin ich zu spät zum Flughafen gekommen. 2. Da / Weil ich nicht aus der S-Bahn aussteigen konnte, habe ich den Flug nach Frankfurt verpasst. 3. Da / Weil ich ein Vorstellungsgespräch in Frankfurt um 9 Uhr verpasst habe, war ich sehr wütend. 4. Da / Weil die Reise nach Frankfurt für mich sinnlos (geworden) war, habe ich das Geld für das Ticket zurückgefordert.

      Ü 3   1. Obwohl ich viel Arbeit hatte, bin ich letztes Wochenende weggefahren. 2. Obwohl ich ein teures Hotel gebucht habe/hatte, hatte ich ein kleines Zimmer. 3. (Und) Obwohl ich wenig Zeit hatte, habe ich ein Museum besucht. 4. Obwohl ich nicht viel Geld hatte/habe, bin ich in ein gutes Restaurant gegangen. 5. Obwohl das Wetter schlecht war, war es ein schönes Wochenende.

      Ü 4   Er fährt oft mit dem Fahrrad, obwohl er langsamer ist als mit der U-Bahn. Er fährt oft mit dem Fahrrad, weil er dann ein bisschen Sport macht. Er fährt oft mit dem Fahrrad, obwohl er durch die Stadt fahren muss. Er fährt oft mit dem Fahrrad, obwohl er auf der Fahrt nicht Zeitung lesen kann. Er fährt oft mit dem Fahrrad, weil er nicht gern auf die U-Bahn wartet.

13.2.1.5 Nebensatz mit „damit", „um … zu" (final) und „sodass" (konsekutiv)

A 1   damit er endlich pünktlich aufsteht – um endlich pünktlich aufzustehen – sodass ich jeden Morgen die Nachrichten hören kann – sodass ich aufstehen musste, um ihn auszuschalten

      A 2   Folge, Konsequenz ausdrücken → **sodass**; Ziel, Zweck angeben → **damit** oder **um … zu**

      R   Verschiedene Subjekte in Haupt- und Nebensatz → finaler Nebensatz immer mit **damit**.

Ü 1a   1. C; 2. A; 3. D; 4. B

      Ü 1b   1. Felix hat einen Radiowecker gekauft, um nicht mehr zu verschlafen. 2. Lisa geht in Felix' Zimmer, um Felix zu wecken. 3. Felix steht auf, um zu frühstücken. 4. Lisa geht in die Stadt, um einen zweiten Wecker für Felix zu kaufen.

Lösungen

Ü 2 — 1. Lukas braucht keinen Wecker, um früh aufzustehen. 2. Er muss jeden Tag früh aufstehen, um mit Toby spazieren zu gehen. 3. Toby sitzt jeden Morgen neben Lukas' Bett und zieht an der Decke, damit Lukas aufwacht. 4. Manchmal muss Lukas kalt duschen, um richtig wach zu werden.

Ü 3 — 1. Stehen Sie sofort auf, so dass Sie nicht wieder einschlafen können. 2. Stellen Sie den Wecker so weit weg vom Bett, dass Sie aufstehen müssen. 3. Stellen Sie eine Flasche Wasser neben das Bett, sodass Sie morgens gleich einen Schluck trinken können. 4. Stehen Sie regelmäßig früh auf, sodass Sie sich ans Aufstehen gewöhnen.

Ü 4 — 1. um … zu 2. damit 3. dass 4. damit / so dass

13.2.1.6 Nebensatz mit „je … desto" (komparativ)

A 1 — Je später der Abend ist, desto schöner sind die Gäste! S. 194

R 1 — „je … desto" verbindet zwei Sätze. In beiden Sätzen stehen Adjektive im **Komparativ**.

A 2

Nebensatz			Hauptsatz		
Nebensatzklammer					
Je später	der Abend	ist,	**desto schöner**	sind	die Gäste.
„je" + Adjektiv			„desto" + Adjektiv		

R 2 — Direkt hinter „je" und „desto" steht immer ein **Adjektiv** im Komparativ. Im Hauptsatz steht das **Verb** nach dem Adjektiv.

Ü 1 — 1. D; 2. A; 3. B; 4. C S. 195

Ü 2 — 1. länger, schöner 2. älter, öfter 3. länger, besser 4. weniger, ruhiger

Ü 3 — 1. Je später Tina abends ins Bett geht, desto schwerer ist das Aufstehen für sie. 2. Je öfter der Wecker klingelt, desto wütender wird Tina. 3. Je länger es morgens dunkel ist, desto lieber bleibt Tina im Bett liegen. 4. Je eiliger Tina es hat, desto langsamer fährt die Straßenbahn.

Ü 4 — Je teurer ein Rockkonzert ist, desto kürzer (ist es/das Konzert). – Je schneller das Auto, desto unsportlicher (ist) der Fahrer. – Je stiller du bist, desto mehr kannst du hören. – Je früher man eine Reise bucht, desto größer ist die Auswahl. – Je länger der Urlaub dauert, desto erholsamer ist er. – Je früher man aufsteht, desto länger ist der Tag.

13.2.2 Relativsatz

A 1 — Der Junge, **der** neben Elke saß. Das Mädchen, **das** Fußballprofi werden wollte. Die Freundin, **die** so lange Haare hatte. Die Jungs, **die** immer so lustig waren. S. 196

R 1 — Das Relativpronomen hat das gleiche Genus (der, das, die) und den gleichen Numerus (Singular/Plural) wie das **Bezugswort**, auf das es sich bezieht.

R 2 — Der Kasus (Nominativ, Akkusativ, Dativ, Genitiv) des Relativpronomens hängt ab von: S. 197
- dem Verb im Relativsatz.
  Das ist der Junge, der (Nominativ) neben mir saß.
  Das ist der Junge, den (Akkusativ) ich kenne.
  Das sind die Klassenkollegen, denen (Dativ) wir schreiben.
- oder der Präposition vor dem Relativpronomen.
  Das ist der Lehrer, **über** den (Akkusativ) wir sprechen.

R 3 — Das Relativpronomen „was" bezieht sich auf Pronomen oder ganze Sätze und ist unveränderlich. Das Relativpronomen „wo" bezieht sich auf Ortsangaben.

Lösungen

S. 198   Ü 1   1. C; 2. A; 3. B; 4. D

          Ü 2   1. der 2. die 3. der/den 4. der 5. die

          Ü 3   1. Thomas ist der Junge, der in Petra verliebt war. 2. Petra ist das Mädchen, das immer viel geredet hat. 3. Herr Behrend ist der Deutschlehrer, den wir auf der Klassenfahrt geärgert haben. 4. Herr Weber ist der Musiklehrer, der mal kurz einen Bart hatte. 5. Frau Bischof war die Chemielehrerein, die wir zu Hause angerufen haben. 6. Herr Grimm und Frau Schmidt waren die Lehrer, mit denen wir in Frankreich waren.

S. 199   Ü 4   1. den 2. wo 3. den 4. das 5. die 6. was 7. die

          Ü 5   1. Das ist Heidi, die beim Schüleraustausch nach Amerika dabei war. 2. Das ist die Frau von Stefan, mit dem ich oft beim Sport war. 3. Stefan ist der Mann mit den langen Haaren, der gerade beim Kellner steht. 4. Das sind die Lehrer, Herr und Frau Metz, von denen ich dir viel erzählt habe.

          Ü 6   1. der 2. den 3. die 4. was 5. denen   Lösungswort: Reise

13.2.3   **Nebensatz mit „ob" oder W-Wort**

S. 200   A 1a   1. was 2. wann 3. ob

          A 1b   1. Was willst du machen? 2. Bringt er seinen Hund mit? 3. Wann macht das Museum auf?
Ja-/Nein-Frage → Nebensatz mit „ob" Kommst du heute? – Ich frage dich, ob du heute kommst.
W-Frage → Nebensatz mit W-Wort Wann kommst du heute? – Ich frage dich, wann du heute kommst.

S. 201   Ü 1   1. welchen Zug wir nehmen können? 2. ob ich Toby im Zug mitnehmen darf. 3. was das Ticket für Toby kostet? 4. wann wir uns treffen.

          Ü 2   1. Können Sie mir bitte sagen, wie viel Uhr es ist? 2. Entschuldigung, wissen Sie, wo ich Tickets kaufen kann? 3. Entschuldigung, können Sie mir sagen, ob ich am Automaten mit Karte zahlen kann? 4. Wissen Sie, ob es auch Fahrkarten für Hunde gibt? 5. Können Sie mir sagen, wo der Bahnhofskiosk ist? 6. Wissen Sie, von welchem Gleis der Zug um 8.30 Uhr Richtung Stralsund fährt?

13.3   **Was man mit Nebensätzen machen kann**

S. 203   Ü 1   1. ob 2. dass 3 bis 4. der 5. Wenn 6. denen 7. ob 8. ob 9. bevor 10. bis

          Ü 2   1. Ich fahre nicht gern Auto, weil man oft im Stau steht. 2. Sie sagt, dass sie gern mit dem Zug fährt. 3. Sie ist früh aufgestanden, trotzdem hat sie den Zug verpasst. 4. Er spricht viel Deutsch, seit er in Berlin ist. 5. Wir gehen heute sowohl ins Kino als auch indisch essen. 6. Er kauft ein Handy, damit er seinen Freunden in Kasachstan SMS schicken kann. 7. Mit diesem Handy kann man nicht nur telefonieren sondern auch Fotos machen. 8. Ich gehe ins Internet, um die Wettervorhersage anzusehen. 9. Je länger ich auf dich warte, desto mehr Sorgen mache ich mir. 10. Er hat noch einen wichtigen Termin, dann ruft er Sie an.

          Ü 3   1. Ich habe jetzt keine Zeit, deswegen rufe ich dich morgen zurück. – Ich rufe dich morgen zurück, denn ich habe jetzt keine Zeit. – Weil ich jetzt keine Zeit habe, rufe ich dich morgen zurück. 2. Seit ich hier warte, ist niemand gekommen. 3. Ich warte hier, bis jemand kommt. 4. Ich bin müde und (ich bin) durstig. – Ich bin sowohl müde als auch durstig. 5. Ich habe wenig Zeit aber ich komme mit. – Ich komme mit, obwohl ich wenig Zeit habe. – Ich habe wenig Zeit, trotzdem komme ich mit.

S. 204   Ü 4   1. Ich habe nur wenig Zeit, trotzdem komme ich zu deiner Feier. / Ich habe nur wenig Zeit, aber ich komme zu deiner Feier. 2. Kann ich sie fragen / Wissen Sie / Können Sie mir sagen, ob es hier eine Toilette gibt? 3. Ich kann heute nicht kommen, denn ich bin krank. / Ich bin krank, deshalb/deswegen kann ich heute nicht kommen. 4. Ich stelle mir zwei Wecker, sodass ich nicht verschlafe. / Ich stelle mir zwei Wecker, um nicht zu verschlafen. 5. Ich schicke Ihnen die Informationen, da/weil Sie Interesse daran hatten. / Ich schicke Ihnen die Informationen, denn Sie hatten Interesse daran. / Ich schicke Ihnen die Informationen, an denen Sie Interesse hatten.

Lösungen

Ü 5   Sehr geehrter Herr Jakobsen,
wir freuen uns sehr über Ihr Interesse an unseren Produkten **und** schicken Ihnen sehr gerne unseren Katalog. Sie finden in dem Katalog **sowohl** aktuelle Angebote **als auch** unser gesamtes Sortiment. Wir haben jetzt auch ganz neu Badezimmermöbel **und** wir freuen uns, Ihnen exklusive Möbel für Ihr Badezimmer zu präsentieren. Wir hatten einen Wasserschaden in unserer Lampenabteilung, **deshalb / deswegen / darum** können wir Ihnen auf alle unsere Lampen einen Rabatt von 15 % garantieren, **wenn** Sie die Ware bis zum 15. Juli bestellen.
Wenn Sie Fragen haben, rufen Sie uns bitte an.

14   Redewiedergabe S. 205

A 1 | Redeeinleitender Satz + Nebensatz mit W-Wort | Lukas hat gefragt, was Toby **hat**. |
Redeeinleitender Satz + Nebensatz mit „ob"	Lukas hat gefragt, **ob** es schlimm **ist**.
Redeeinleitender Satz + Satz im Indikativ	Die Ärztin hat gesagt, Toby **hat** eine Erkältung.
Redeeinleitender Satz + Nebensatz mit „dass"	Sie hat gesagt, **dass** er Fieber **hat**.
Redeeinleitender Satz + Satz mit Modalverb „sollen"	Sie hat gesagt, ich **soll** ihm viel zu trinken **geben**.
Redeeinleitender Satz + Satz mit Verb im Konjunktiv	Sie hat gesagt, es **sei** nicht schlimm.

R 1   Die indirekte Rede beginnt mit einem **redeeinleitendem Satz**: Er / Sie hat gesagt / gemeint … **Aussagesätze** in der direkten Rede bleiben in der indirekten Rede **Aussagesätze** oder werden zu **Nebensätzen mit „dass"**. **W-Fragen** in der direkten Rede werden in der indirekten Rede zu **Nebensätzen mit W-Wort**. **Ja-/Nein-Fragen** in der direkten Rede werden in der indirekten Rede zu **Nebensätzen mit „ob"**.

A 2   Die Ärztin sagt zu Lukas S. 206

„Kommen Sie bitte zu mir."	Sie hat gesagt, er soll zu ihr kommen.
„Ihr Hund ist krank."	Sie hat gesagt, dass sein Hund krank ist.
"Kommen Sie morgen wieder."	Sie hat gesagt, er soll morgen wiederkommen. (gleicher Tag)
	Sie hat gesagt, er soll am nächsten Tag wiederkommen. (anderer Tag)
„Bleiben Sie mit Ihrem Hund gleich hier."	Sie hat gesagt, er soll mit seinem Hund gleich da bleiben.

R 2   In der indirekten Rede gibt es oft einen Perspektivenwechsel. Oft ändern sich
die Personalpronomen: Lukas: „Ich gehe zum Tierarzt." – Lukas sagt, **er** geht zum Tierarzt.
die Possessivartikel: Lukas: „Mein Hund ist krank." – Lukas sagt, dass **sein** Hund krank ist.
Zeitbezüge: Lukas: „Ich gehe morgen zum Tierarzt."– Lukas hat gesagt, er geht **am nächsten** Tag …
Ortsangaben: Lukas: „Toby, bleib hier!" – Lukas hat zu Toby gesagt, er soll **da / dort** bleiben.

Ü 1   A: 1, 2, 4, 5   B: 1, 2, 3, 4, 6 S. 208

Ü 2   1. sie 2. sie, ihnen 3. sie, ihnen 4. sie ihr

Ü 3   1. Lukas sagt, dass er Kopfschmerzen hat. 2. Er sagt, dass es ihm nicht gut geht. 3. Er fragt Lisa, ob sie ihm einen Tee machen kann. 4. Er sagt, dass er zum Arzt gehen muss. 5. Er erklärt, dass er nicht in die Arbeit gehen kann. 6. Er möchte wissen, wie spät es ist. 7. Er fragt, wo Toby ist.

Ü 4   1. an diesem Tag / am selben Tag 2. am Tag davor / am vorigen Tag 3. am nächsten Tag / am darauf folgenden Tag 4. am übernächsten Tag 5. dort / da S. 209

Ü 5   1. Die Mutter sagt, sie soll etwas Schönes anziehen. 2. Der Vater sagt, sie soll nicht zu spät zu dem Termin kommen. 3. Der Bruder sagt, sie soll keinen Kaffee am Morgen / am Morgen keinen Kaffee trinken. 4. Die Schwester meint, sie soll heute früh ins Bett gehen. 5. Eine Freundin sagt, sie soll sie sofort nach dem Gespräch anrufen. 6. Die Oma sagt, sie soll selber auch Fragen stellen. 7. Der Opa sagt, sie soll einfach ganz natürlich sein.

Lösungen

Ü 6   Professor Noke gibt folgende Ratschläge: „Man muss auch bei schlechtem Wetter täglich draußen spazieren gehen. Ohne tägliche Bewegung und direktes Tageslicht haben wir wenig Chancen, gesund zu bleiben. Ich weiß, dass viele Leute bei schlechtem Wetter lieber zu Hause blieben, aber mit der richtigen Kleidung gibt es keine Ausreden. Auch die Ernährung ist sehr wichtig: viel Obst und Gemüse, aber auch viel Flüssigkeit. Besonders gut sind heiße Tees. Ich selbst gehe einmal in der Woche in die Sauna, das hilft mir sehr.

15 Wortbildung

15.1 Abgeleitete Substantive

S. 210 A 1   Rennen und Springen – das Spazierengehen im Park – Hunde zum Spielen – Vom vielen Rennen

R1   Der Infinitiv kann zu einem Substantiv werden. Das Artikelwort ist immer **„das"**.

A 2a   ein Jogger läuft – Der eine Spieler ist still – mit den Zuschauern – Radfahrer gibt es keine, denn Radfahren ist verboten.

A 2b

joggen	der Jogger	die Joggerin
spielen	der Spieler	die Spielerin
zuschauen	der Zuschauer	die Zuschauerin
Rad fahren	der Radfahrer	die Radfahrerin
Verb	männlicher Person: Endung **-er**	weibliche Person: Endung **-er-in**

R2   Mit Verbstamm + **-er** bezeichnet man männliche Personen. An diese Substantivform hängt man die Endung **-in** an für die Bezeichnung weiblicher Personen.

S. 211 A 3a   Kindchen, Programmierer, Sportler, Köchin, Mannschaft, Zeichnung, Häuslein, Sicherheit, Freundschaft, Musiker, Polizistin, Käufer, Kleinigkeit, Gesundheit

A 3b   **Substantive mit Suffixen: Übersicht**
Substantive maskulin: „der"
-er: der Programmierer, der Käufer, der Musiker
-ler: der Sportler
Substantive neutrum: „das"
-chen: das Kindchen
-lein: das Häuslein
Substantive feminin: „die"
-in: die Köchin, die Polizistin
-ung: die Zeichnung
-schaft: die Mannschaft
-heit/-keit: die Sicherheit, die Gesundheit, die Kleinigkeit

S. 212 Ü 1   1. Maler 2. Fahrer 3. Erzähler 4. Bäcker 5. Tänzerin 6. Lehrerin 7. Zuschauerin 8. Wählerin

Ü 2   1. das Häuschen 2. das Hündchen 3. das Gläschen 4. das Bächlein 5. das Büchlein, 6. das Tierlein

Ü 3   1. zum Kochen 2. beim Joggen 3. zum Lesen 4. zum Arbeiten 5. beim Schwimmen

Ü 4a, b   1. die Stimmung 2. eine Freundschaft 3. der Künstler 4. Die Schauspielerin 5. die Möglichkeit 6. die Ärztin, die Untersuchung 7. eine Dummheit, Entschuldigung 8. die Neuigkeit

15.2 Zusammengesetzte Substantive

S. 213 A 1   Kranken|pfleger, Kranken|haus, Unfall|station, Schwer|verletzte, Roll|stuhl, Geh|hilfe, Chef|ärztin, Therapie|pläne, Fach|ärzten, Stations|leiterin, Dienst|plan, Pflege|personal, Früh|dienst

Lösungen

R1   Zusammengesetzte Substantive bestehen aus mindestens **zwei** Teilen. Der letzte Teil, das Grundwort, ist immer ein Substantiv.

A 2a   die Kranken – der Pfleger: **der** Kranken|pfleger
der Unfall – die Station: **die** Unfall|station
pflegen / die Pflege – **das** Personal: das Pflege|personal

A 2b

		Umschreibung	Bestimmungswort
1.	der Kranken|pfleger	der Pfleger für <u>die Kranken</u>	Substantiv
2.	die Unfall|station	die Station für die Opfer <u>eines Unfalls</u>	Substantiv
3.	der Roll|stuhl	der Stuhl, den man <u>rollen</u> kann	Verb
4.	die Geh|hilfe	eine Hilfe, um <u>gehen</u> zu können	Verb
5.	der Früh|dienst	der <u>frühe</u> Dienst	Adjektiv
6.	der/die Schwer|verletzte	eine Person, die <u>schwer</u> verletzt ist	Adjektiv

R2   Das Genus (maskulin, feminin, neutrum) eines zusammengesetzten Substantivs wird vom **Grundwort** bestimmt.

Ü 1a, b
1. der Stadtplan   die Stadt, der Plan   der Plan von einer Stadt   S. 214
2. das Schwimmbad   schwimmen, das Bad   ein Bad, wo man schwimmen kann
3. das Märchenbuch   das Märchen, das Buch   ein Buch mit vielen Märchen
4. die Plastiktüte   das Plastik, die Tüte   eine Tüte aus Plastik
5. die Altstadt   alt, die Stadt   der alte Teil der Stadt

Ü 2   1. die Schreibmaschine 2. der Kochlöffel 3. das Malbuch 4. die Waschmaschine 5. das Schlafzimmer
6. Laufschuhe

Ü 3   1. Handschuhe 2. die Haustür 3. der Apfelkuchen 4. die Zahnbürste 5. die Sonnenbrille 6. das Baumhaus 7. die Taschenlampe 8. das Autoradio

16   Textzusammenhang

16.1   Pronomen, Artikelwörter und Verbindungsadverbien

A 1a

Der Autodiebstahl   S. 215

Um 8.30 Uhr hatte Herr Schuster eine wichtige Besprechung und jetzt war es schon kurz vor acht. Er riss die Tür zur Tiefgarage auf, rannte nach links und blieb plötzlich stehen. „Das gibt es doch nicht!", dachte er. „Wo ist mein Auto?!" Es war weg, einfach verschwunden. Er sah sich um. Auf dem Parkplatz, der links neben seinem war, stand das Auto seiner Nachbarin, Frau Bastani, auf dem Parkplatz von Herrn Huber lagen die alten Autoreifen und die Lampe hinten an der Wand war immer noch kaputt. Alles war wie immer, nur sein Auto war weg.

A 1b   **Pronomen:** er, es, seinem, der – **Artikelwörter:** mein (Auto), seiner (Nachbarin), sein (Auto)

R1   Textzusammenhang wird sehr oft mit **Pronomen** und **Artikelwörtern** erzeugt. Vor allem Personalpronomen, Relativpronomen und Possessivpronomen ebenso wie Possessivartikel machen die Bezüge im Text deutlich.

A 2   ein Problem – einen wichtigen Termin – das Problem – dieser Termin

R2 Man verwendet den **unbestimmten** Artikel bei Substantiven, die unbekannt oder neu im Text sind. Den **bestimmten** Artikel oder den **Demonstrativartikel** verwendet man bei Substantiven, die allgemein bekannt sind, schon vorher im Text genannt wurden oder durch den Kontext klar sind.

S. 216 **A 3** **dann** sagte sie … – **deswegen** fällt es mir jetzt wieder ein. – **sonst** weiß ich nichts mehr.

R Auch **Verbindungsadverbien** verknüpfen Sätze zu einem Text. Sie stellen Bezüge her, die die Reihenfolge, Gründe, Widersprüche oder Bedingungen betreffen.

Ü 1 Diese Wörter sind falsch: 1. sie 2. ihre 3. seinem 4. er 5. Er 6. einen 7. deswegen 8. dein 9. darum 10. er 11. sie 12. darüber 13. der

16.2 Zeit- und Ortsangaben

S. 217 **A 1** am Morgen des 8. Februar um kurz vor acht <u>die Tiefgarage</u> – <u>zur Arbeit</u> –<u>Dort</u> – anfangs – erst – <u>vor seinem Parkplatz</u> – für kurze Zeit – <u>vor dem falschen Parkplatz</u> – Kurz darauf – <u>in die Tiefgarage</u> – <u>hier</u> am Vorabend – <u>in die Arbeit</u> – mittags <u>zur Polizei</u>

Ü 1 1. Ich bin wie jeden morgen in die Tiefgarage gegangen. 2. Dort habe ich Herr Schuster gesehen. 3. Zuerst dachte ich, er ist wütend auf mich, weil er mich nicht gegrüßt hat. 4. Aber dann habe ich gesehen, dass sein Auto nicht da war. 5. Ich habe in also gefragt, ob ich ihm helfen kann. 6. Auf dem Weg in die Arbeit habe ich ihm von dem Mann erzählt, den ich am Vorabend in der Garage gesehen habe. 7. Anfangs hatte ich mir nichts dabei gedacht, dass hier ein fremder Mann war, der sich alles genau ansah. 8. Aber nachdem nun das Auto verschwunden ist, finde ich diesem Mann sehr verdächtig.

S. 218 **Ü 2** Hofstraße: 1, 2, 7 – Passauer Straße: 5, 6; Arbeit: 3, 4

Ü 3 1. immer 2. dort 3. lange 4. dann 5. Zuerst 6. dann 7. Nach drei Wochen 8. dort 9. Jetzt

16.3 Wortschatz

S. 219 **A 1a** ⟨Autobesitzer⟩ – <u>Fahrzeug</u> – ⟨Markus S.⟩ – <u>Pkws</u> – <u>Das Fahrzeug</u> – ⟨des Opfers⟩ – einem Mann – männlichen Dieb um die vierzig – ⟨Markus S.⟩ – <u>er</u> – <u>sein Auto</u> – <u>es</u> – ⟨Er⟩ – <u>es</u> – Der Mann, der zunächst verdächtigt wurde – der zukünftige Nachbar – ⟨„Bestohlenen"⟩ – Herr R. – Er

A 1b Auto: Pkw, Fahrzeug; Autobesitzer: Markus S., Opfer, Bestohlener; „Dieb": ein Mann, der Mann, der zunächst verdächtigt wurde, der zukünftige Nachbar, Herr R.

Ü 1 1. D; 2. F; 3. E; 4. G; 5. C; 6. A; 7. B

S. 220 **Ü 2a** **Tier:** Vierbeiner, Hund, Haustier; **Fahrzeug:** Auto, Pkw, BMW; **Wohnort:** Gebäude, nach Hause, Wohnung; **Mensch:** Mann, Nachbar, Leute, Person, Beamter, Polizist, Verfolger, Fahrer

Ü 2b Diese Begriffe sind richtig: 1. Leute / Menschen 2. Auto / Fahrzeug 3. nach Hause / zu ihrer Wohnung 4. BMW / Pkw 5. Fahrzeug / Auto 6. Polizisten / Beamten 7. Fahrer 8. Verfolger / Polizisten 9. Männer / Personen 10. Vierbeiner / Hund 11. Fahrer

Register

Register

Register

Register